SUR MATTHIEU

SOURCES CHRÉTIENNES

Fondateurs : H. de Lubac, s. j. et † J. Daniélou, s. j.
Directeur : C. Mondésert, s. j.
No 258

HILAIRE DE POITIERS

SUR MATTHIEU

TOME II

*TEXTE CRITIQUE, TRADUCTION, NOTES,
INDEX ET APPENDICE*

PAR

Jean DOIGNON
PROFESSEUR A L'UNIVERSITÉ DE FRANCHE-COMTÉ

*Ouvrage publié avec le concours
du Centre National des Lettres*

LES ÉDITIONS DU CERF, 29, BD DE Latour-Maubourg, PARIS
1979

Cette publication a été préparée avec le concours
de l'Institut des Sources Chrétiennes
(E. R. A. 645 du Centre National de la Recherche Scientifique).

© *Les Éditions du Cerf, 1979.*
ISBN 2-204-01390-0.

CONSPECTUS SIGLORUM

I. *Codices* :

Codices locupletiores :

α   L codex Vaticanus Palatinus lat. 167, saec. IX-X, ex abbatia Lauresamensi (I-XIV, 6 fragm.)
     R codex Vaticanus Reginensis lat. 314 a, saec. XI
     E codex Gratianopolitanus 263, saec. XII, ex abbatia Excubiensi
     P codex Parisinus lat. 2083, saec. XIII-XIV
β   A codex Atrebatensis 628 (700), saec. IX-X (IV-XXXIII fragm.)
     G codex Guelferbytanus 4119, Weissenburg 35, saec. X
     S codex Parisinus lat. 9520, saec. IX, ex abbatia Sigilleriensi
     T codex Turonensis 262, saec. IX
     M codex Abrincensis 58, saec. XI, ex abbatia S. Michaelis in periculo maris.

β′   *Codices minores* :

     O codex Oxoniensis, Bodleian Libr. 5256 (24), Marshall 21, saec. XII
     Q codex Parisinus, Bibl. S. Genouefae 71, saec. XII
     X codex Trecensis 1222, saec. XII
     W codex Vindobonensis, N. Bibl. 1017, Theol. 375, saec. XIII
     Z codex Zwettlensis 240, saec. XIII

α   représente le consensus de L R E P ou de R E P, quand L fait défaut
β   — — — — A G S T M ou de G S T M, quand A fait défaut
β′   — — — — O Q X W Z
codd.   — — — — tous les *codices*

II. *Editiones* :

Bad.   editio Badii Ascensii, Parisiis 1510
Era.   editio Erasmi, Basileae 1523
Lip.   editio Erasmi per Martinum Lipsium emendata, Basileae 1570
Gil.[1]   editio Joannis Gillotii prior, Parisiis 1572

*Gil.*² editio Joannis Gillotii secunda, Parisiis 1605

Gil. uulgata ambarum editionum Joannis Gillotii

Cou. editio Maurinorum cura et studio Petri Coustantii, Parisiis 1693

Ver. editio Coustantii cura P. A. Bernami et J. Vallarsii recusa, Veronae 1730

Obe. editio Coustantii cura F. Oberthuri recusa, Wiceburgi 1785

Cai. editio Coustantii cura A. B. Caillaui recusa, Parisiis 1830

PL editio Coustantii cura J.-P. Mignii in tomo 9 Patrologiae latinae recusa, Parisiis 1844

Pour abréger, seront désignés, dans l'apparat critique, par

Bad. le consensus des éditions depuis l'édition princeps jusqu'à celle de P. Coustant

Bad. Era. le consensus des deux premières éditions

*Gil.*² le consensus des éditions depuis la seconde édition de J. Gillot

Cou. le consensus des éditions depuis l'édition de P. Coustant

edd. le consensus de toutes les éditions

edd. plures le consensus de plusieurs éditions antérieures à celles de P. Coustant

TEXTE ET TRADUCTION

SANCTI HILARII
IN MATTHAEVM

14

996 B   **1.** *Intellixistis haec omnia ? Dicuntque ei : Vtique. Et ait*
illis : Ideo omnis scriba doctus in regno caelorum [a], et
cetera. Non turbis, sed discipulis est locutus et intel-
ligentibus parabolas dignum testimonium reddit, ipsos
5 scilicet sub patris familiae nomine sibi comparans, quod
doctrinam de thesauro suo nouorum ac ueterum sint
adepti, quosque scribas propter scientiam nuncupat,
quod intellexerint ea quae ille noua et uetera id est in
euangeliis et in lege protulerit et eiusdem patrisfamilias et
10 unius utraque thesauri.

  2. *Et factum est, cum consummasset Iesus parabolas*
istas, transiit inde et uenit in patriam suam [b], et reliqua.
C Inhonoratur Dominus a suis ; quamquam et docendi
prudentia et operandi uirtus admirationem commoueret,
5 infidelitas tamen eorum ueritatem iudicii non recepit.
Non enim credunt haec in homine Deum agere ; quin
etiam patrem ipsius matrem fratresque nuncupant et
paternae artis quodam opprobrio lacessunt. Sed plane
hic fabri erat filius [c] ferrum igne uincentis, omnem saeculi
10 uirtutem iudicio decoquentis massamque formantis in

L (usque XIV, 7,1) REP (= α) A (usque ad XIV, 19,5) GSTM (= β)
XIV intellixistis L M : intellixistis R E P G S   CAPVT (CANON
Bad.) XIV intellixistis T *edd.* || **1,** 3 cetera : reliqua L G S T M ||
4 reddidit β *Bad.* || 6 post nouorum *add.* spiritus sancti β *Bad.* ||
9 *post* lege *add.* ille A S || **2,** 3 *post* suis *add.* et β *edd. plures* || 5
recipit A S T M *Bad. Cou.*

DE SAINT HILAIRE
SUR MATTHIEU

Chapitre 14

1. *Avez-vous compris tout cela ? Ils lui disent : Oui. Et il leur déclara : Ainsi donc tout scribe instruit dans le Royaume des cieux*, etc. [a]. Ce n'est pas aux foules, mais aux disciples qu'il s'est adressé. Et à leur intelligence des paraboles il rend ce témoignage conforme à l'assimilation établie entre eux et lui sous le vocable du maître de maison, qu'ils ont tiré de leur trésor l'enseignement des choses nouvelles et anciennes, et, à cause de leur science, il les appelle scribes, parce qu'ils ont compris que les choses qu'il a présentées comme nouvelles et anciennes, c'est-à-dire dans les Évangiles et dans la Loi, appartiennent les unes et les autres au même maître de maison et au même trésor.

2. *Et il arriva que Jésus ayant achevé ces paraboles, s'en alla de là et vint dans sa patrie* [b] et la suite. Le Seigneur est méprisé par les siens. Bien que la sagesse de son enseignement et la puissance de son action soulèvent l'admiration, leur incrédulité n'a pas admis le jugement de la vérité. Ils ne croient pas que Dieu dans un homme accomplisse ces choses. Bien mieux, ils nomment son père, sa mère, ses frères, et ils prennent pour cible en manière d'outrage le métier de son père. Il est vrai qu'il était le fils du charpentier [c], qui dompte le fer par la flamme, anéantit au feu du jugement toute puissance de ce monde et donne

a. Matth. 13, 51-52
b. Matth. 13, 53-54
c. Cf. Matth. 13, 55

997 A omne opus utilitatis humanae, informem scilicet corporum nostrorum materiem in diuersa membrorum ministeria et ad omnia aeternae uitae opera fingentis. In his
igitur scandalizabantur omnes et inter tot tamque
15 magnifica quae gerebat corporis eius contemplatione
commouebantur. Quibus Dominus inhonorabilem in
patria sua prophetam esse respondit d, quia in Iudaea
esset usque ad crucis sententiam contemnendus. Et quia
penes solos fideles Dei uirtus est, propter eorum incre-
20 dulitatem omnibus diuinae operibus uirtutis abstinuit.

3. *In illo tempore audiuit Herodes tetrarcha famam*
B *Iesu* e, et cetera. Frequenter monuimus omnem diligentiam euangeliorum lectioni adhiberi oportere, quia in
his quae gesta narrantur subesse interioris intelligentiae
5 ratio reperiatur. Habet enim omnium operum narratio
suum ordinem, sed gestorum effectibus causae subiacentis species praeformatur, ut in Herode ac Ioanne
intelligitur. Nam et Herodes princeps erat populi et
Herodiadem uxorem Philippi fratris sui in matrimonium
10 suum iure potestatis adsumpserat f. Et huic Herodiadi
erat filia et natali die, cum saltans placeret g, potestatem
cuius uellet praemii h sacramento iurantis accepit et
Ioannis caput i in carcere diu habiti puella, matre admo-

L (usque XIV, 7,1) REP (= α) A (usque ad XIV, 19,5) GSTM (= β)
11 informem : formam β *Bad.* || 12 *ante* materiem *add.* et β *Bad.* ||
14 tamque : tantaque α || 3, 2 *post* Iesu *add.* et ait pueris suis R P
*Gil.*² || cetera : reliqua β *edd.* || 3 adhibere T M || 6-7 subiacenti A S
Bad. || 11 et : quae P *Cou.* || 12 accipit A S || 13 *post* caput *add.*
qui β *Bad.* || habiti : habitauit β   habitauerat *Bad.*

---

d. Cf. Matth. 13, 57
e. Matth. 14, 1
f. Cf. Matth. 14, 3
g. Cf. Matth. 14, 6
h. Matth. 14, 7

une forme à une masse en vue d'œuvrer en tout à l'intérêt de l'homme, autrement dit façonne la matière
informe de nos corps en vue des fonctions différentes de
nos membres et pour toutes les œuvres de la vie éternelle [1].
Tels sont les faits dont ils se scandalisaient tous et, au
milieu de tant d'actions si magnifiques, c'est la vue de
son corps qui les troublait. Le Seigneur leur répondit
qu'un prophète est méprisé dans sa patrie [d], parce qu'en
Judée il devait être tenu pour vil au point d'être condamné à la croix. Et comme la puissance de Dieu est la possession des croyants seuls, il s'abstint, à cause de leur
incrédulité, de toute œuvre de sa puissance divine.

3. *En ce temps-là le tétrarque Hérode entendit parler de
la renommée de Jésus* [e], etc. Souvent nous avons fait
remarquer qu'il fallait mettre toute notre application à
la lecture des Évangiles, parce que dans les faits qui sont
racontés on trouve, sous-jacente, la raison d'une intelligibilité intérieure. Le récit de toutes ces actions possède
en effet son ordre, mais dans la réalité des faits est préfigurée l'image d'un dessein sous-jacent, comme on le
voit à propos d'Hérode et de Jean. Car Hérode était le
chef du peuple et, par un droit attaché à sa puissance [2],
il avait pris pour femme Hérodiade, l'épouse de son frère
Philippe [f]. Et cette Hérodiade avait une fille : le jour
de son anniversaire, comme ses danses plaisaient [g], elle
obtint d'Hérode, sur la foi d'un serment, la possibilité
d'avoir la récompense qu'elle voulait [h] et la jeune fille,
poussée par sa mère, pria qu'on lui apportât sur un plat
la tête de Jean [i] qui était gardé en prison depuis long-

i. Cf. Matth. 14, 8

---

1. Dieu, maître de l'homme, est comparé à un potier maniant
son argile dans *Rom.* 9, 21 (cf. *infra* 32, 6). De cette comparaison
TERT., *resurr.*, 7, 3-5 fournit une exégèse qui inspire de près celle
d'Hilaire : d'une matière commune pétrie par Dieu sortent des
formes de chair qui ont un genre et un nom particuliers.
2. Alliance de mots classique : cf. CIC., *leg.*, 3, 48 ; *leg. agr.*,
2, 30.

nente, disco sibi inferri precata est. Et Herodes tristis
15 licet [j] sacramento fidem reddidit et matri puella munus
C exhibuit [k], et, sepulto eo, discipuli eius ad Dominum
transierunt [l].

4. Auditisque his, Dominus in nauiculam in loca deserta
secessit [m] et sequentium se turbarum uexationem misertus
est [n] et dimitti eas in castella ad coemendos cibos apostoli
admonent [o]. Et Dominus respondet necessitatem eo
5 reuerti ipsas non habere darique his cibum praecipit [p].
Et solos se quinque panes et duos pisces habere causantur [q]. Et offerri sibi eos iussit [r] turbamque sub strato
feno accumbere. Et oblata benedixit et turbae mandu-
canda comminuit et dedit discipulis ut offerrent [s], et
10 saturatis omnibus, supplementa cophinorum duodecim
superfuerunt [t], cum tamen extra mulierum puerorumque
D numerum quinque millia uirorum expleta essent [u].

5. Et discipulos nauiculam conscendere et trans fretum praecedere iubet [v] dimissaque ipse turba in mon-
998 A tem orare solus ascendit factoque uespere solus fuit [w],
et nauis mari medio, uento aduersante, fluctibus iacta-
5 batur [x]. Et quarta uigilia Dominus uenit super mare
ambulans [y] uidentesque turbati sunt et inanis uisus
phantasma credentes clamauerunt prae timore [z]. Quibus
mox Dominus locutus est et constantes esse iussit [a]. Et
ex plurimis Petrus respondens postulauit uti ad Domi-

L (usque XIV. 7,1) REP (= α) A (usque ad XIV, 19,5) GSTM (= β)
17 transeunt β *Bad.* || **4**, 2 uexationem : -ne A S -nis T M
-ni G || 4 respondit P A G S *Bad.* || 5 reuertendi *edd.* || praecepit
L P A G S || 7 offerre A S || **5**, 6 inanes A S

---

j. Cf. Matth. 14, 9
k. Cf. Matth. 14, 11
l. Cf. Matth. 14, 12
m. Cf. Matth. 14, 13
n. Cf. Matth. 14, 14
o. Cf. Matth. 14, 15
p. Cf. Matth. 14, 16
q. Cf. Matth. 14, 17

temps. Hérode, bien qu'il en fût attristé [j], resta fidèle à son serment et la jeune fille présenta à sa mère le cadeau reçu [k]. Après avoir enseveli Jean, ses disciples rejoignirent le Seigneur [l].

4. A cette nouvelle, le Seigneur se retira en barque dans des lieux déserts [m] et il eut pitié de la souffrance [n] des foules qui le suivaient : alors les apôtres l'engagent à les renvoyer dans leurs villages pour qu'elles achètent de la nourriture [o]. Le Seigneur leur répond qu'elles n'ont pas besoin d'y retourner et leur commande de les nourrir [p]. Les apôtres allèguent qu'ils n'ont que cinq pains et deux poissons [q]. Il leur dit de les lui présenter [r] et de faire asseoir la foule dans l'étendue d'herbe. Et il bénit ce qu'on lui avait présenté, il rompit les pains que la foule devait manger et les donna aux disciples pour qu'ils les offrissent [s]. Tous étant assouvis, il resta un supplément de douze corbeilles [t], alors que, sans compter les femmes et les enfants, il y avait eu cinq mille hommes rassasiés [u].

5. Et il ordonne à ses disciples de monter dans la barque et de le devancer de l'autre côté de la mer [v]. Lui-même, quand il eut renvoyé la foule, gravit seul la montagne pour prier ; le soir venu, il était seul [w] ; le bateau, au milieu de la mer, était ballotté par les vagues, car le vent était contraire [x]. A la quatrième veille, le Seigneur vint en marchant sur la mer [y], et le voyant ils furent troublés : croyant à l'ombre d'un fantôme, pris d'effroi, ils se mirent à crier [z]. Mais, peu après, le Seigneur leur parla et leur dit de tenir bon [a]. Et, dans le nombre, Pierre lui répliqua en lui demandant de venir jusqu'à lui au-

r. Cf. Matth. 14, 18
s. Cf. Matth. 14, 19
t. Cf. Matth. 14, 20
u. Cf. Matth. 14, 21
v. Cf. Matth. 14, 22
w. Matth. 14, 23
x. Cf. Matth. 14, 24
y. Cf. Matth. 14, 25
z. Cf. Matth. 14, 26
a. Cf. Matth. 14, 27

10 num super aquas ueniret [b]. Qui de nauicula descendens
et progressus aliquantulum [c], uento inualescente, et
timere coepit et mergi [d]. Quem apprehendens Dominus
obiurgat cur fidei modicae sit [e] ingressusque nauem tran-
quillitatem, uento et mari quiescente, reuocauit.

6. Igitur haec ut commemorauimus gesta sunt, sed
his omnibus personis, effectibus, causis, numeris, modis
B adiacet, ut quae gesserunt praeter gerendi instinctum,
quem unusquisque ex natura sua sumpsit, extrinsecus
5 omnia gesserint in exemplum, hoc maiore ita opinandi
reuerentia, si tam diuersarum causarum efficientiam una
atque eadem intelligentia consequitur. Sermo igitur ad
originem propositionis referendus est.

7. Ioannes, ut frequenter admonuimus, formam
praetulit legis, quia lex Christum praedicauit et Ioannes
profectus ex lege est Christum ex lege praenuntians.
Herodes uero princeps est populi et populi princeps
5 subiectae sibi uniuersitatis nomen causamque complectitur. Ioannes ergo Herodem monebat, ne fratris sui
C uxorem sibi iungeret. Sunt enim atque erant duo populi,
circumcisionis et gentium. Sed Israelem lex admonebat,
ne opera gentium infidelitatemque sibi iungeret. Gentibus
10 enim socia infidelitas est, quae ipsis tamquam uinculo
coniugalis amoris adnexa est ; hi igitur fratres ex eodem

L (usque XIV, 7,1) REP (= α) A (usque ad XIV, 19,5) GSTM (= β)
10 supra L E P AS T ‖ 11 et[2] om. β Bad. ‖ 13 obiurgauit Cou. ‖
6, 2 modus edd. ‖ 3 instinctum : instinctumque munus L A S   munus
instinctumque edd. ‖ 4 quem unusquisque : quis L A S   quem quis
edd. plures ‖ 5 exemplo α ‖ 7 consequitur : -quatur R Gil.[2]   -quereter
P -quentur L   -quente E ‖ 7, 9 gentibus : gentium R P Cou. ‖
11 coniugali A S

b. Cf. Matth. 14, 28
c. Cf. Matth. 14, 29
d. Cf. Matth. 14, 30
e. Cf. Matth. 14, 31

3. Sur cette « lecture » du chapitre 14 de Matthieu, cf. notre
Hilaire de Poitiers... p. 235-241.
4. La gradation correspond au clivage que l'anthropologie clas-

dessus des eaux [b]. Or, tandis qu'il descendait de la barque
et faisait quelques pas en avant [c], le vent s'éleva et il se
mit à avoir peur et à couler [d]. Mais le Seigneur le saisit
en lui reprochant de n'avoir que peu de foi [e] ; il remonta
dans la barque et, en apaisant le vent et la mer, il ramena
la tranquillité [3].

6. Les faits se sont donc passés comme nous venons
de le rappeler. Mais à tout cela, personnages, résultats,
causes, nombres, mesures est attachée cette particularité que tout ce qui a été leur œuvre l'a été non
seulement par l'impulsion à agir que chacun a tirée
de sa nature, mais aussi pour servir indépendamment
d'exemple [4], cela dans une intention d'autant mieux res-
pectée qu'une suite unique d'idées explique la réalisation
de causes si diverses. Donc il faut que notre propos
remonte au point de départ de l'énoncé.

7. Jean, comme nous l'avons souvent fait remarquer,
a offert l'image de la Loi, parce que la Loi a annoncé le
Christ, et que Jean est parti de la Loi en annonçant,
d'après elle, le Christ. Hérode est le chef du peuple, et le
chef du peuple résume la personnalité et les intérêts de la
communauté qui lui est soumise [5]. Jean engageait donc
Hérode à ne pas s'unir à la femme de son frère. Il y a et
il y avait, en effet, deux peuples, celui de la circoncision
et celui des païens. Mais la Loi déconseillait à Israël de
s'associer aux œuvres et à l'incroyance des païens, car
l'incroyance est la compagne des païens, auxquels elle
est attachée comme par un lien d'amour conjugal ; ayant
le même père, celui du genre humain, ils sont donc frère

---

sique transmise à Tertullien et à Hilaire établit entre l'*instinctus*
propre à *mens* (Cic., *Tusc.*, 1, 64) ou à *anima* (Tert., *anim.*, 27, 5)
ou à *uoluntas* (*in Matth.* 4, 21) et l'*actus* propre à *caro* (Tert., *anim.*,
27, 5). L'*instinctus agendi* est une donnée naturelle chez l'homme
selon Cic., *fin.*, 2, 40. D'autre part, l'*exemplum* a pour matière les
actions (cf. Qvint., *inst.*, 5, 11, 6) ; il sert à révéler (cf. Qvint.,
inst., 3, 5, 8 : « ut exemplo pateat » ; Liv. 1, 44, 4 où *pateo* fait
alliance avec *extrinsecus*).

5. Remarque inspirée par la définition du *principatus* naturel
« eam naturam quae res omnes complexa teneat » (Cic., *nat. deor.*,
2, 30).

humani generis sunt parente. Ob hanc itaque asperae
admonitionis ueritatem Ioannes tamquam lex in carcere continebatur. Die autem natalis, id est rerum cor-
15 poralium gaudiis, Herodiadis filia saltauit ; uoluptas
enim tamquam ex infidelitate orta per omnia Israel
gaudia totis illecebrae suae cursibus efferebatur. Cui se
omnem etiam sacramento uenalem populus addixit ;
sub peccatis enim et saeculi uoluptatibus Israelitae uitae
20 aeternae munera uendiderunt. Haec matris suae, id est
D infidelitatis instinctu deferri sibi Ioannis caput, id est
gloriam legis ᶠ orauit, quia lex incestuosum Israel auctoritate diuinorum praeceptorum arguebat.

999 A   8. Sed superius Herodes significatus est Ioannem uelle
occidere et metu populi demorari, quia sicut propheta
habebatur ᵍ. Nunc uero petita ipsius nece, cum praeser-
tim religione sacramenti detineretur, quomodo tristis
5 efficitur ? Contrarium uidelicet est tunc eum uoluisse,
nunc nolle et praesens ·molestia anteriori non conuenit
uoluntati. Verum in superioribus gestae rei ordo est, in
his autem nunc species causae consequentis exponitur.
Gloriam legis uoluptas ex infidelitate orta occupauit. Sed
10 populus boni eius quod in lege erat conscius uoluptatis
condicionibus non sine aliquo certi periculi sui dolore
conniuet. Scitque se tali praeceptorum gloria non opor-
B tuisse concedere, sed peccatis tamquam sacramento
coactus et principum adiacentium metu atque exemplo
15 deprauatus et uictus illecebris uoluptatis etiam maestus

REP (= α) A (usque ad XIV, 19,5) GSTM (= β)
  12 asperae : -a G   -am T M ‖ 16 Israelis *edd.* ‖ 22 Israelem *edd.* ‖
8, 5 tum T M ‖ 10 uoluntatis A G S *Bad.* ‖ 11 certe A S ‖ 12 conniuet :
concedit T M *Bad.* concedi A G S ‖ talem T M ‖ gloriam T M

---

f. Cf. Rom. 9, 4
g. Cf. Matth. 14, 5

---

6. Les Romains célébraient le jour anniversaire par des *conuiuia* :
cf. Ivv., 11, 84 ; Mart., 7, 86.

et sœur. La vérité de cette rude mise en garde avait donc valu à Jean comme à la Loi d'être gardé en prison. Mais le jour de l'anniversaire, c'est-à-dire dans les joies du monde de la chair ⁶, la fille d'Hérodiade dansa ; car le plaisir, issu en quelque sorte de l'incroyance, se laissait emporter, dans chacune des joies d'Israël, par tous les rythmes de sa luxure. C'est à elle, en effet, que le peuple d'Israël s'est livré entièrement par un engagement même de vente ⁷. Sous l'empire, en effet, des péchés et des plaisirs du siècle, les Israélites vendirent les dons de la vie éternelle. Hérodiade, poussée par sa mère, c'est-à-dire par l'incroyance, a demandé que lui fût livrée la tête de Jean, c'est-à-dire la gloire de la Loi ᶠ, parce que la Loi, avec l'autorité des commandements de Dieu, accusait Israël d'inceste.

8. Mais, précédemment, il a été indiqué qu'Hérode voulait tuer Jean et qu'il était retenu par la crainte du peuple, parce que Jean passait pour un prophète ᵍ. Et maintenant qu'on lui demande sa tête, et alors surtout qu'il est tenu par le respect du serment, comment se fait-il qu'il soit triste ? Apparemment il y a contradiction à avoir voulu alors et à ne plus vouloir maintenant ⁸, et l'affliction présente n'est pas en accord avec les dispositions antérieures. Mais, dans ce qui précède, il y a l'ordre des faits, ici maintenant, nous avons sous les yeux la figure d'une raison qui les accompagne. Le plaisir né de l'incroyance s'est emparé de la gloire de la Loi, mais le peuple, ayant conscience du bien qui se trouvait dans la Loi, ferme les yeux sur les conditions posées par le plaisir, non sans souffrir du péril qu'il court à coup sûr. Il sait qu'il n'aurait pas dû renoncer à des commandements d'une telle gloire, mais contraint par les péchés en vertu d'une sorte de serment, vicié et vaincu par la crainte et l'exemple des chefs qui sont à ses côtés, il obéit, même affligé, aux

7. L'alliance de mots *addico... uendo* est classique dans des énoncés à caractère juridique : cf. Cic., *Verr.*, 2, 3, 51 : « addictis iam et uenditis decumis » ; *ibid.*, 2, 3, 148 : « potuisse uendere (decumas) neque eis uoluisse te addicere ».
8. Souvenir d'une définition d'école sur les contraires appelés *negantia* : une chose existe, une autre non (cf. Cic., *top.*, 49).

obtemperat. Igitur inter reliqua dissoluti populi gaudia
in disco Ioannis caput adfertur, damno scilicet legis uoluptas corporum et saecularis luxus augetur, et ita per puel-
lam ad matrem defertur. Ac sic probrosus Israel et uolup-
20 tati et infidelitati suae familiae, scilicet antea gentium
gloriam legis addixit. Finitis igitur legis temporibus et
cum Ioanne consepultis, discipuli eius res ita gestas
Domino nuntiant, ad euangelia scilicet ex lege uenientes.

    9. Ergo Dei Verbum, lege finita, nauem conscendens
C Ecclesiam adit et in desertum concedit, relicta quippe
conuersatione Israel, in uacua diuinae cognitionis pectora transiturus. Turba haec audiens Dominum de ciui-
5 tate pedes sequitur in desertum, de Synagoga uidelicet
ad Ecclesiam concedit. Quam uidens misertus est et
omnem languorem eius infirmitatemque curat, obsessas
scilicet mentes et corpora infidelitatis ueterno ad intelligentiam nouae praedicationis emundat.

    10. Et cum discipuli dimitti turbas in castella proxima
ad coemendos cibos admonerent, respondit : *Non habent
necesse ire* [h] ostendens eos quibus mederetur uenalis
doctrinae cibo non egere neque necessitatem habere
5 regredi ad Iudaeam cibumque mercari, iubetque apostolis
1000 A ut eis escam darent [i]. Numquid ignorabat non esse quod
dari posset et humanarum mentium interna conspiciens [j] modum repositi penes apostolos cibi nesciebat ?
Sed erat omnis typica ratio explicanda. Nondum enim
10 concessum apostolis erat ad uitae aeternae cibum caelestem

---

REP (= α) A (usque ad XIV, 19,5) GSTM) = β)
    18 et² *om.* β *Bad.* ‖¦19 si A S ‖ 20 ante β *Bad.* ‖ 22 gestis A S T [ac] ‖
9, 4 transiturus : -turum A G S   transit S² M *Bad.* ‖ 5 pedes : -de
G -dibus A S ‖ 6 conscendit R P secedit E ‖ **10,** 2 emendos A S ‖
3 uenalis : legalis P *Cou.* ‖ 8 modo T M

---

h. Matth. 14, 16
i. Cf. Matth. 14, 17
j. Cf. Matth. 12, 25

séductions du plaisir. Ainsi, au milieu de tout ce qui peut encore réjouir un peuple dissolu, la tête de Jean est apportée sur un plat — entendez que la perte subie par la Loi accroît le plaisir physique et le luxe du monde — et elle est offerte ainsi par la jeune fille à sa mère. Et voilà comment Israël, pour sa honte, a adjugé la gloire de la Loi au plaisir et à l'incroyance de sa maison, c'est-à-dire d'anciens païens. Les temps de la Loi étant donc terminés et enterrés avec Jean, ses disciples rapportent ces événements au Seigneur, entendez qu'ils passent de la Loi aux Évangiles.

9. La Loi étant donc terminée, le Verbe de Dieu montant sur un navire entre dans l'Église et se retire dans un lieu désert, cela veut dire qu'il quitte la fréquentation d'Israël pour passer aux cœurs privés de la connaissance de Dieu. Apprenant cela, la foule suit à pied le Seigneur de la cité au désert, entendez qu'elle quitte la Synagogue pour l'Église. Voyant la foule, le Seigneur en eut pitié et guérit toute sa langueur et sa faiblesse, entendez qu'il purifie les esprits et les corps prisonniers du vieillissement de l'incroyance, pour qu'ils comprennent l'enseignement nouveau.

10. Et comme les disciples l'engageaient à renvoyer les foules dans les villages les plus proches, pour qu'elles y achètent de la nourriture, il répondit : *Elles ne sont pas obligées d'y aller* [h], montrant que ceux qu'il soignait n'avaient pas besoin de se nourrir d'une doctrine mise à prix et qu'ils n'étaient pas obligés de revenir en Judée pour acheter de la nourriture ; il ordonne donc aux apôtres de leur donner de quoi manger [i]. Ignorait-il qu'il n'y avait rien à donner ? Et lui qui voit à l'intérieur de l'esprit de l'homme [j], ne savait-il pas la quantité mesurée de nourriture mise en réserve entre les mains des apôtres ? Mais il fallait qu'une raison typologique fût entièrement développée. Les apôtres, en effet, n'avaient pas encore reçu le droit de réaliser [9] et d'offrir le

---

9. Formule très voisine d'*eucharistiam facere* attestée chez Tert., *orat.*, 24 ; Cypr., *sent. episc.*, 1.

panem perficere ac ministrare. Quorum responsio ad spiritalis intelligentiae ordinem tendit. Solos enim se quinque
panes et duos pisces responderunt habere [k], quia adhuc
sub quinque panibus quinque libris legis continebantur
15 et piscium duorum, id est prophetarum et Ioannis praedicationibus alebantur. In operibus enim legis tamquam
ex pane erat uita, praedicatio autem Ioannis et prophetarum in uirtute aquae uitae humanae spem confouebat.
B Haec igitur primum, quia in his adhuc erant, apostoli
20 obtulerunt, sed ex his euangeliorum praedicatio profecta monstratur et his originibus deducta in maiorem
uirtutis suae abundantiam crescit.

11. Acceptis igitur panibus atque piscibus, Dominus
respexit ad caelum, benedixit et fregit [l] Patri agens
gratias post tempora legis ac prophetarum se in euan-
gelicum cibum uerti. Accumbere post haec supra fenum
5 populus iubetur [m] non iam in terra iacens, sed lege
suffultus et tamquam terrae feno fructibus operis sui
unusquisque substernitur. Dantur quoque apostolis
C panes, quia per eos erant diuinae gratiae dona reddenda.
Plebs deinde quinque panibus et duobus piscibus pas-
10 citur et expletur et fragmenta panis et piscium, saturatis accumbentibus, usque in duodecim cophinorum
plenitudinem abundauerunt [n], Dei scilicet uerbo ex
doctrina legis prophetarumque ueniente multitudo
satiatur et reseruata gentium plebi ex aeterni cibi minis-

REP (= α) A (usque ad XIV, 19,5) GSTM (= β)
14 sub quinque panibus : isti quinque panes A S || *ante* quinque[2]
add. id est T M *Cou.* || 18 confouebant β *Bad.* || 20-21 profecta :
propheta P A S   prophetata R   propheata R[2] || **11,** 5 terram A G ||
12 ex : et β *Bad Era.*

k. Cf. Matth. 14, 18
l. Cf. Matth. 14, 19
m. Cf. Matth. 14, 19
n. Cf. Matth. 14, 20

10. Le glissement par lequel on passe de l'image des poissons à

pain céleste comme nourriture de la vie éternelle. Leur réponse a en vue l'ordre de l'intelligibilité spirituelle. Ils répondirent en effet qu'ils avaient seulement cinq pains et deux poissons [k], parce qu'ils étaient encore retenus sous le régime des cinq livres de la Loi — les cinq pains — et nourris par l'enseignement des deux poissons, c'est-à-dire des prophètes et de Jean. Dans les œuvres de la Loi, il y avait la vie, comme dans le pain, et la prédication de Jean et des prophètes ranimait l'espérance de la vie humaine par la puissance de l'eau [10]. Voilà donc ce que les apôtres servirent en premier lieu, parce qu'ils en étaient encore à ce régime, mais on nous montre la prédication des Évangiles partant de là, et s'étendant à partir de ces origines elle se développe, en accroissant sa puissance à profusion [11].

11. Ayant donc pris les pains et les poissons, le Seigneur leva les yeux vers le ciel, les bénit et les rompit [l], rendant grâce au Père d'être changé en nourriture dans l'Évangile après l'époque de la Loi et des prophètes. Après cela, le peuple est invité à s'asseoir sur l'herbe [m] : il est non plus couché sur la terre, mais appuyé sur la Loi et chaque homme s'étend sur les fruits de son travail comme il le ferait sur l'herbe à terre. Les pains sont donnés aussi aux apôtres, parce que, par eux, les dons de la grâce divine devaient être redonnés. Ensuite la foule est nourrie et rassasiée de cinq pains et de deux poissons, et quand les convives furent assouvis, les morceaux de pain et de poisson furent assez abondants pour remplir douze corbeilles [n], entendez que la multitude est comblée par la parole de Dieu qui vient de l'enseignement de la Loi et des prophètes, et à la suite du service de la nourriture éternelle, la profusion de puissance divine mise de côté

celle de l'eau est suggéré par un passage de TERT., *bapt.*, 1, 3 (« nos pisciculi... in aqua permanendo salui sumus »). Sur les privilèges de grâce procurés par l'eau dans l'Ancien Testament, cf. également *bapt.*, 9.

11. L'extension de la prédication des apôtres comme indice de la croissance de la foi qui reste la même est une thèse de TERT., *praescr.*, 20, 4-6.

15 terio in duodecim apostolorum plenitudinem copia
diuinae uirtutis exuberat. Idem autem edentium numerus inuenitur [o], qui futurus fuerat crediturorum. Nam
sicut libro Praxeos continetur, ex Israel populi infinitate
uirorum quinque millia crediderunt [p]. Rerum enim
20 admiratio usque in mensuram causae subiacentis exten-
ditur ; confractique cum piscibus panes, saturato populo,
1001 A in tantum deinceps cumulantur augmentum, quantus et
credentis populi et explendorum caelesti gratia apostolorum numerus destinabatur, ut et modus numero et
25 numerus modo obtemperaret et intra fines suos ratio
conclusa ad consequentis effectus condicionem ipso diuinae uirtutis moderamine contineretur.

12. Vincit autem humanam intelligentiam opus facti
et, cum frequenter quaedam sint quae concepta sensu
sermo non explicet, in his tamen ipsa sensus subtilitas
ingrauescit et ad rei contemplationem pro difficultate
5 tam inuisibilis negotii obstupescit. Acceptis enim panibus quinque, in caelum Dominus respexit honorem eius
a quo erat ipse confessus, non quod carnalibus oculis
contueri Patrem esset necesse, sed ut qui adessent intelli-
gerent a quo uirtutis tantae accepisset effectum. Dat
B deinde discipulis panes. Non quinque multiplicantur
in plures, sed fragmentis fragmenta succedunt et fallunt

REP (= α) A (usque ad XIV, 19,5) GSTM (= β)
  25 et *om. P L* || **26** effectus : eiectus A S || **12,** 3 subtilitas : su-
blimitas A S *Bad.*

---

o. Cf. Matth. 14, 21
p. Cf. Act. 4, 4

---

12. Le chiffre douze marque un couronnement dans le développement du symbolisme des douze premiers nombres chez Victorin.
Poetov., *fabr. mundi,* 10.
  13. Cette *commutatio* est l'héritière lointaine d'un schéma pla-
tonicien connu de Sénèque : cf. *epist.,* 65, 7 : « Deus intra se habet
numeros(que) uniuersorum quae agenda sunt et *modos* mente

pour le peuple païen déborde pour donner la plénitude des douze apôtres [12]. D'autre part, l'on constate que le chiffre de ceux qui mangent est celui-là même qui devait être le nombre des futurs croyants [o]. En effet, selon un détail contenu dans le livre des Actes, dans l'immensité du peuple d'Israël, il y en eut cinq mille qui crurent [p]. L'action miraculeuse s'étend même jusqu'à donner sa dimension au dessein qui sous-tend les faits. Les pains rompus avec les poissons s'accumulent, une fois le peuple assouvi, jusqu'aux chiffres de croissance destinés à être d'une part celui du peuple croyant et d'autre part celui de la plénitude qui serait donnée aux apôtres par la grâce céleste, en sorte que la mesure obéît au nombre et le nombre à la mesure [13] et que la raison du calcul, enfermée dans ses limites, fût contenue par la mesure même de la puissance divine réglée en fonction de l'accomplissement qui suivrait.

12. L'intelligence humaine est vaincue par la réalisation de ce qui se fait. Et s'il arrive souvent que des idées conçues par l'intelligence ne soient pas expliquées par la parole [14], ici c'est la finesse de l'intelligence qui est elle-même émoussée et qui, pour suivre ce qui se passe, se sent engourdie [15] en mesurant la difficulté d'une action si invisible. Ayant pris les cinq pains, le Seigneur leva les yeux vers le ciel confessant lui-même l'honneur de celui dont il tenait l'être, non qu'il fût obligé de regarder le Père avec ses yeux de chair, mais pour que ceux qui étaient là comprissent de qui il avait reçu le pouvoir de mettre en œuvre une telle puissance. Il donne ensuite les pains à ses disciples. Les cinq pains n'en font pas plusieurs en se multipliant, mais les morceaux succèdent

---

complexus est ». La notion de « mesure » est essentielle à la conception vitaliste de la croissance selon TERT., *anim.*, 37, 5.

14. C'est un lieu commun de l'école que la distinction entre l'idée conçue et l'idée énoncée : cf. QVINT., *inst.*, 9, 1, 16 ; 9, 1, 19.

15. A rapprocher de ce que dit CIC., *Tusc.*, 1, 73 du « regard de l'esprit » dans la contemplation : « mentis acies se ipsa intuens nonnumquam *hebescit* ob eamque causam contemplandi diligentiam amittimus » : cf. *supra*, 4, n. 4.

semper praefracta frangentes. Crescit deinde materies,
nescio utrum in mensarum loco an in manibus sumen-
tium an in ore edentium. Ne mirere fontes fluere, inesse
15 uuas uitibus et uuis uina diffundi et omnes mundi opes
annuo quodam meatu indefessoque diffluere ; auctorem
enim huius uniuersitatis tantus panum profectus ostendit, per quem tali incremento modus pertractatae mate-
riae adderetur. Agitur enim in opere uisibili inuisibilis
20 molitio et arcanorum caelestium Dominus arcanum
negotii praesentis operatur. Superat autem omnem naturam uirtus operantis et supergreditur facti intelligen-
C tiam ratio uirtutis et sola relinquitur admiratio potestatis. Ordo etiam causarum operumque consequitur.

13. *Conscendere post haec in nauem discipulos prae-*
cepit, donec turbas ipse dimitteret et dimissa turba,
montem conscendit orare et uespere facto solus erat q.
Horum ratio distinguenda temporibus est. Quod uespere
5 solus est, solitudinem suam in tempore passionis ostendit,
ceteris trepidatione dilapsis. Quod autem nauem conscendere discipulos iubet et ire trans fretum, dum turbas
ipse dimittit et dimissis turbis ascendit in montem, esse
intra Ecclesiam et per fretum, id est per saeculum ferri
10 usque in id tempus iubet, quo reuertens in claritatis
aduentu populo omni, qui ex Israel erit reliquus r, salu-
D tem reddat ipse eiusque peccata dimittat, dimissoque
uel in caeleste regnum potius admisso, agens Deo patri
gratias in gloria eius et maiestate consistat.

REP (= α) A (usque ad XIV, 19,5) GSTM (= β)
12 praefracta : -tu R P *Gil.*[2] -tum E ‖ 15 uitibus : cibus A S ‖
16 meatu indefessoque *om.* A S ‖ defluere β *edd.* ‖ 22 facti : fracti
A S ‖ **13,** 6 delapsis A G S ‖ 12 reddet A G S *Bad.* ‖ dimittet A G S
Bad.

q. Matth. 14, 22-23
r. Cf. Rom. 11, 5

16. Pour l'analyse des idées maîtresses de ce développement
(multiplication sans séparation, mais par déploiement de la ma-

aux morceaux et l'on ne voit pas qu'ils se présentent coupés au bout, chaque fois qu'on les coupe. Au fur et à mesure la matière croît [16] : est-ce à l'emplacement des tables ou dans les mains qui prennent ou dans la bouche des convives ? Je ne sais. Qu'on ne s'étonne pas que les sources jaillissent, qu'il y ait des grappes aux ceps, que le vin coule partout des grappes et que toutes les ressources de la terre se répandent selon un rythme annuel indéfectible, car un accroissement si considérable des pains révèle que par l'auteur de cet univers, était appliquée à une telle multiplication une mesure dans le déploiement de la matière. Un travail invisible s'accomplit en effet dans l'œuvre visible [17] et le Seigneur des mystères célestes opère le mystère de l'action présente. La puissance de celui qui opère dépasse toute la nature et la logique de sa puissance déborde l'explication du fait : seule demeure l'admiration pour son pouvoir. En outre, il y a une suite dans la succession des causes et des actes.

13. *Après cela, il ordonna à ses disciples de monter dans le navire jusqu'à ce qu'il dispersât lui-même les foules ; et, la foule dispersée, il monta pour prier et, le soir venu, il était seul* [q]. Pour donner la raison de ces faits, il faut faire des distinctions de temps. S'il est seul le soir, cela montre sa solitude à l'heure de la Passion, quand la panique a dispersé tout le monde. S'il ordonne à ses disciples de monter dans le navire, de passer la mer, pendant qu'il renvoie lui-même les foules et, celles-ci une fois renvoyées, s'il monte sur une montagne, c'est qu'il leur ordonne d'être dans l'Église et de naviguer par la mer, c'est-à-dire le siècle, jusqu'à ce que, revenant dans son avènement de gloire, il rende le salut à tout le peuple qui sera le reste d'Israël [r], le dégage de ses péchés et, celui-ci étant dégagé ou plutôt admis au Royaume des cieux, il rende grâce à Dieu son Père et s'établisse dans sa gloire et sa majesté.

tière, comparaison avec le renouvellement des fruits de la terre) nous renvoyons à notre *Hilaire de Poitiers*..., p. 357.

17. Tert., *apol.*, 17, 2 disait de Dieu qu'il était *inuisibilis, etsi uideatur*.

14. Sed inter haec discipuli uento ac mari differuntur [s]
et totis saeculi motibus, immundo spiritu aduersante,
1002 A iactantur. Sed quarta uigilia Dominus uenit [t] ; quarto
enim tum ad Ecclesiam uagam et naufragam reuertetur.
5 In quarta enim noctis uigilia totidem sollicitudinis eius
numerus reperitur. Prima enim uigilia fuit legis, secunda
prophetarum, tertia corporalis aduentus, quarta autem
in reditu claritatis. Sed inueniet fessam et Antichristi
spiritu et totius saeculi motibus circumactam. Veniet
10 enim maxime anxiis atque uexatis. Et quia de Antichristi consuetudine ad omnem temptationum nouita-
tem solliciti erunt, etiam ad Domini aduentum expaues-
cent falsas rerum imagines et subrepentia oculis fig-
menta metuentes. Sed bonus Dominus statim loquetur
15 timoremque apellet dicetque : *Ego sum* [u] aduentus sui
fide metum naufragii imminentis apellens.

B   **15.** Quod uero ex omnium consistentium in naui
numero respondere Petrus audet et iuberi sibi ut super
aquas ad Dominum ueniat precatur [v], passionis tempore uoluntatis suae designat adfectum, tum cum solus
5 retro ueniens et uestigiis Domini inhaerens, contemptis
saeculi ut maris motibus, pari ad contemnendam
mortem uirtute comitatus est, sed infirmitatem futurae
temptationis timiditas eius ostendit. Nam quamuis ince-

REP (= α) A (usque ad XIV, 19,5 (GSTM (= β)
14, 7 corporis α ǁ **15**, 2 *post* Petrus *add.* solus *edd.* ǁ 4 tum : eum
R *om.* E P ǁ 8-9 incedere : ingredere A   ingredi S

---

s. Cf. Matth. 14, 24
t. Cf. Matth. 14, 25
u. Matth. 14, 27
v. Cf. Matth. 14, 28

---

18. Même image *supra*, 8, 1 : cf. note *ad loc.*
19. La mention des deux avènements du Seigneur forme un

14. Mais sur ces entrefaites, les disciples sont portés de côté et d'autre par le vent et la mer [s] et ballottés par toutes les agitations du siècle que suscite contre eux l'esprit impur. Mais à la quatrième veille, le Seigneur vient [t], car alors la quatrième démarche sera le retour du Seigneur vers l'Église errante et naufragée [18]. Dans l'expression « quatrième veille de la nuit » on trouve en effet le nombre correspondant aux marques de sa sollicitude. En effet, la première veille a été celle de la Loi, la seconde celle des prophètes, la troisième celle de son avènement corporel, la quatrième se place à son retour glorieux [19]. Mais il trouvera l'Église déclinante et cernée par l'esprit de l'Antéchrist et toutes les agitations du siècle. Il viendra en effet au plus fort de l'anxiété et des tourments. Et parce que la manière habituelle d'agir de l'Antéchrist les rendra inquiets devant toute nouvelle forme de tentation, ils seront dans l'effroi même à l'avènement du Seigneur, redoutant les images mensongères de la réalité et les fictions qui s'insinuent dans le regard [20]. Mais le Seigneur qui est bon leur parlera aussitôt, chassera leur peur et leur dira : *C'est moi* [u], dissipant, par la foi en son avènement, la crainte du naufrage menaçant.

15. Le fait que Pierre, sur la totalité des passagers du navire, ose répondre et demande à recevoir l'ordre de venir sur les eaux trouver le Seigneur [v] indique la disposition de son cœur au moment de la Passion, alors que seul derrière, marchant sur les traces du Seigneur au mépris des agitations du monde comparables à celles de la mer, il l'accompagna avec la même vertu pour mépriser la mort, mais son manque d'assurance révèle sa faiblesse dans la tentation qui l'attend [21]. Car, bien qu'il eût osé

binôme traditionnel depuis Tert., *apol.*, 21, 15 ; *adu. Marc.*, 3, 7, 6-8.

20. Visions catastrophiques de la fin du monde, surgissement de faits inouïs qui font peur, telles sont, selon Cypr., *mort.*, 2-5, les formes de persécutions qui risquent de nous aveugler et auxquelles répond la confiance dans la venue du Christ.

21. La conception stoïcienne de la vertu comme mépris des vicissitudes et celle d'une alternance entre la vertu et la crainte sont conjuguées comme ici dans Cic., *Tusc.*, 5, 3-4.

dere ausus esset [w], submergebatur [x] ; per imbecillitatem
10 enim carnis et metum mortis etiam usque ad negandi
necessitatem coactus est. Sed proclamat et salutem orat
a Domino. Clamor iste paenitentiae suae gemitus est.
Nondum enim passo Domino in confessionem reuersus
C est et negandi ueniam habuit in tempore, Christo postea
15 pro uniuersorum redemptione passuro.

16. Quod autem trepidanti illi non uirtutem perue-
niendi ad se Dominus indulsit, sed manum extendit
apprehensumque sustinuit [y], haec ratio est. Non erat
quidem Petrus Domini sui indignus accessu (nam et
5 temptauit accedere), sed et typicus in eo ordo seruatus
est. Non enim Domino saeculi motus tempestatesque
calcanti quisquam passionis esse particeps poterat ;
solus enim passurus pro omnibus omnium peccata [z]
soluebat nec socium admittit, quidquid uniuersitati
10 praestatur ab uno. Ita cum esset ipse redemptio uniuersorum, erat etiam Petrus ante redimendus ad redemptionis istius fidem tum in Christi martyrem reseruatus.

D **17.** Et hoc in Petro considerandum est fide eum ceteros anteisse. Nam ignorantibus ceteris, primus respondit :
Tu es filius Dei uiui [a]. Primus passionem, dum malum
putat, detestatus est [b]. Primus et moriturum se et non
1003 A negaturum spopondit [c]. Primus lauari sibi pedes prohi-
buit [d]. Gladium quoque aduersus eos qui Dominum
comprehendebant eduxit [e].

REP (= α) A (usque ad XIV, 19,5) GSTM (= β)
9 *post* esset *add.* tamen *edd.* ‖ 12 genitus *PL* ‖ **16**, 1 trepidandi
Gil.[2] ‖ **17**, 1 in hoc A S

w. Cf. Matth. 14, 29
x. Cf. Matth. 14, 30
y. Cf. Matth. 14, 31
z. Cf. Gal. 1, 4
a. Matth. 16, 16
b. Cf. Matth. 16, 22
c. Cf. Matth. 26, 35
d. Cf. Jn 13, 8
e. Cf. Jn 18, 10

s'avancer [w], il s'enfonçait [x] : la faiblesse de la chair, en effet, et la crainte de la mort l'obligèrent même à aller jusqu'à la fatalité du reniement. Mais il pousse un cri et demande au Seigneur le salut. Ce cri est la voix gémissante de son repentir. Car le Seigneur n'avait pas encore souffert, quand Pierre revint à résipiscence, et il obtint à temps le pardon de son reniement, le Christ devant ensuite souffrir pour la rédemption de l'humanité.

16. Le fait que, dans le désarroi de Pierre, le Seigneur non point lui accorda la force de parvenir jusqu'à lui, mais lui tendit la main et l'ayant saisie le retint [y], s'explique ainsi : Pierre n'était pas indigne de s'approcher de son Seigneur ; en effet, il essaya de s'approcher, mais, encore dans cette circonstance, un ordre typologique a été observé. Car, en foulant au pied les agitations et les tempêtes du monde, le Seigneur ne pouvait faire partager à personne sa passion : seul, en effet, appelé à souffrir pour tous, il payait les péchés de tous [z], et la responsabilité de ce qui est assuré à tous par un seul n'admet pas d'être partagée. Puisque ainsi le Seigneur était à lui seul la rédemption de tous les hommes, avant, il avait aussi à racheter Pierre, l'ayant réservé alors pour être le gage de cette rédemption au titre de martyr du Christ [22].

17. Et il y a une chose à considérer chez Pierre : il les a devancés tous par la foi, car, tandis qu'ils étaient dans l'ignorance, il fut le premier à lui répondre : *Tu es le Fils du Dieu vivant* [a]. Il fut le premier à maudire la Passion, pensant qu'elle était un malheur [b]. Il fut le premier à promettre qu'il mourrait et ne renierait pas [c]. Il fut le premier à refuser qu'on lui lavât les pieds [d]. Il tira aussi son glaive contre ceux qui se saisissaient du Seigneur [e] [23].

22. Pierre comme *martyr designatus* (formule de TERT., *mart.*, 1, 1) obtient la rémission de ses péchés selon une tradition exprimée par TERT., *apol.*, 50, 15-16 ; *scorp.*, 6, 9-10. La précision marquée par « avant » (*ante*) est à mettre en relation avec la *praerogatiua* du martyr (TERT., *resurr.*, 43, 4) qui meurt non en Adam, mais dans le Christ (TERT., *anim.*, 55, 4) et est appelé à ressusciter « le premier » (*ibid.* 55, 3) : cf. H. FINE, *Die Terminologie der Jenseitsvorstellungen* (*Theophaneia* 12), Bonn 1958, p. 213-214.

23. Comme *supra*, 7, 6 (cf. note *ad loc.*), Hilaire ajoute de nou-

18. Ascensu autem eius in naui uentum et mare esse
sedatum [f] : post claritatis reditum aeternae Ecclesiae
pax et tranquillitas indicatur. Et quia tum manifestus
adueniet, recte admirantes uniuersi locuti sunt : *Vere*
5 *filius Dei est* [g]. Confessio enim uniuersorum tum et absoluta et publica erit, Dei filium non iam in humilitate
corporea, sed in gloria caelesti pacem Ecclesiae reddi-
disse.

19. *Cum transfretassent, uenerunt in terram Gennesar,*
et cum cognouissent eum uiri loci illius, adorabant eum [h].
B Multa et media inciderunt, quae nos post quinque millium uirorum et congregationem et satietatem redden-
5 dae rationis studio demorata sunt, sensus autem usque
in hunc locum idem est. Finitis enim legis temporibus et ex Israel quinque millibus uirorum intra Ecclesiam collocatis, iam credentium populus occurrit iam
ipse ex lege per fidem saluus reliquos ex suis infirmos
10 aegrotosque offerens Domino [i], oblatique fimbrias uesti-
mentorum contingere optabant sani per fidem futuri [j].
Sed ut ex ueste tota fimbriae, ita ex Domino nostro
Iesu Christo sancti Spiritus uirtus exit ; quae apostolis
data, ipsis quoque tamquam ex eodem corpore exeun-
15 tibus, salutem his qui contingere cupiunt subministrat.

REP (= α) A (usque ad XIV, 19,5 GSTM (= β)
18, 1 nauim A S ‖ 2 *post* claritatis *add.* suae β *edd.* ‖ aeterna R A S T
Gil.[2] ‖ **19,** 1 transfretasset R P S ‖ 3 e medio T M ‖ 10 afferens *PL*
‖ 13 exiit β *edd.*

---

f. Cf. Matth. 14, 32
g. Matth. 14, 33
h. Matth. 14, 34-35
i. Cf. Matth. 14, 35
j. Cf. Matth. 14, 36

---

veaux titres de primauté à ceux que Cyprien a déjà décernés à
Pierre (*epist.*, 71, 3 : « Petrus quem primum Dominus elegit » ;
epist., 73, 7 : « Petro primum Dominus... potestatem istam dedit »).
Sur le sens théologique de l'antériorité chronologique de Pierre
dans l'enseignement de Cyprien, cf. J. Le Moyne, « Saint Cyprien

18. Le calme que, lors de l'embarquement du Seigneur, connaissent le vent et la mer [f] est présenté comme la paix et la tranquillité de l'Église éternelle à la suite de son retour glorieux. Et parce qu'alors il viendra en se manifestant, un juste étonnement leur a fait dire à tous : *Vraiment, il est le Fils de Dieu* [g]. Tous les hommes feront alors l'aveu clair et public que le Fils de Dieu, non plus dans l'humilité de la chair, mais dans la gloire du ciel, a rendu la paix à l'Église [24].

19. *Ayant achevé la traversée, ils touchèrent terre à Gennesar, et comme les gens de ce lieu l'avaient reconnu, ils l'adoraient* [h]. Depuis le rassemblement et le rassasiement des cinq mille hommes, beaucoup de faits se sont produits dans l'intervalle, faits auxquels nous nous sommes attardés dans le désir d'en rendre compte, mais la signification s'étend encore jusqu'au passage qui nous occupe. En effet, les temps de la Loi étant terminés et cinq mille hommes issus d'Israël étant introduits dans l'Église, voici que vient à la rencontre du Seigneur le peuple des croyants, qui est lui-même maintenant, au sortir de la Loi, sauvé par la foi et qui présente au Seigneur tous ceux des siens infirmes et malades [i], et ceux qui lui sont présentés souhaitaient toucher les franges de ses vêtements pour être guéris par la foi [j]. Mais à la manière des franges qui dépassent de tout un vêtement, la puissance du Saint-Esprit sort de notre Seigneur Jésus-Christ et, donnée aux apôtres qui à leur tour sortent pour ainsi dire aussi du même corps, elle procure le salut à ceux qui désirent son contact.

---

est-il bien l'auteur de la rédaction brève du *De unitate*, chap. 4 ? », dans *RBén.* 63 (1953), p. 85 ; A. DEMOUSTIER, « Épiscopat et union à Rome selon saint Cyprien », dans *RecSR* 52 (1964), p. 344 ; U. WICKERT, *Sacramentum unitatis* (*supra*, 7, n. 6), lesquels donnent la bibliographie antérieure.

24. Ce développement est tissé de réminiscences de thèmes consolatoires du *De mortalitate* de Cyprien : le royaume de Dieu avec le Christ va succéder aux catastrophes de la nature (*mort.*, 2) ; l'immortalité est le port de la paix et de la sécurité éternelle (*mort.*, 3). La paix rendue à l'Église est une formule reprise de CYPR., *laps.*, 1 et rattachée au symbole ecclésial du navire (cf. *in Matth.* supra, 7, 9, 6 et note *ad loc.*).

15

C **1.** *Tunc accesserunt ad eum scribae et Pharisaei ab Hierosolymis dicentes* [a], et cetera. Absoluta et dictorum et gestorum in consequentibus ratio 'est ; nam his quae proposita fuerant ipse respondit omnem plantationem
5 quae non a Patre sit eradicandam dicens [b], id est traditionem hominum eruendam, cuius fauore legis praecepta transgressi sunt, et ideo esse eos duces caecos uitae aeternae iter quod non uideant pollicentes caecisque ipsis et ducibus caecorum casum in foueam esse
10 communem [c].

2. *Et egressus inde Iesus secessit in partes Tyri et Sido-*
D *nis. Et ecce mulier Chananaea a finibus illis egressa clamauit* [d], et reliqua. Diuersa curationum genera diuersos causarum complectuntur effectus, sed res atque sermo
1004 A ordinem ex superioribus sumit. Infidelitatem enim Pharisaeorum et opprobrio caecorum ducum et humanarum traditionum superstitionibus coarguit. Et post haec ad regiones Tyri et Sidonis uenit et Chananaea a finibus illis egressa clamat atque orat et Dominum Dauid filium
10 confitetur et filiae suae opem poscit. Dominus silet [e], discipuli pro ea rogant ; quibus se perditis ouibus domus Israel missum esse respondet [f]. Illa uero adorans adiuuari

---

REP (= α) GSTM (= β)
XV tunc R T M : CAPVT XV tunc *Cou.* tunc E P G S ‖ **1**, 2 cetera : reliqua β *Bad.* ‖ **2,** 1 *ante* et 1 *add.* CANON XV *Bad.* ‖ 2 mulier *om.* G S *Bad. Era.* ‖ 6 opprobrium G S T M *Bad.* ‖ 12 respondit P G S *Bad.*

---

a. Matth. 15, 1
b. Cf. Matth. 15, 13
c. Cf. Matth. 15, 14
d. Matth. 15, 21-22
e. Cf. Matth. 15, 23
f. Cf. Matth. 15, 24

Chapitre 15

1. *Alors s'approchèrent de lui des scribes et des Pharisiens de Jérusalem qui lui disent* [a], etc. L'explication des paroles et des actes dans la suite du texte est évidente. En effet, aux remarques qui étaient présentées il répliqua lui-même en disant que toute plantation qui ne vient pas de son Père doit être arrachée [b], c'est-à-dire qu'il faut supprimer la tradition des hommes ; car, en s'engouant pour elle, ils ont transgressé les préceptes de la Loi, ce qui faisait d'eux des chefs aveugles [1] qui promettaient le chemin de la vie éternelle sans le voir, en sorte que les aveugles et les guides des aveugles tombaient dans la même fosse [c].

2. *Et sortant de là, Jésus se retira dans les territoires de Tyr et de Sidon. Et voici qu'une Chananéenne sortant de ce pays s'écria* [d], et la suite. La diversité des espèces de guérisons exprime la diversité des effets de leur cause, mais les paroles et l'acte de la guérison tirent leur enchaînement des faits qui précèdent. Il convainc les Pharisiens d'incroyance, flétrissant leur aveuglement comme guides et leur attachement superstitieux aux traditions des hommes. Et après cela, il vient dans les territoires de Tyr et de Sidon ; la Chananéenne sortie de ces contrées pousse un cri d'imploration, confesse le Seigneur Fils de David et lui demande du secours pour sa fille. Le Seigneur se tait [e], les disciples intercèdent pour elle. Il leur répond qu'il a été envoyé aux brebis perdues de la maison d'Israël [f].

---

1. Tert., *praescr.*, 14, 8 a déjà appliqué cette comparaison aux hérétiques qu'il représente (*ibid.* 7, 7) tombant sous le coup de l'avertissement de *Col.* 2, 8 : « Veillez, écrit Paul aux Colossiens, que personne ne vous trompe par la philosophie et par de vaines séductions, selon la *tradition* des hommes. » Hilaire met au compte des Juifs le tort que Tertullien reprochait aux hérétiques ; la négation du Christ comme Dieu étant leur péché commun (cf. *in Matth.* 12, 18, 5).

se postulat [g] ; cui Dominus ait illicitum esse panem filiorum canibus offerre [h]. Vicissimque illa respondet deci-
15 dentibus de mensa dominorum micis ali catellos solere [i].
Post quae fidem eius Dominus collaudat et in tempore
ipso puellae sanitas reddita est [j].

B   3. Vt igitur illa quae gesta sunt ea quae interior est
ratio consequatur, quae Chananaeae persona sit, ex
ipsis uerborum uirtutibus contuendum est. Fuisse atque
etiam esse penes Israel proselytorum plebem fides certa
5 est, quae de gentibus in legis opera transcendit et
uitae statum anterioris egressa religione peregrinae
dominantisque legis tamquam domo continebatur. Chana-
naei autem fuerunt terras, in quibus nunc Iudaea est,
incolentes ; qui uel bello consumpti uel in loca uicina
10 dispersi uel in seruitutem deuictorum condicione subiecti
nomen tantum sine patria sede circumferunt. Plebs igitur haec cum Iudaeis admixta de gentibus est. Et quia
non est ambiguum in ea turba quae credidit partem
C nonnullam proselytorum fuisse, merito haec Chananaea
15 proselytorum formam praeferens existimabitur fines suos
egressa, ex gentibus scilicet in populi alterius nomen
excedens, quae pro filia, uidelicet gentium plebe orat.
Et quia Dominum cognouit ex lege, David filium nuncupat. In lege enim uirga de radice Iesse et Dauid filius
20 aeterni et caelestis regni rex continetur [k].

REP (= α) GSTM (= β)
14 respondit P G S *Bad.* ‖ **3,** 2 ratio : traditio G S ‖ 6 statum *om.*
R P β *edd.* ‖ egressi S β′ ‖ religione : regione T M regionem R P
Gil. [2] ‖ 11-12 plebs igitur haec cum *om.* S β′

g. Cf. Matth. 15, 25
h. Cf. Matth. 15, 26
i. Cf. Matth. 15, 27
j. Cf. Matth. 15, 28
k. Cf. Is. 11, 1 ; Jér. 23, 5

2. Définition du prosélyte d'après Tert., *adu. Iud.*, 2, 2 ; « ad
eam (legem) etiam proselytos ex gentibus accessum habere ».
3. Comme il ressort de *Ps.* 104, 11 : « (Dominus) dicens :

Mais elle, se prosternant, réclame son aide [g] : le Seigneur
lui dit qu'il n'est pas permis d'offrir aux chiens le pain
des enfants [h]. En retour elle réplique que les petits chiens
mangent habituellement les miettes qui tombent de la
table de leur maître [i]. Après quoi, le Seigneur loue sa foi
et, à l'heure même, la santé fut rendue à la jeune fille [j].

3. Pour voir la raison qui est intérieure rejoindre ce
qui s'accomplit, il faut étudier, d'après la portée même des
mots, qui est le personnage de la Chananéenne. Que la
foule des prosélytes appartint et même appartient à
Israël, est une réalité certaine. Elle est passée des païens
aux œuvres de la Loi [2] et, sortant de son état de vie
antérieur, elle était retenue comme dans une maison par
l'attachement religieux à une loi étrangère et dominatrice.
Les Chananéens ont été les habitants des contrées où
se trouve maintenant la Judée [3], mais, ou épuisés par la
guerre ou dispersés dans le voisinage ou réduits en servitude par leur condition de vaincus [4], ils n'ont qu'un nom
à présenter partout, sans avoir de terre ancestrale [5]. Ce
peuple donc, venant des païens, s'est mêlé aux Juifs. Et
parce qu'il n'est pas douteux que, dans la foule qui a cru,
il y avait une partie de prosélytes, cette Chananéenne
sera justement considérée comme présentant l'image des
prosélytes en sortant de son territoire, c'est-à-dire en
quittant les païens pour la nationalité d'un autre peuple,
et la fille pour laquelle elle prie est la foule des païens. Et
parce que la Loi lui a fait reconnaître le Seigneur, elle
l'appelle Fils de David. Car on trouve, en effet, dans la
Loi, qu'un rameau sort de la tige de Jessé et que le Fils
de David est roi d'un royaume éternel et céleste [k].

---

tibi (Israël accouplé à Juda : *II Sam.* 3, 10) dabo terram Chanaan » ;
134, 11-12 : »... et omnia regna Chanaan / et dedit terram eorum
hereditatem, hereditatem Israel populo suo ».
   4. Les Chananéens ont connu, d'après l'Écriture, ces trois éven-
tualités : *Deut.* 7, 1 (pour « bello consumpti ») ; *Gen.* 10, 18 (pour « in
loca uicina dispersi ») ; *Jos.* 17, 13 (pour « in seruitutem... subiecti »).
   5. L'antithèse pathétique entre *nomen* et *siue sede* est un schéma
littéraire qui s'exprime par exemple dans ces vers de Verg., *Aen.*,
I, 375-376 : « Nos Troia antiqua, si uestras forte per aures / Troiae
nomen iit, diuersa per aequora uectos... »

4. Ipsa quidem curatione iam non eget, quae Christum et Dominum et Dauid filium confitetur, sed filiae
suae, plebi uidelicet gentium dominatu immundorum
spirituum occupatae opem poscit. Dominus tacet silen-
5 tii patientia Israel priuilegium salutis reseruans. Et miserantes discipuli preces iungunt, 'sed arcanum ille pater-
D nae uoluntatis continens ouibus se perditis Israel missum
esse respondit, ut absolute liqueret typum Ecclesiae
1005 A Chananaeae filiam continere, cum illa posceret quod
10 aliis deferebatur, non quod non et gentibus impertienda
salus esset, sed suis Dominus atque in sua uenerat, pri-
mitias ergo fidei ab his quibus erat ortus exspectans,
ceteris deinceps apostolorum praedicatione saluandis.
Atque ideo ait : *Non licet accipere panem filiorum et dare
15 canibus* [1]. Delatus Israel honor, adfectus in eum Dei cumu-
lat inuidiam, iuxta quem plebs gentium accepit canum
nomen. Sed Chananaea iam ipsa per fidem salua et
interioris certa mysterii respondit micis, quae de mensa
exciderint, pasci catellos, canum opprobrio iam sub
20 blandimento diminutiui nominis mitigato.
5. Et ut silentium Domini intelligeremus ex ratione
temporis, non ex uoluntatis difficultate proficisci, adiecit :
B *O mulier, magna est fides tua* [m], salutis suae scilicet ipsa

---

REP (= α) A (ab XV, 4,15 usque ad XIX, 3,14) GSTM (= β)
4, 1 curationem G S ‖ 3 dominatui R S ‖ 10 differebatur R P S ‖
12 ergo *om.* G S T M *Bad.* ‖ exspectans : -tat E   explicans β   ex-
plicat *Bad.* ‖ 16 accipit A S ‖ 18 micis *om.* A S ‖ 19 exciderunt R

---

l. Matth. 15, 26
l'. Cf. Matth. 15, 27
m. Matth. 15, 28

---

6. Paraphrase d'*Éphés.* 1, 9 (*Vulg.*) : « notum... sacramentum
uoluntatis suae, secundum bene placitum eius, quod proposuit
in eo ».
7. Réminiscence de *Jér.* 2, 3 : « Israël était les prémices de la
récolte de Dieu » (trad. P. Auvray).

4. Elle n'a plus besoin elle-même de guérison, elle qui confesse le Christ comme Seigneur et Fils de David, mais elle demande du secours pour sa fille, c'est-à-dire pour la foule païenne prisonnière de la domination d'esprits impurs. Le Seigneur se tait, gardant par sa résignation au silence le privilège du salut à Israël. Et pris de pitié, les disciples joignent leur prière, mais lui qui renfermait le mystère de la volonté du Père [6], répondit qu'il avait été envoyé aux brebis perdues d'Israël, pour qu'il fût d'une clarté évidente que la fille de la Chananéenne portait en elle la figure de l'Église, elle qui réclamait ce qui était accordé à d'autres ; non que le salut ne dût pas aussi être donné aux païens, mais le Seigneur était venu pour les siens et chez lui, et il attendait donc les prémices de la foi de ceux dont il était sorti [7], les autres devant être sauvés ensuite par la prédication des apôtres. Voilà pourquoi il dit : *Il n'est pas permis de prendre le pain des fils et de le donner aux chiens* [1]. L'honneur accordé à Israël, l'attachement de Dieu pour lui augmentent sa jalousie ; et, conformément à ces privilèges, la foule des païens reçut le nom de chiens [8]. Mais la Chananéenne, sauvée elle-même déjà par la foi et certaine du mystère intérieur [9], répondit que les petits chiens — sous le couvert d'un diminutif affectueux, l'opprobre du terme « chiens » était déjà affaibli [10] — se nourrissaient des miettes qui tombaient de la table [1'].

5. Et pour que nous comprenions que le silence du Seigneur provenait de la considération du temps [11], non d'un obstacle mis par sa volonté, il ajouta : *Ô femme, ta foi est grande* [m] *!* Voulant dire que déjà certaine de son

8. Cf. *supra*, 6, 1, n. 1.

9. Réminiscence d'une formule de *I Tim.* 3, 9 : « habentes mysterium fidei in conscientia pura ».

10. La définition du diminutif comme « procédé d'affectation » (cf. J. MAROUZEAU, *Traité de stylistique appliquée au latin*, Paris 1935, p. 154) est issue de l'enseignement des grammairiens : ainsi SERV., *Aen.*, 1, 273 : « Vt autem pro Romo Romulus diceretur, blandimenti genere factum est, quod gaudet deminutione. »

11. Saint Paul annonce dans *Rom.* 11, 25-27, qu'un jour, Israël adhérera à la foi. Ces versets ont été paraphrasés *supra*, 10, 14.

iam certa, quin etiam de gentium congregatione confidat,
5 quo in tempore ita credentes mox ut puella ab omni
dominatu immundorum spirituum liberabuntur. Et
continuo facti fides sequitur. Nam post praefiguratam
in Chananaeae filia gentium plebem continuo in monte [n]
obsessi uario genere morborum a turbis Domino offerun-
10 tur [o], id est a credentibus infideles aegrotique ut adorent
et procidant instruuntur, quibusque salus redditur atque
ad sentiendum, contuendum, laudandum comitan-
dumque Deum omnia et mentis et corporis ministeria
reformantur [p].

6. *Iesus autem conuocatis discipulis ait : Misereor*
C *turbae huic, quia triduum est iam quod perseuerat mecum* [q],
et reliqua. Tenet ordinem cursus operandi, sed et operibus
iisdem sermonum par ratio succedit. In filia enim Chana-
5 naeae Ecclesiae formam constitutam meminimus et
consequentis populi curationem concursum aegrotarum
gentium esse tradidimus. Nunc ergo diligenter et dicta
Domini et facta tractanda sunt, ut uideamus an superior res atque sermo, ita ut a nobis intelligi traditus est,
10 etiam ex consequentibus eiusdem intelligentiae accipiat
auctoritatem. Miseretur turbae Dominus, quod triduo
secum maneat, quam dimittere ieiunam non uult, ne
in uia prae inedia deficiat. Causantur discipuli panes non
esse tantos, quibus expleri saturarique possit [r]. Per-
15 contatus est Dominus quot panes haberent. Responde-
D runt illi septem panes esse et paucos pisces [s]. Turbis

REP (= α) A (ab XV, 4,5 usque ad XIX, 3,14) ESTM (= β)
5, 8 montem R A S ‖ 6, 4 sermonem A S ‖ 8-9 superiores A S T M
superioris tractatus *Bad.* ‖ 11 triduo : triduum G S *Bad.* trium A ‖
14 possint A G S *Bad.*

---

n. Cf. Matth. 15, 29
o. Cf. Matth. 15, 30
p. Cf. Matth. 15, 31
q. Matth. 15, 32
r. Cf. Matth. 15, 33
s. Cf. Matth. 15, 34

salut, elle avait foi — ce qui est mieux encore — dans la
réunion des païens, à l'heure où bientôt, étant croyants,
ils seront libérés comme la jeune fille de toute forme de
domination des esprits impurs. Et la confirmation des
faits suit logiquement. En effet, comme conséquence,
après la préfiguration du peuple des païens dans la fille
de la Chananéenne, sur la montagne [n], des hommes prisonniers de maladies d'espèces diverses sont présentés au
Seigneur par des foules [o] : ce sont des hommes incroyants,
et par là malades, qui sont formés par des croyants à
l'adoration et au prosternement [12] et auxquels le salut
est rendu et, pour concevoir, étudier, louer et suivre
Dieu, toutes les fonctions physiques et morales sont
restaurées [p] [13].

6. *Or Jésus, ayant réuni ses disciples, leur dit : J'ai
pitié de cette foule, parce qu'il y a trois jours déjà qu'elle
reste avec moi* [q], et la suite. Le cours des actions observe
un ordre, mais à des actes qui sont les mêmes correspond
une explication parallèle des paroles. Nous nous rappelons que la fille de la Chananéenne constitue une image
de l'Église, et nous avons fait entendre que la guérison
du peuple qui suit marque le rassemblement des païens
malades. Maintenant donc il faut traiter avec soin des
propos et des actions du Seigneur, pour voir si l'événement et les paroles qui précèdent, compris de la manière
que nous avons rapportée, reçoivent aussi de ceux qui
suivent la garantie d'une même intelligibilité. Le Seigneur
éprouve de la pitié à voir la foule rester trois jours avec
lui et il ne veut pas la renvoyer à jeun, de peur qu'elle ne
succombe d'inanition en chemin. Les disciples allèguent
que les pains ne sont pas assez nombreux pour qu'on
puisse en être rassasié et saturé [r]. Le Seigneur s'informa
du nombre de pains qu'ils avaient. Ils répondirent qu'ils
avaient sept pains et quelques poissons [s]. Les foules ont

---

12. Alliance de mots tirée de *I Cor.* 14, 25 (*Vulg.*) « cadens in
faciem adorabit Deum ».
13. Ces facultés correspondent respectivement aux infirmités
dont la guérison est mentionnée dans *Matth.* 15, 30-31.

iubetur in terram discumbere [t], et Dominus panes ac
pisces accipiens gratias egit ac fregit et discipulis praefracta ut offerrent dedit [u]. Sed fragmenta panum septem paucorumque piscium explent uirorum quattuor
millia [v], ita tamen quod replendis septem sportis prae-
fractus panis, saturatis omnibus, abundauit [w].

7. Et occurrunt quidem multa quae noua sunt. Discipuli unius diei ieiunium miserantes quinque millia uirorum ad coemendos cibos remitti in castella uoluerunt,
nunc toto triduo tacent. Et deinceps feno superior turba
substernitur, haec accumbit in terra. Illic quinque panes,
hic septem offeruntur : illic duo pisces, hic indefinitus
sub paucitatis tamen significatione numerus est. Illic
quinque millia uirorum, hic quattuor : illic duodecim
cophini, hic septem sportae repletae. Et superioribus
quidem puto esse responsum et omnia iuxta personam
populi congruenter esse subiecta. Nunc quoque competen-
tem rei atque causae rationem adferre temptemus, ut
quemadmodum illa Iudaicae credentium congruunt
plebi, ita haec populo gentium comparentur.

8. Ordo igitur idem in sermone Domini est qui in
consequenda gratia manet. Venturi enim ad baptismum
prius confitentur credere se in Dei filio et in passione ac
resurrectione eius et huic professionis sacramento fides
redditur. Atque ut hanc uerborum sponsionem quaedam

REP (= α) A (ab XV, 4,15 usque ad XIX, 3,14) GSTM (= β)
17 ac : et A S ‖ **7,** 1 sint A G T M ‖ **8,** 1 ordo — est *om.* A S

---

t. Cf. Matth. 15, 35
u. Cf. Matth. 15, 36
v. Cf. Matth. 15, 38
w. Cf. Matth. 15, 37

---

14. Comme nous l'avons montré dans notre *Hilaire de Poitiers...*,
p. 188-190, il est peu probable, en dépit des apparences, qu'Hilaire
s'inspire de la comparaison des deux multiplications des pains
établie par Origène dans les *Tomoi in Matthaeum*. Les *synkriseis*

l'ordre de s'asseoir par terre [t], et le Seigneur, prenant les
pains et les poissons, rendit grâce, les rompit et donna
à ses disciples les morceaux coupés au bout pour
qu'ils les offrissent [u]. Les morceaux des sept pains et
des quelques poissons rassasient cependant quatre mille
hommes [v], ce qui n'empêcha pas que, alors que tous
étaient rassasiés, le pain, qui se coupait au bout, regorgea
au point de remplir sept corbeilles [w].

7. Beaucoup de détails, il est vrai, se présentent qui
sont nouveaux. Les disciples, prenant en pitié un jeûne
d'un seul jour, voulurent renvoyer dans leur village les
cinq mille hommes, pour qu'ils y achètent de la nourriture.
Maintenant, ils se taisent durant trois jours entiers.
Ensuite la foule précédente s'étend sur l'herbe ; celle-ci
s'asseoit par terre. Alors, cinq pains, ici sept pains sont
offerts. Alors, c'étaient deux poissons, ici, c'est un nombre
qui n'est pas déterminé, mais qui est évoqué par le terme
« quelques-uns ». Alors, on avait cinq mille hommes, ici
quatre mille. Alors, on avait douze couffins remplis, ici sept
corbeilles. Je pense qu'il y a ici une réplique de la scène
précédente et que tout est adapté de façon sous-jacente
pour être conforme à la personnalité du peuple. Es-
sayons maintenant de donner une raison adaptée à
l'événement et à son motif, montrant que si les faits
d'alors conviennent au peuple Juif qui croit, ceux de
maintenant sont adaptés au peuple des païens [14].

8. L'ordre des propos du Seigneur est le même que
celui qui est observé dans l'obtention de la grâce. Ceux
qui, en effet, doivent venir au baptême confessent d'abord
qu'ils croient au Fils de Dieu, à sa passion et à sa résurrection ; et à cette profession d'engagement on donne sa
foi. Et pour que cette promesse verbale soit suivie d'une

ne sont pas rares dans l'*In Matthaeum* : *synkrisis* des deux fils
représentent les deux vocations à la foi issues d'Israël (21, 13-14),
synkrisis des vierges sages et des vierges folles (27, 4-5). La *synkrisis* des deux peuples (Juifs, gentils) s'inspire d'un précédent
remarquable, le parallèle entre les deux fils de la parabole de l'Enfant prodigue dressé par TERT., *pudic.*, 9, 14-18, parallèle accompagné de principes généraux d'exégèse.

rerum ipsarum ueritas consequatur, toto in ieiuniis passionis dominicae tempore demorantes quadam Domino compassionis societate iunguntur. Igitur siue C sponsionis sacramento siue ieiunio omne illud passionis 10 dominicae cum Domino agunt tempus.

9. Et huius spei atque comitatus Dominus misertus ait triduo secum esse. Quos ne in uitae saecularis cursu, id est in uiae opere defectio labefactaret, uult cibo suo alere atque ad peragendam totius itineris fortitudinem 5 panis sui uirtute firmare, conquerentibus discipulis panes in deserto nullos esse. Atquin in superioribus exemplum sumpserant nihil impossibile Deo esse. Sed gestorum causae rationem interioris intelligentiae moliuntur. Quantus enim apostolorum in saluando Israel 10 fauor fuerit, beatissimi Pauli epistolae docent [x]; atque ideo eodem demorante, nunc in concursu gentium et de D pane causatio et de ieiunio silentium introducitur.

1007 A   **10.** Panes igitur septem offeruntur. Nulla enim ex lege et prophetis gentibus salus sumitur, sed per gratiam Spiritus uiuunt, cuius septiforme, ut per Esaiam traditur [y], munus est ; ergo Spiritus per fidem salus gentibus

---

REP (= α) A (ab XV, 4,15 usque ad XIX, 3,14) GSTM (= β)
8 compassione A S ‖ post siue add. ex β Bad. ‖ 9 ante sacramento add. de β ‖ **9,** 5 formare A S ‖ 7 sumpserat A G S ‖ **10,** 3 septiformem A G S

---

x. Cf. Rom. 9, 2-5
y. Cf. Is. 11, 2

---

15. On aurait tort de chercher dans ce développement l'écho d'une liturgie baptismale dont on a par ailleurs des témoignages propres à la Gaule des IVᵉ-VIIᵉ siècles : canon 8 du concile d'Arles (314) ; CAES. AREL., serm., 85, 3 ; SALV., gub., 6, 31-34 ; Missale Bobiense, ordo baptismi. La préoccupation maîtresse d'Hilaire est d'expliquer le triduum que les cinq mille hommes passent avec le Christ. Ce triduum marqué par un jeûne évoque la célébration des trois jours de la Pâque du Seigneur (cf. infra, in Matth. 16, 2) aux souffrances de laquelle participent les hommes (d'après I Pierre 4, 13) et plus précisément ceux qui vont « obtenir la grâce » du

certaine vérité des actes eux-mêmes, on demeure dans le
jeûne tout le temps de la passion du Seigneur en s'unis-
sant à lui par une sorte de participation à sa passion. Que
ce soit donc par l'engagement d'une promesse ou que ce
soit par le jeûne, on passe avec le Seigneur tout ce temps
de la passion dominicale [15].

9. Et le Seigneur, prenant en pitié l'espérance de ceux
qui l'accompagnent ainsi, indique qu'ils sont depuis trois
jours avec lui. Et pour éviter que dans le déroulement de
la vie du siècle, c'est-à-dire dans l'accomplissement de
leur route, un accès de faiblesse ne les ébranle, il veut les
alimenter de sa nourriture et les raffermir par la vertu
de son pain, pour qu'ils aient jusqu'au bout le courage
de faire tout le chemin, puisque les disciples déploraient
qu'il n'y eût pas de pain au désert. Et pourtant, ils avaient
recueilli dans la scène précédente cette leçon que rien n'est
impossible à Dieu. Mais les mobiles des actes réalisent le
plan d'une intelligibilité intérieure. Quel zèle, en effet,
les apôtres ont mis à sauver Israël, c'est ce que nous
apprennent les lettres du bienheureux Paul [x] et c'est
parce que ce zèle demeure le même, qu'ici, en présence
d'un rassemblement de païens, le manque de pain est
allégué et leur jeûne est passé sous silence.

10. Ainsi sept pains sont offerts. Les païens ne trouvent
pas en effet de salut dans la Loi et les prophètes, mais ils
vivent par la grâce de l'Esprit, dont le don a sept formes,
comme l'enseigne Isaïe [y]. C'est donc la foi en l'Esprit qui

baptême (formule empruntée à CYPR., *eleem.*, 2 ; *epist.*, 66, 5). Ce
cadre général est rempli par des détails dont l'inspiration et l'expression viennent de Tertullien et de Cyprien : 1) détails sur la céré-
monie préparatoire au baptême : un engagement scellé au temps
de Pâques (TERT., *bapt.*, 19, 1) par la réponse *credo* (CYPR., *epist.*,
70, 2) donnée par le néophyte à une interrogation (cf. TERT., *spect.*,
4, 1 ; *mart.*, 3, 1 ; *pudic.*, 9, 16) en particulier sur le Fils, interrogation qu'Hilaire étoffe par un emprunt à la *regula fidei* (« credere se
in Dei filio et in passione ac resurrectione eius », cf. TERT., *adu.
Prax.*, 2, 1) ; 2) détails sur le jeûne prébaptismal dont la durée est
fixée à trois jours par un amalgame de TERT., *orat.*, 18, 7 et *bapt.*,
19, 1, et dont le sens est d'être la manifestation de notre *credo*,
selon Hilaire, de notre prière selon TERTULLIEN (*orat.*, 18, 2 et 6).

5 est. Quae in terram recumbunt; nullis enim legis
operibus fuerant ante substratae, sed peccatorum et
corporum suorum origini inhaerentes ad donum Spiritus septiformis uocantur. Indefinitus piscium numerus
diuersorum donorum et charismatum partitiones minis-
10 trationesque significat, quibus fides gentium gratiarum
diuersitate satiatur. Sed quod septem sportae replentur,
redundans et multiplicata septiformis Spiritus copia
indicatur, cui quod largiatur exuberet, fitque saturatis nobis ditior semper et plenior. Quod uero quattuor
B millia uirorum congregantur, multitudo innumerabilium
ex quattuor orbis partibus intelligitur. Ad formam enim
futuri in tot partium millia plebs dinumerata satiatur,
quotidem de partibus ad caelestis cibi donum concursura
essent millia crediturorum. Turba igitur dimittitur
20 satiata et expleta. Et quia omnibus diebus uitae nostrae
nobiscum Dominus manet, nauem, id est Ecclesiam,
crede ntium plebe comitatus ingreditur ᶻ.

16

C   1. *Et accesserunt ad eum Pharisaei et Sadducaei temp-*
tantes et rogauerunt eum ut signum de caelo illis ostende-
ret ᵃ. Adsunt Pharisaei et Sadducaei legis fiducia inso-

REP (= α) A (ab XV, 4,15 usque ad XIX, 3,14) GSTM (= β)
    5 est quae : et quae est A S ‖ terra T M ‖ 7 origine A S ‖ 9 par-
titiones : participationes R   portiones E ‖ 13 cui quod largiatur
om. A S ‖ 16 ex quattuor orbis *om.* A S ‖ 20 et¹ *om.* A¹ S
    XVI et accesserunt R P M : et accesserunt E A G S T   CANON
(CAPVT *Cou.*) XVI et accesserunt *edd.* ‖ 1, 2-3 *post* ostenderet *add.*
et reliqua β *edd.*

---

z. Cf. Matth. 15, 39
a. Matth. 16, 1

donne le salut aux païens. Ceux-ci se couchent sur la terre, car auparavant ils n'avaient pas eu les œuvres de la Loi pour s'étendre, mais tout en adhérant à ce qui est l'origine des péchés de leurs corps, ils sont appelés au don de l'Esprit septiforme. Le nombre indéterminé de poissons indique que sont partagés et servis les divers dons et charismes qui rassasient la foi des païens par la diversité de leurs grâces. Mais le fait que sept corbeilles sont remplies indique l'abondance débordante et démultipliée de l'Esprit septiforme, qui regorge de ce qu'il a à donner. A nous rassasier il devient toujours plus riche et plus plein [16]. Le fait que quatre mille hommes sont rassemblés signifie la multitude d'hommes innombrables des quatre parties du monde [17]. En effet, pour donner une image de l'avenir, le dénombrement de la foule qui est rassasiée atteint un nombre de milliers de parts qui égale le nombre des parties du monde, d'où conflueraient des milliers de croyants vers le don de la nourriture céleste [18]. Ainsi, la foule est renvoyée rassasiée et comblée. Et parce que le Seigneur demeure avec nous tous les jours de notre vie, il s'embarque sur le navire, c'est-à-dire l'Église, escorté du peuple des croyants [z].

Chapitre 16

1. *Les Pharisiens et les Sadducéens s'approchèrent de lui le mettant à l'épreuve et lui demandèrent de leur montrer un signe venant du ciel* [a]. Les Pharisiens et les Sadducéens

16. Ce paradoxe doit être rapproché de l'effet extraordinaire de l'eau vive (*Jn* 7, 37-39) selon Cypr., *epist.*, 63, 8 : plus on a soif, plus elle coule. L'Esprit-Saint se donne en effet sans mesure (cf. Cypr., *epist.*, 69, 14 et *supra*, 10, 3).

17. Notion géographique de base selon Gell., 2, 22, 3 : « Satis notum est limites regionesque esse caeli quattuor ». De cette donnée élémentaire, Lact., *inst.*, 2, 9, 5-11 donne un commentaire providentialiste.

18. Cypr., *epist.*, 69, 5, développe le thème de l'unité dans l'Eucharistie.

lentes dedignantesque opera uirtutum fidei signum
5 ostendi sibi de caelo precantur. Humilitatem in Christo
carnis et corporis contuentes doctrinam ex his quae sub
hominis habitu gerebat dedignantur accipere. Quorum
insolentiam et inanitatem irridens multa eos de natura
caeli conicere solere respondit, cum rubicundo aut ortu
10 aut uespere serenum nimbosumue pronuntient; porro
autem ignorare eos temporum signa [b], cum omnis lex
et prophetae aduentus sui indicia ex operum quae gereret
admiratione significent, ut quemadmodum fidem tem-
D pestatis caeli uel matutini uel uesperis rubor redderet,
15 ita manifestam temporum cognitionem uirtutum atque
operum indicia praestare deberent.

　　2. Sed ortus e caelo signum his terrestre constituit, ut
eos intra confessionem humilitatis corporeae contineret, dandum dicens Ionae signum [c]. Huic se Dominus
1008 A comparat quem ad futurae passionis effectum in praedi-
5 cationem paenitentiae ad Niniuitas pari specie praemi-
serat. Namque Ionas uentis desaeuientibus proiectus e
naui est et deuoratus a ceto et post triduum uiuus emissus, non retentus a monstro, non cibi condicione confec-
tus, sed contra humani corporis naturam integer et illae-
10 sus in auras superas uirtute dominicae praefigurationis
euadit. Hoc ergo potestatis suae signum constitutum esse
demonstrat, in se remissionem peccatorum [c'] per paenitentiam praedicans, de Hierusalem uel Synagoga immun-

---

REP (= α) A (ab XV, 4,15 usque ad XIX, 3,14) GSTM (= β)
　　10 aut *om.* A S ‖ pronuntient : -iant A G S *Bad.*　renuntiant
T M ‖ 12 prophetia T M ‖ **2**, 2 intra : in terra A S ‖ 3 Iona *PL* ‖
7 et² *om.* A S ‖ 12 in se : ipse R P A G S *edd.* ‖ per *om.* A S

　　b. Cf. Matth. 16, 2-3
　　c. Cf. Matth. 16, 4
　　c'. Cf. Éphés. 1, 14

---

　　1. L'image apparaît avant l'objet qui préexiste à son image,
selon le principe posé dans TERT., *resurr.*, 30, 5 : il est nécessaire
qu'une chose qui est figure d'une autre existe pour elle-même au
préalable.

se présentent enorgueillis par l'assurance de la Loi et,
dédaignant les œuvres miraculeuses de la foi, ils prient
qu'on leur montre un signe venant du ciel. Voyant l'a-
baissement de la chair et du corps dans le Christ, ils
refusent de recevoir l'enseignement qui se dégageait des
actes qu'il accomplissait sous les traits d'un homme.
Riant de leur orgueil et de leur vanité, il répondit qu'ils
faisaient beaucoup de pronostics sur la nature du ciel,
quand ils annonçaient un ciel serein ou des nuages d'après
le rouge de l'aurore ou du couchant, mais que, par ailleurs,
ils ignoraient les signes des temps [b], alors que toute la
Loi et les prophètes signalaient des preuves de sa venue
tirées des œuvres étonnantes qu'il accomplissait, si bien
que, comme le rougeoiement du ciel ou le matin ou le soir
garantissait le temps, les preuves de ses miracles et de
ses actes auraient dû procurer une connaissance évidente
des temps.

2. Mais en disant qu'il leur serait donné le signe de
Jonas [c], lui qui est né du ciel, il leur a fixé un signe terrestre, pour qu'ils soient retenus dans les limites de la
confession de son abaissement corporel. Le Seigneur se
compare à celui qu'il avait envoyé prêcher la pénitence aux
Ninivites, comme son image exacte [1] visant la réalité de
sa passion future [2]. Jonas, en effet, fut projeté du navire
par la fureur des vents, dévoré par la baleine et après
trois jours rejeté vivant sans avoir été retenu par le
monstre ni réduit à l'état de nourriture, mais, à l'encontre
de la nature du corps humain, intact et sans dommage,
il sort à l'air supérieur par la vertu attachée à la préfiguration du Seigneur [3]. Tel est donc le signe fixé qu'il
montre comme celui de sa puissance, enseignant qu'il y a
en lui la rémission des péchés [c'] par la pénitence, lui qui doit
être rejeté de Jérusalem ou de la Synagogue par le souffle

---

2. Hilaire suit TERT., *pudic.*, 10, 4 : « Exemplum passus est
(Ionas) dominicae passionis ethnicos quoque paenitentes redemp-
turae. »
3. Cette séquence est une combinaison de traits empruntés à
TERT., *orat.* 17, 4 ; *resurr.*, 32, 3 ; 42, 10.

dorum spirituum dominante flatu eiciendus et Pilati
15 potestati, id est saeculi iudicio tradendus et a morte
tamquam elementi eiusdem monstro glutiendus et post
triduum ex ea contra condicionem hominis quem
B adsumpserat non retentus, uiuus atque incorruptus
emergens. Ea igitur quae in homine de conceptu
20 uirginis sumpto diuinarum erant plena uirtutum cognosci
atque intelligi de se uoluit et prophetae signo et hominis
exemplo.

  3. *Et relictis illis abiit* [d]. Non sicut locis aliis legitur :
dimissis turbis abiit [d'], sed quia infidelitatis error insolentium animos obtinebat, non dimisisse eos scribitur, sed
reliquisse. *Et cum uenisset trans fretum, obliti sunt disci-*
5 *puli eius panes accipere. Iesus autem dixit illis : Adten-*
dite uobis a fermento Pharisaeorum et Sadducaeorum [e].
Absoluta omnis de fermento Pharisaeorum et Sadducaeorum obscuritas est. Quod autem abstinere se eo
C apostoli iubentur, non admisceri doctrinae Iudaeorum
10 monentur [f], quia legis opera in effectum fidei et in praeformationem rerum consequentium constituta sint, ut in
quorum tempora atque aetatem ueritas contigisset,
nihil ultra in ueritatis similitudine spei positum arbi-
trarentur, ne doctrina Pharisaeorum Christum nesciens
15 effectus ueritatis euangelicae corrumperet.

  4. *Venit autem Iesus in partes Caesareae Philippi et*
interrogabat discipulos suos [g], et reliqua. In processu

REP (= α) A (ab XV, 4,15 usque ad ⟩XIX, 3,14) GSTM (= β)
17 contra dicionem A S ‖ **3**, 10 in² *om.* β *Bad.* ‖ 11 ut : et T M ‖
4, 2 interrogat A G S *Bad.*

---

d. Matth. 16, 4
d'. Cf. Matth. 14, 23 ; 15, 39
e. Matth. 16, 5-6
f. Cf. Matth. 16, 12
g. Matth. 16, 13

---

4. Hilaire a-t-il poussé le parallèle entre Jonas et le Christ jusqu'à mettre Pilate en relation avec l'équipage du navire de Jonas,

tyrannique des esprits impurs, qui doit être livré à la puissance de Pilate, c'est-à-dire au jugement du siècle [4], qui doit être englouti par la mort comme par un monstre issu de l'élément qu'elle est elle-même [5] et qui, après trois jours, à l'encontre de la condition humaine qu'il avait prise, au lieu d'être retenu par la mort, émerge d'elle vivant et intact. Ainsi les traits qui, dans son humanité tirée de la conception virginale, étaient remplis de vertu divine, il a voulu qu'on les connût et qu'on les comprît comme s'appliquant à lui, grâce au signe d'un prophète et à l'exemple d'un homme.

3. *Et les quittant, il s'en alla* [d]. Ce n'est pas comme ailleurs où on lit : « Renvoyant les foules, il s'en alla [d']. » Mais, comme l'erreur de l'incroyance occupait des esprits présomptueux, il est écrit, non qu'il les renvoya, mais qu'il les quitta. *Et comme il était arrivé de l'autre côté de la mer, ses disciples oublièrent de prendre des pains. Or Jésus leur dit : Méfiez-vous du levain des Pharisiens et des Sadducéens* [e]. C'est l'obscurité totale et absolue en ce qui concerne le levain des Pharisiens et des Sadducéens. Mais l'ordre donné aux apôtres de s'en abstenir est un avertissement de ne pas se compromettre avec l'enseignement des Juifs [f], car les œuvres de la Loi ont été instituées en vue de la foi qui les réalise et comme figure des choses qui suivraient, en sorte que ceux à l'époque et à la génération desquels était échue la vérité devaient penser qu'aucun espoir ne reposait plus désormais sur une apparence de vérité, pour éviter que l'enseignement des Pharisiens ignorant le Christ ne porte atteinte aux réalisations de la vérité de l'Évangile.

4. *Jésus vint au pays de Césarée de Philippe et il interrogeait ses disciples* [g], et la suite. Dans le déroulement de

___

omme le voudrait Y.-M. Duval, *Le Livre de Jonas dans la littérature chrétienne grecque et latine*, Paris 1973, p. 217, en arguant de témoignages postérieurs à Hilaire ? D'après *in Matth.* 32, 5, 1, Pilate est le « juge des païens ».

5. C'est-à-dire la mer (*elementum* en 13, 9, 5), dont les profondeurs dans *Jonas* 2, 3, *Job* 38, 16-17, *Ps.* 41, 8, s'entendent du siège de la mort.

sermonis atque operis absolutius discipulis cognitionem
suam praestat et quamdam intelligendi se formam ratio-
5 nemque constituit. Est autem haec uera et inuiolabilis
fides, ex Deo aeternitatis, cui ob id quod semper filius
D fuerit semper et ius patris et nomen sit, ne, si non semper
filius, non semper et pater sit, Deum filium profectum
fuisse, cui sit ex aeternitate parentis aeternitas. Nasci
10 autem eum uoluntas eius fuit cuius in uirtute ac potestate inerat ut nasceretur. Est ergo filius Dei ex Deo Deus,
unus in utroque ; theotetam enim, quam deitatem Latini
1009 A nuncupant, aeterni eius parentis, ex quo nascendo est
profectus, accepit. Accepit autem hoc quod erat et
15 natum est Verbum quod fuit semper in Patre, atque ita
Filius et aeternus et natus est, quia non aliud in eo
natum est quam quod aeternum est.

5. Hunc igitur adsumpsisse corpus et hominem factum esse perfecta confessio est, quia, sicut aeternitas
naturae nostrae corpus accepit, ita cognoscendum est
naturam corporis nostri aeternitatis adsumere posse
5 uirtutem. Igitur quia summum in fide ista bonum est,
a discipulis requirit quem se homines esse dicerent et
adiecit : *hominis filium* [h]. Haec enim confessionis tenenda
ratio est, ut sicut Dei filium, ita et filium hominis memi-
B nerimus, quia alterum sine altero nihil spei tribuit ad
10 salutem.

6. Editis itaque quae diuersae de eo erant hominum
opinionibus [i], quid de se ipsi sentiant quaerit [j]. Petrus
respondit : *Tu es Christus filius Dei uiui* [k]. Sed Petrus

REP (= α) A (ab XV, 4,15 usque ad XIX, 3,14) GSTM (= β)
7 et ius patris : ius patris A S   eius pater T M ‖ 10 *post* eum
add. cui A S ‖ 12 theothetam E β *Bad.* ‖ latine A S T M *Bad.* ‖ 16
et aeternus : aeternitas A S

h. Matth. 16, 13
i. Cf. Matth. 16, 14
j. Cf. Matth. 16, 15
k. Matth. 16, 16

ses paroles et de ses actes, il procure à ses disciples une connaissance plus évidente de lui et il établit une sorte de schéma raisonné de l'intelligence de lui-même. Or la foi vraie et inviolable veut que, du Dieu d'éternité, — qui, parce qu'il a toujours eu un Fils a toujours le droit et le titre de Père, de façon que, s'il n'y avait pas toujours un Fils, il n'y eût pas toujours un Père — a procédé Dieu le Fils qui tient l'éternité de l'éternité de son Père [6]. Qu'il naquît était la volonté de celui dont la puissance et le pouvoir impliquaient qu'il naquît. Le Fils de Dieu est donc Dieu de Dieu, Dieu unique dans les deux, car il a reçu la divinité — *theoteta*, en latin *deitas* [7] — de son Père éternel, duquel il a procédé en naissant. Il a reçu ce qu'il était et le Verbe est né ce qu'il a toujours été dans le Père. Et ainsi le Fils est à la fois éternel et né, parce que ce qui est né en lui n'est autre chose que ce qui est éternel.

5. Cela étant, la plénitude de la confession veut qu'il ait pris un corps et se soit fait homme, parce que, comme l'éternité a reçu un corps de notre nature, il faut reconnaître que la nature de notre corps peut prendre la puissance de l'éternité. Ainsi, parce que le souverain bien réside dans cette foi, il demande aux disciples ce que les hommes disaient qu'il était, lui, le *Fils de l'homme* [h], ajouta-t-il, car l'idée poursuivie par la confession de foi, c'est qu'on n'oublie pas qu'il est Fils de l'homme, comme il est Fils de Dieu, parce que l'un des deux termes sans l'autre [8] n'apporte aucun espoir pour le salut.

6. Après qu'on lui eut donc exposé les opinions des hommes qui à son sujet étaient divergentes [i], il leur demande ce qu'ils pensent eux-mêmes de lui [j]. Pierre répondit : *Tu es le Christ, le Fils du Dieu vivant* [k]. Mais

6. Sur les expressions de cette définition et sur le développement qu'elle annonce, cf. notre *Hilaire de Poitiers...* p. 354-355.

7. Sur l'emploi ici d'un terme grec et sur la spécificité de *deitas*, cf. notre *Hilaire...*, p. 174 et 36.

8. Cette disjonction, mode de la dialectique (cf. Cic., *top.*, 56), a été appliquée par Novatian., *trin.*, 11, 61 à l'erreur qui introduit le désordre dans la christologie.

condicionem propositionis expenderat. Dominum enim
5 dixerat : *Quem me homines esse dicunt, filium hominis* [1] ?
Et certe filium hominis contemplatio corporis praeferebat, sed addendo *quem me esse dicunt* significauit,
praeter id quod in se uidebatur, esse aliud sentiendum ;
erat enim hominis filius. Quod igitur de se opinandi iudi-
10 cium desiderabat ? Non illud arbitramur quod de se
ipse confessus est ; sed occultum erat de quo quaere-
batur, in quod se credentium fides debebat extendere.

C   **7.** Et dignum plane confessio Petri praemium conse-
1010 A cuta est, quia Dei filium in homine uidisset [m]. Beatus hic
est et ultra humanos oculos et intendisse et uidisse lau-
datus est non id quod ex carne et sanguine erat contuens,
5 sed Dei filium caelestis patris reuelatione conspiciens
dignusque iudicatus qui quod in Christo Dei esset primus agnosceret. O in nuncupatione noui nominis felix
Ecclesiae fundamentum [n] dignaque aedificatione illius
petra, quae infernas leges et tartari portas et omnia
10 mortis claustra dissolueret ! O beatus caeli ianitor, cuius
arbitrio claues aeterni aditus traduntur, cuius terrestre
iudicium praeiudicata auctoritas sit in caelo, ut quae in
terris aut ligata sint aut soluta statuti eiusdem condicionem obtineant et in caelo [o].

B   **8.** Iubet etiam discipulis ne cui loquantur quod ipse
est Christus [p] ; alios enim Spiritus sui esse testes oportebat, legem uidelicet et prophetas. Ceterum resur-

REP (= α) A (ab XV, 4,15 usque ad XIX, 3,14) GSTM (= β)
  7, 2 hominem A S ‖ 3 et[1] : ut A G S *Bad. Era.* qui A² *Cou.* ‖ 12
praedicata A S ‖ **8,** 1 cui : ulli A S² *om. Bad.*

l. Matth. 16, 13
m. Cf. Matth. 16, 17
n. Cf. Matth. 16, 18
o. Cf. Matth. 16, 19
p. Cf. Matth. 16, 20

Pierre avait soupesé la clause de la question proposée.
Le Seigneur avait dit en effet : *Que disent les hommes que
je suis ? moi le Fils de l'homme* [1] *?* Assurément, la vue
de son corps manifestait le Fils de l'homme, mais en
ajoutant : *Que disent-ils que je suis ?,* il fit comprendre
qu'en plus de ce qu'on voyait en lui, il y avait autre chose
à discerner [9], car Fils de l'homme, il l'était. Quelle opinion
attendait-il donc d'un jugement porté sur lui ? Non pas,
croyons-nous, celle qu'il avait exprimée à son sujet ;
mais, en fait, l'objet de la question était un mystère où
devait tendre la foi des croyants [10].

7. La confession de Pierre obtint pleinement la récompense qu'il méritait pour avoir vu dans l'homme le
Fils de Dieu [m]. Bienheureux il l'est, loué pour avoir
étendu sa vue au delà des yeux humains, ne regardant
pas ce qui venait de la chair et du sang, mais contem-
plant le Fils de Dieu révélé par le Père céleste, et jugé
digne de reconnaître le premier ce qui dans le Christ était
de Dieu. Ô fondement qu'il a la chance de donner à
l'Église, au titre de son nom nouveau [n], et pierre digne
de l'édifier, de façon qu'elle brise les lois de l'enfer, les
portes du Tartare et toutes les prisons de la mort [11] ! Ô
bienheureux portier du ciel, au jugement de qui sont
remises les clés de l'accès à l'éternité : sa sentence sur
terre fait d'avance autorité au ciel, en sorte que ce qui
a été lié ou délié sur terre obtienne au ciel aussi la condition
d'un statut identique [o].

8. Il ordonne encore aux disciples de ne dire à personne
qu'il est lui-même le Christ [p], car il fallait que d'autres,
c'est-à-dire la Loi et les prophètes, fussent témoins de

---

9. Ambivalence soulignée par l'apologétique : cf. Tert., *apol.*,
17, 2 : Dieu se voit et il est invisible.

10. L'« extension » de la foi par le biais des questions qu'elle se
pose répond au principe énoncé dans Tert., *praescr.*, 10, 2 : Il faut
chercher la doctrine du Christ tant qu'on ne l'a pas trouvée.

11. Expressions poétiques où se mêlent des souvenirs classiques
(*Stygis claustra* de Sen., *Tro.*, 430 ; *Oed.*, 401 ; *Erebi claustra* de
Sen., *Oed.*, 160 ; *Herc.* O., 1311) et des réminiscences scripturaires
(*Ps.* 106, 16 : « quia contriuit portas aereas » ; *II Pierre* 2, 4 : « in
tartarum tradidit »).

rectionis testimonium proprium est apostolorum. Et
5 quia scientium in Spiritu Christum beatitudo monstrata
est, negatae rursum humilitatis et passionis eius periculum declaratur.

9. Nam cum praedicare coepisset oportere se Hierosolymam ire, pati deinde plura a senioribus plebis et a
scribis et principibus sacerdotum, occidi etiam et post
diem tertium resurgere ^q, adprehendens eum Petrus
5 ait : *Absit a te, Domine, non erit istud. At ipse conuer-*
C *sus Petro dixit : Vade retro post me, Satana, scandalum*
mihi es ^r. Vt Dei munus est Christum in Spiritu Deum
1011 A nosse, ita diaboli opus est Christum in homine nescire.
Atque eiusdem periculi res est uel corpus negare sine Deo
10 uel Deum negare sine corpore. Corpus autem carnis
huius in aeternitate Spiritus Deo nullum est, uerum
humanae salutis causa Christus in corpore est quod
adsumpsit ex homine.

10. Igitur post praedicationem passionis accipiens
diabolus facultatem — usque ad tempus enim ab eo
secesserat —, quia incredibile satis apostolis uideretur
eum in quo Deus erat esse passibilem, sumens hanc huma-
5 nae infidelitatis occasionem opinionis istius Petro insi-
nuauit adfectum. Denique ita passionem detestatus est,
B ut dixerit *Absit,* quo uerbo rerum detestandarum exse-
cratio continetur. Sed sciens Dominus diabolicae artis

REP (= α) A (ab XV, 4,15 usque ad XIX, 3,14) GSTM (= β)
9, 5 at : et A S ‖ 7 est : et A S ‖ Deum : Dei T M   Domini R

---

q. Cf. Matth. 16, 21
r. Matth. 16, 22-23

---

12. Cf. Tert., *adu. Prax.,* 26, 4 : « Nous reconnaissons le Verbe
dans l'appellation Esprit ». Sur cette christologie « pneumatique »
cf. L. F. Ladaria, *El espiritu santo en San Hilario de Poitiers,*
p. 89-92.
13. Dans ces exclusions en matière de christologie, Tert., *adu.*
Prax., 10, 6 disait qu'il y avait tout le génie du diable.

son Esprit, tandis que le témoignage de la Résurrection
est propre aux apôtres. Et comme la béatitude de ceux
qui connaissent le Christ dans l'Esprit [12] a été manifestée,
à son tour le danger de voir son humilité et sa passion
reniées est mis en évidence.

9. Comme il avait enseigné qu'il lui fallait aller à Jérusalem, puis souffrir beaucoup encore de la part des anciens
du peuple, des scribes et des princes des prêtres jusqu'à
mourir et ressusciter le troisième jour [q], Pierre le saisissant lui dit : *Loin de toi, Seigneur ; cela n'aura pas lieu.*
Mais lui se retournant dit à Pierre : *Passe derrière moi,
Satan, tu m'es un scandale* [r] ! De même que c'est un don
de Dieu de reconnaître le Christ comme Dieu dans l'Esprit, c'est l'œuvre du diable de ne pas reconnaître le
Christ dans l'homme [13]. Et il y a un égal danger à dire
qu'il n'est pas un corps en dehors de sa divinité ou qu'il
n'est pas Dieu en dehors de son corps [14]. Et si, dans l'éternité de l'Esprit, Dieu n'est pas incarné dans cette chair,
c'est pour le salut de l'homme que le Christ est dans un
corps qu'il a pris à l'homme.

10. Ainsi, après l'annonce de la Passion, le diable
saisissant l'occasion — jusque-là il s'était tenu éloigné de
Pierre —, parce qu'il paraissait tout à fait incroyable aux
apôtres que celui en qui Dieu était fût exposé à la souffrance [15], profitant de ce moment favorable à une infidélité humaine [16], inspira à Pierre l'idée d'un tel sentiment. En effet, il maudit la Passion jusqu'à dire : *Au loin,*
expression qui contient une imprécation contre une chose
détestable [17]. Mais le Seigneur sachant la pression des

---

14. Plusieurs traits rappellent le style didactique de Novatien
dans *trin.*, 11, 57-59 : l'erreur comme danger ; les constructions
parallèles exprimant la solidarité des deux « substances » dans le
Christ.

15. Sentiment des Juifs selon Tert., *adu. Iud.*, 10, 1. Or Pierre
est un « homme de la Loi », fait observer Tert, *adu. Marc.*, 4, 11, 1.

16. Cf. *supra*, 3, 1, où la « témérité » du diable profite de l'occasion qui lui est offerte de tenter le Christ en qui il ne voit qu'un
homme.

17. Ainsi Tibulle, 1, 6, 39-42, emploie *absit* dans une tirade
imprécatoire.

instinctum, Petro ait : *Vade retro post me* [s], id est ut
10 exemplo se passionis sequatur. In eum uero per quem
opinio haec suggerebatur conuersus adiecit : *Satana
scandalum mihi es* [t]. Non enim conuenit existimare
Petro Satanae nomen et offensionem scandali deputari
post illa indultae et beatitudinis et potestatis tanta
15 praeconia. Sed quia infidelitas omnis diaboli opus est,
Petri responsione Dominus offensus cum opprobrio
nominis infidelitatis istius est detestatus auctorem.

11. *Tum Iesus dixit discipulis suis : Si quis uult post
me uenire, abneget se ipsum sibi* [u], et reliqua. O beatum
C damnum et iactura felix ! Ditescere nos Dominus detrimento animae et corporis uoluit et esse sui similes hor-
5 tatur, quia ipse in figura Dei constitutus usque ad mortem
1012 A humilis et oboediens factus principatum potestatis totius
quae in Deo est accepit [v]. Sequendus igitur est cruce
adsumpta et passionis suae si non sorte, attamen uoluntate comitandus est. Quid enim prodest occupasse mun-
10 dum et toto terrenae potestatis dominatu opibus saeculi incubare, si perdenda anima est et suscipiendum
uitae detrimentum est ? Quae autem commutatio pro
anima, cum fuerit amissa [w], quaeretur ? Cum angelis
enim Christus aderit reddens singulis ut merebuntur [x].
15 Quid adferemus ad uitam ? Praeparatos, credo, terrenarum opum futuris commerciis thesauros, ambitiosos
dignitatum famaeque titulos aut ueteres delicatae nobi-

REP (= α) A (ab XV, 4,15 usque ad XIX, 3,14) GSTM (= β)
10, 11 Sathana (-as R) R P A S T M ‖ 17 fidelitatis A S ‖ **11**, 2
semet A S ‖ sibi *om.* β *edd.* ‖ 8 forte *PL* ‖ 11 est *om.* β *edd.* ‖ 15
offeremus β *Bad.* ‖ 15-16 terrenarum : aeternarum G   aeternera-
rum A S

s. Matth. 16, 23
t. Matth. 16, 23
u. Matth. 16, 24
v. Cf. Phil. 2, 6-7
w. Cf. Matth. 16, 26
x. Cf. Matth. 16, 27

manœuvres du diable commanda à Pierre : *Va derrière moi* [s], c'est-à-dire lui commanda de le suivre dans l'imitation de sa passion. Et se retournant contre celui qui suggérait à Pierre ce sentiment, il ajouta : *Satan, tu m'es un scandale* [t]. Il ne convient pas de penser que le nom de Satan et l'offense du scandale soient attribués à Pierre après tant de proclamations de béatitude et de puissance. Mais parce que toute incroyance est l'œuvre du diable [18], le Seigneur, offensé par la réponse de Pierre, maudit avec l'infamie de son nom l'instigateur de cet acte d'incroyance.

11. *Alors Jésus dit à ses disciples : Si quelqu'un veut venir après moi, qu'il se renie lui-même* [u], et la suite. Ô faute heureuse et perte bénéfique ! Le Seigneur a voulu que nous nous enrichissions par la perte de l'âme et du corps et nous invite à être comme lui, parce qu'établi lui-même dans la forme de Dieu, s'étant fait humble et obéissant jusqu'à la mort, il a reçu la primauté de toute la puissance qui est en Dieu [v][19]. Il faut donc le suivre en prenant sa croix et l'accompagner, sinon dans le destin de sa passion, du moins dans le désir de celle-ci [20]. Quel intérêt y a-t-il en effet à s'emparer du monde et à couver les richesses du siècle en ayant toute la domination de la puissance terrestre, si l'âme doit périr et la vie consommer sa perte ? Contre quoi cherchera-t-on à échanger l'âme, lorsqu'elle sera perdue [w] ? Le Christ siégera en effet avec les anges, rendant à chacun individuellement ce qu'il méritera [x]. Quel gage apporterons-nous à la vie [21] ? Je suppose, les trésors préparés pour le commerce futur de richesses terrestres, les titres ambitieux de nos dignités et de notre gloire, les images anciennes d'une noblesse

18. Leit-motiv sur lequel a insisté Tertullien, *test. anim.*, 3, 2 ; *fug.*, 2, 1.
19. Le programme de *Phil.* 2, 6-7 est présenté déjà comme un témoignage du « modèle de vie qui nous est donné dans le Christ » par Cypr., *testim.*, 3, 39.
20. La distinction s'inspire de celle qu'établit Cypr., *epist.*, 12, 1 entre la « volonté » du martyre et sa « consommation » qui est la « passion ».
21. La vie éternelle : c'est le sens qu'a la « vie » dans *Rom.* 5, 17 ; Cypr., *domin. orat.*, 28 ; *Demetr.*, 25.

litatis imagines ? Neganda sunt haec omnia, ut melio-
ribus abundemus, et contemptu uniuersorum Christus
B sequendus est et aeternitas spiritalium terrenorum
damno est comparanda.

17

1. *Amen, dico uobis quoniam sunt aliqui de adstan-
tibus istis qui mortem non gustabunt, donec uideant
filium hominis uenientem in regno suo* [a]. Docet Dominus
et rebus et uerbis et fidem spei nostrae aequaliter sermo
C atque opus instruunt. Graue enim onus infirmitati humanae imposuerat, ut, cum sensum uitae homines ex uiuendi
adfectu habere coepissent, fructum eius qui praesens cor-
1013 A poribus blandiebatur amitterent negarentque se sibi, id
est quod esse coepissent esse se nollent, cum sensus huius
10 exordium ex adfectu uoluntatis habuissent, deinde opinionem spei ambiguae incertaeque sequerentur, cum in his
quae praesentia haberentur illecebrae gaudii blandientis
existerent. Opus ergo erat ueri ac manifesti exempli
auctoritate, ut contra uim sensumque iudicii optabile
15 fieret praesentium damnum lucro deinceps non ambiguo

REP (= α) A (ab XV, 4,15 usque ad XIX, 3,14) GSTM (= β)
XVII amen *scripsi* : CANON (CAPVT *Cou.*) XVII amen *edd.*
amen *codd.* ǁ **1, 1** *post* amen *add.* amen β *edd.* ǁ 10 ex : et A S ǁ 11
sequerentur cum in his *om.* A S ǁ 12 gaudiis T M

a. Matth. 16, 28

22. L'antithèse oratoire entre les richesses de la terre et les
richesses d'éternité est inspirée jusque dans le vocabulaire (*praeparatos, thesauros, comparanda*) par leur *comparatio* de style enflammé
dans Cypr., *eleem.*, 22.

1. Tert., *adu. Marc.*, 3, 17, 5, précisait que le Christ se fait
« reconnaître » d'une double manière : par son enseignement et ses

raffinée ? Il faut renier tout cela, pour avoir en abondance
des biens meilleurs ; il faut suivre le Christ dans le mépris
de toutes choses et gagner l'éternité des biens spirituels
en sacrifiant ceux qui sont de la terre [22].

Chapitre 17

1. *En vérité, en vérité, je vous dis que certains qui sont
ici ne goûteront pas la mort, avant de voir le Fils de l'homme
venant dans son royaume* [a]. Le Seigneur enseigne par des
actes et des mots et c'est de la foi de notre espérance que
nous instruisent au même titre sa parole et son action [1].
Il avait imposé en effet un lourd fardeau à la faiblesse
humaine en obligeant les hommes qui commencent à
avoir la conscience de la vie puisée dans le goût de vivre [2],
à en abandonner la jouissance, qui dans l'immédiat
charmait leur corps, et à se renier eux-mêmes, c'est-à-dire
à refuser d'être ce qu'ils commencent à être et ce
dont la conscience a pris naissance dans le goût de la
volonté, en les obligeant ensuite à suivre l'opinion d'un
espoir douteux et incertain [3], alors que dans ce qui passe
pour présent existent les attraits d'une joie charmante.
Il fallait donc l'autorité d'un exemple vrai et évident
pour qu'à l'encontre de la force et de la conscience d'un
jugement, le sacrifice des biens présents devînt souhai-
table, le gain des choses à venir n'étant pas douteux dans

actes de puissance (« duplici, nisi fallor, operatione distinctum :
praedicationis et uirtutis »).

2. Le passage de l'*adfectus* au *sensus* est conforme à un schéma
de pensée classique : cf. Cic., *fin.*, 5, 41 : « primus *appetitus* ille
animi tantum agit ut salui atque integri esse possimus. Cum autem
dispicere coepimus et *sentire* quid simus, ... tum ea sequi incipimus
ad quae nati sumus ».

3. L'état d'âme décrit emprunte plusieurs thèmes à l'analyse
de la *conuersio* dans l'*Ad Donatum* de Cyprien (surtout chap. 3, 4
et 14) : ne plus être ce qu'on était pour aimer ce qu'on sera ; douter
de la possibilité de renoncer à ce à quoi on est attaché.

futurorum. Igitur postquam et tollendam crucem et
perdendam animam et damno mundi commutandam
uitae aeternitatem monuerat, conuersus ad discipulos
ait aliquos ex his futuros qui gustaturi mortem non essent,
20 donec filium hominis in regni sui gloria contuerentur. Ex
B condicione autem gustatus tenuem quamdam fidelibus
libationem mortis ostendit. Itaque uerba res sequitur.

   2. Nam post sex dies Petrus, Iacobus et Ioannes
adsumuntur seorsum et in excelso monte consistunt [b],
ipsisque inspectantibus Dominus transfiguratur et toto
claritatis suae habitu circumsplendet [c]. Et in hoc qui-
5 dem facti genere seruatur et ratio et numerus et exemplum. Nam post dies sex gloriae dominicae habitus osten-
1014 A ditur, sex millium scilicet annorum temporibus euolutis,
regni caelestis honor praefiguratur. Tribusque adsumptis, de trium origine, Sem, Cham et Iaphet, futura electio
10 populi ostenditur. Quod autem Moyses et Elias ex omni
sanctorum numero adsistunt [d], medius inter legem et
prophetas Christus in regno est (cum his enim Israelem,
quibus testibus praedicatus est, iudicabit), simulque ut
et humanis corporibus decreta esse resurrectionis gloria
15 doceretur, cum quando Moyses conspicabilis adstitisset.
Ipse autem Dominus fit niue ac sole candidior [e], supra

REP (= α) A (ab XV, 4,15 usque ad XIX, 3,14) GSTM (= β)
   2, 1 nam : XVII nam R P T M ‖ **9** et *om.* A S ‖ **10** et Elias *om.*
PL ‖ **14** et : ei R E P

---

b. Cf. Matth. 17, 1
c. Cf. Matth. 17, 2
d. Cf. Matth. 17, 3
e. Cf. Matth. 17, 2

---

4. Le développement sur la portée de l'*exemplum* est inspiré
de la parénèse du *De patientia* de Tertullien dont le pivot est
l'exemple donné par le Christ mourant et ressuscitant (TERT.,
patient., 3, 3) : on perd ce qui est terrestre pour gagner ce qui
est céleste (*patient.*, 7, 8).
   5. D'après le *De resurrectione* de TERTULLIEN (43, 4), les saints
qui ont souffert pour le Christ, en vertu d'une *praerogatiua*, ne

la suite [4]. Aussi quand le Seigneur eut rappelé qu'il fallait
prendre sa croix, perdre sa vie et faire le sacrifice du
monde en échange de la vie éternelle, il se tourna vers
ses disciples et déclara qu'il y en aurait parmi eux qui ne
goûteraient pas la mort, avant de contempler le Fils de
l'homme dans la gloire de son royaume. En stipulant une
gustation il indique que, pour les hommes de foi, il n'y a
qu'une sorte d'effleurement léger de la mort [5]. Et voici
comment les paroles sont suivies de leur réalisation.

   2. Six jours après, Pierre, Jacques et Jean sont pris
à part et font halte sur une haute montagne [b]. Sous leurs
regards le Seigneur est transfiguré et resplendit de toute
sa tenue de gloire [c]. Et même dans une scène de ce genre
il y a un plan, une façon de compter, une leçon qui sont
objet d'attention. C'est après un délai de six jours que
le Seigneur se montre dans sa tenue de gloire : ainsi
est préfiguré l'honneur du Royaume des cieux, lorsque
se sera déroulée une durée de six mille ans [6]. Le choix
de trois apôtres montre l'élection future du peuple à
partir du triple lignage de Sem, Cham et Japhet [7]. Si,
sur toute la somme des saints, Moïse et Élie assistent
à la scène [d], c'est parce que le Christ est dans son
royaume, au milieu de la Loi et des prophètes — en effet,
il jugera Israël en compagnie de ceux qui lui ont rendu
témoignage en le prêchant —, et encore si Moïse se tenait
visible, c'était pour montrer que la gloire de la Résurrection était destinée aussi aux corps humains. Quant
au Seigneur lui-même, il devint plus éblouissant que la
neige et le soleil [e], c'est-à-dire brillant de l'éclat d'une

succombent pas à la mort en Adam, jusqu'à la résurrection (cf.
anim., 55, 4).

   6. Chiffre de la durée totale du monde selon une tradition reflétée
par CYPR., *Fort.*, *praef.* 2 ; LACT., *inst.*, 7, 14 : cf. A. LUNEAU, *L'histoire
du salut chez les Pères de l'Église, Théorie des âges du monde*, Paris
1964, p. 218-221. On ne verra pas ici une trace de millénarisme, et
encore moins importé d'Asie Mineure en Gaule, comme le suggère
M. SIMONETTI, « Alle origini di una cultura cristiana in Gallia »
(*Accad. naz. dei Lincei*, t. 370, Quaderno 158), Roma 1973, p. 117-
118.

   7. Cf *supra*, 8, 4.

opinionem scilicet nostram caelestis luminis splendore
conspicuus. Petro autem ut tria illic tabernacula fierent
offerenti [f] nihil respondetur ; nondum enim ut in hac
B gloria consisteretur erat tempus.

3. Sed loquente adhuc eo, nubes eos candida inum-
brauit et diuinae uirtutis spiritu ambiuntur. Hunc esse
filium, hunc dilectum, hunc complacitum, hunc audien-
dum uox de nube significat [g], ut idoneus ipse praecep-
5 torum talium auctor esset, qui post saeculi damnum,
post crucis uoluntatem, post obitum corporum regni
caelestis gloriam ex mortuorum resurrectione facti
confirmasset exemplo. Territos deinde et consternatos [h]
1015 A eleuauit [i] et solum contuentur, quem medium constitisse
10 inter Moysen et Eliam uiderant [j]. Ad futuri enim formam atque ad facti fidem Moyses et Elias in monte
constiterant. Silentium enim rerum gestarum quae
uiderant imperat, donec cum a mortuis surgeret [k] ;
hoc enim fidei praemium reseruabatur ut honor redde-
15 retur iis apud quos non leuis sola praeceptorum auctoritas reperiretur — infirmos enim senserat ad uocis
auditum —, ut, cum essent Spiritu sancto repleti, tunc
gestorum spiritalium testes essent.

4. Solliciti etiam de temporibus Eliae requirunt [l].
Quibus respondet Eliam esse uenturum et restituere
uniuersa [m], id est reliquum quod deprehenderit ex Israel
B ad cognitionem Dei reuocaturum. Sed in uirtute ac spiritu

REP (= α) A (ab XV, 4,15 usque ad XIX, 3,14) GSTM (= β)
17 *post* luminis *add.* in A S ‖ 3, 6 corporum : corporeum A G·S
Bad. -ris E ‖ 9 et : ut β *Bad.* ‖ contuerentur T M *Bad.* ‖ 12 quas
E T M *edd.* ‖ 13 resurgeret G T[ac] *edd.* ‖ 16 senserat : sanauerat E[a]
β *Bad.* ‖ 4, 2 respondit P A G S *Bad.*

f. Cf. Matth. 17, 4
g. Cf. Matth. 17, 5
h. Cf. Matth. 17, 6.
i. Cf. Matth. 17, 7
j. Cf. Matth. 17, 8
k. Cf. Matth. 17, 9

lumière céleste au-delà de ce que nous imaginons ; pour Pierre, qui offrait de faire trois tentes en cet endroit [f], il ne reçut aucune réponse, car le moment n'était pas encore venu qu'il siégeât dans cette gloire.

3. Mais alors qu'il parlait encore, une nuée brillante les couvrit et l'esprit de la puissance divine les enveloppe. Une voix venant de la nuée fait entendre que celui-ci est son fils, son élu, celui qui a ses complaisances [g], celui qu'il faut écouter, pour avoir en lui un garant de ces enseignements qui, par un fait exemplaire, assure qu'après le sacrifice du monde, après le désir de la Croix, après la mort corporelle, la gloire du Royaume des cieux suivrait la résurrection des morts. Puis, terrifiés et abattus [h], il les releva [i] et ils n'observent plus que celui qu'ils avaient vu, placé au milieu de Moïse et Élie [j]. C'est en effet pour figurer l'avenir et rendre crédible ce qui se passe que Moïse et Élie avaient pris place sur la montagne [8]. Il ordonne de faire silence sur les faits qu'ils avaient vus, jusqu'à ce qu'il ressuscitât des morts [k], car c'était une récompense réservée à la foi que la gloire revînt à ceux qu'on ne trouverait pas prenant à la légère la simple autorité de ses instructions — car il les avait vu faibles au son de sa voix —, en sorte que ce ne fût pas avant d'avoir été remplis de l'Esprit-Saint qu'ils seraient les témoins des événements spirituels [9].

4. Ils sont encore préoccupés par l'heure d'Élie et lui posent la question [l]. Il leur répond qu'Élie doit venir et rétablir toutes choses [m], c'est-à-dire qu'il doit ramener à la connaissance de Dieu le reste d'Israël qu'il aura saisi [10]. Mais il fait comprendre que Jean étant venu

l. Cf. Matth. 17, 10
m. Cf. Matth. 17, 11

8. La Transfiguration et la présence visible de Moïse et d'Élie à cette scène sont des preuves de la survie des corps glorifiés selon TERT., *resurr.*, 55, 10.

9. Explication tirée de *Act.* 1, 8.

10. Cette opinion sur Élie serait reprise de VICTORIN. POETOV., *in apoc.*, 20, 1, selon W. WILLE, *Studien zum Matthäuskommentar des Hilarius von Poitiers*, Diss. Hamburg 1969, p. 47.

5 Eliae Iohannem uenisse significat, in quo grauia quaeque
atque aspera exercuissent [n], ut Domini aduentum praenuntians passionem quoque praecurreret et iniuriae et
uexationis exemplo.

5. *Et cum uenisset ad turbam, accessit ad eum homo
genibus prouolutus dicens : Domine miserere filio meo* [o].
Reuerso ad turbas Domino, a patre genibus aduoluto
puer offertur daemoniacus frequenter et in aquam deci-
5 dens et in ignem, cui curationem adferre discipuli
non potuerint [p]. Obiurgatis his et increpato daemone,
sanus puer factus est [q].

6. Crediderant quidem apostoli, nondum tamen erant
perfectae fidei. Nam Domino in monte demorante et
C ipsis cum turba residentibus, quidam tepor eorum fidem
relaxauerat ; atque idcirco ait : *Generatio incredibilis
5 et peruersa, quousque ero uobiscum* [r] ? quia, absente se,
antiquae infidelitatis consuetudo subrepserat. Docet
igitur eos nihil salutis adferre posse, qui medio euangeliorum et iterati aduentus sui tempore a fide tamquam
1016 A Domino absente decesserint.

7. Denique quaerentibus a se cur daemonium eicere
non potuissent [s], respondit de inopia fidei effectum esse
ne possent ; quae si in illis tamquam granum sinapis esset,
monti huic, ut a loco in locum transiret, cum efficiendi
5 potestate praeciperent [t]. Sed iam de monte decesserat
et inter turbas haec loquebatur. Itaque et se granum

REP (= α) A (ab XV, 4,15 usque ad XIX, 3,14) GSTM (= β)
  5, 2 prouolutis R P A S ‖ 3 obuoluto R P ‖ 6 increpito A S ‖
6, 3 tepor : tempore A G S *Bad.* ‖ 6 antiqui A S ‖ 9 discesserint
A S ‖ 7, 2 fuisse A S *Bad.*

---

n. Cf. Matth. 17, 12-13
o. Matth. 17, 14-15
p. Cf. Matth. 17, 15-16
q. Cf. Matth. 17, 18
r. Matth. 17, 17
s. Cf. Matth. 17, 19
t. Cf. Matth. 17, 20

dans la puissance et l'esprit d'Élie, sur lui se sont exercés les traitements les plus pénibles et les plus rudes [n], pour que tout en annonçant la venue du Seigneur, il devance aussi sa passion en donnant le modèle de la souffrance injuste [11].

5. *Et comme il était venu trouver la foule, un homme se présenta à lui se roulant à ses genoux et disant : Seigneur, aie pitié de mon fils* [o]. Le Seigneur étant revenu trouver la foule, un père se roulant à ses genoux lui présente son enfant, un possédé qui tombe à maintes reprises dans l'eau et le feu, sans que les apôtres aient pu lui assurer la guérison [p]. Ils sont réprimandés, le démon est sommé et l'enfant guéri [q].

6. Les apôtres, s'ils avaient cru, n'avaient pas cependant encore une foi parfaite. Car le Seigneur demeurant sur la montagne et eux-mêmes stationnant avec la foule, une sorte de torpeur avait relâché leur foi. Et s'il leur dit : *Génération incrédule et perverse, jusqu'à quand serai-je avec vous* [r] ? c'est parce qu'en son absence, l'habitude de l'antique incroyance s'était infiltrée. Il leur apprend donc qu'ils ne peuvent procurer le salut, si, dans le temps intermédiaire entre les Évangiles et son second avènement, ils s'écartent de la foi, comme si le Seigneur était absent [12].

7. Ensuite, comme ils lui demandaient pourquoi ils n'avaient pu chasser le démon [s], il leur répondit que leur manque de foi les avait empêchés de pouvoir le faire. Si la foi était en eux comme le grain de sénevé, ils commanderaient à cette montagne avec une puissance efficace de passer d'un lieu dans un autre [t]. Mais déjà il avait quitté la montagne et tenait ces propos au milieu des

---

11. Dans une liste de prophètes poursuivis par l'impiété jusqu'à verser leur sang, TERT., *scorp.*, 8, 3 nomme l'*angelus Christi* Jean-Baptiste.

12. Hilaire remploie des thèmes parénétiques de Cyprien : dans les derniers temps — ici les temps intermédiaires avant la fin : cf. TERT., *anim.*, 58, 2 : « interim sub exspectatione utriusque iudicii » —, la foi chancelle (*epist.*, 67, 7) ; l'Antéchrist, le vieil adversaire vient (*epist.*, 58, 7 ; *fort.*, *praef.*, 1-2) ; ce qui est bien fait défection (*epist.* 67, 7).

sinapis nuncupauit omnium minimum et diabolum
montem cognominauit, quia in illo spiritales nequitiae
sunt caelestesque uirtutes, per eos eiciendus et in altitu-
10 dinem maris tamquam in profundum inferni abiciendus,
quos in hanc efficaciam ieiunium et oratio prosequentur ᵘ.
B   8. Tenebimus quoque etiam eum ordinem ut sub
discipulorum nomine Pharisaeorum et scribarum persona tractetur, quibus lex curandum ut discipulis populum, tamquam pater filium, cum Dominus abesset, obtu-
5 lerit. Qui peccatis dominantibus, nunc in ignem iudicii
decidebat, nunc in aquam diurnarum sordium suarum
consuetudine mergebatur. Hi igitur nihil opis adtulerunt,
quia, demorante Moyse cum Domino in monte, effecti
fuerant infideles ᵘ′. Vt typica ratio impleretur, discipuli
10 mirantur se eicere daemonem non potuisse, cum omnis
potestas non solum daemonum fugandorum, uerum
etiam mortuorum excitandorum esset indulta. Quia
C uero ultra cum his lex futura non esset, ait : *Generatio*
incredibilis et peruersa (non utique ad eos quos sanctifi-
15 cauerat uidetur haec loqui), *quo usque*, inquit, *ero uobis-*
cum ᵛ ? Quia fidem non habentes ipsam illam quam
habebant amissuri erant legem ; quam fidem si in se
habuissent, quia ipse est granum sinapis, Verbi uirtute
hoc peccatorum onus et grauem infidelitatis molem ab
1017 A eo qui offerebatur populo eicientes, tamquam in mare
montem, sic ad conuersationem gentium et saeculi
transtulissent.
    9. *Ipsis autem conuersantibus in Galilaea, dixit Iesus :*
Futurum est ut filius hominis tradatur in manus homi-

REP (= α) A (ab XV, 4,15 usque ad XIX, 3,14) GSTM (= β)
    9 eiciendus : -endos S   -endae P *Cou.* -endas E *Bad.* ‖ 8,7 mer-
sabatur A S T M ‖ 8 Moyse cum : modicum α ‖ 9 ut : et ut R P *Cou.*
adhuc E ‖ 10 omnis : eis T M ‖ 20 eiecissent β *Bad.*

---

u. Cf. Matth. 17, 21
u′. Cf. Ex. 32, 1-6

foules. Aussi est-ce lui-même qu'il désigna par la plus
petite de toutes les graines, celle de sénevé, et le diable
qu'il nomma une montagne, parce qu'elle représente les
esprits et puissances des cieux, destinée à être rejetée et
précipitée dans les profondeurs de la mer comme au fond
de l'enfer, grâce à ceux qu'assisteront à cet effet le
jeûne et la prière [u].

8. Nous observerons encore ici la disposition qui veut
que, sous le nom de disciples, il soit question de la personne des Pharisiens et des scribes, auxquels, tels qu'à des
disciples, la Loi a confié la guérison du peuple, comme le père
son fils, en l'absence du Seigneur. Ce peuple, sous la domination des péchés, tantôt tombait dans le feu du jugement,
tantôt se précipitait par habitude dans l'eau de ses péchés
quotidiens [13]. Ceux qui sont là ne lui ont donc procuré
aucune aide, parce que, pendant qu'avec Moïse le Seigneur
était resté sur la montagne, ils étaient devenus incroyants [u'].
C'est pour que s'accomplît un plan typologique que les
disciples s'étonnent de n'avoir pu chasser les démons,
alors que tout pouvoir leur avait été accordé non seulement pour chasser les démons, mais encore pour ressusciter
les morts. Or parce que la Loi ne serait plus avec eux,
il dit : *Génération incrédule et perverse* — ce n'est pas en
tout cas à ceux qu'il avait sanctifiés qu'il paraît adresser
ces mots —, *jusqu'à quand serai-je avec vous* [v] ? en ce sens
que n'ayant pas la foi, ils perdraient même cette Loi
qu'ils avaient. Car s'ils avaient eu la foi en lui, parce que
le grain de sénevé c'est lui, chassant par la puissance du
Verbe ce poids de péché et cette masse lourde d'incroyance loin du peuple qui leur était présenté, ils les
auraient transportés dans le monde des païens et du siècle,
telle une montagne dans la mer.

9. *Comme ils séjournaient en Galilée, Jésus leur dit :*
Il arrivera que le Fils de l'homme soit livré aux mains des

v. Matth. 17, 17

13. Cf. *supra*, 8, 4, où les eaux de la mer étaient l'image des
passions du siècle : cf. aussi *in Matth.* 7, 10, 23 ; 14, 14, 2 ; 18, 2, 20
et au-delà ; Tert., *bapt.*, 12, 7.

num ᵂ. Sequitur maestitia cognitionem passionis ; nondum enim sacramentum ineundae crucis resurrectionis
5 uirtute fuerat reuelatum ˣ.

10. *Et cum uenisset Iesus Capharnaum, accesserunt qui
didrachma exigebant ad Petrum* ʸ. Dominus didrachma
soluere postulatur. Hoc enim omni Israel lex pro redemptione animae et corporis constituerat in ministerio
5 templo seruientium. Sed lex, ut scimus, futurorum umbra
est. Non enim aeris pretium Deus desiderabat, ut tam
B exigua impensa criminibus corporis atque animae quaedam redemptio concederetur. Vt igitur inscriptos nos et
professos et Christi nomine consignatos offerremus in
10 Christo, qui uerum Dei templum est ʸ′, pro testimonio
filii Dei huius didrachmae oblatio constituta est.

11. Itaque Petrum post conuentionem silentem tali
eum sermone praeuenit : *Quid tibi uidetur, Simon ?
Reges terrae a quibus accipiunt tributum aut censum* ᶻ *?*
et cetera. Numquid ambiguum est filios regum tributis
5 obnoxios non esse et quibus regni hereditas est, eos esse
liberos a seruitute ? Sed sermo interius intendit. Postu-
labatur didrachma a populo. Lex enim in eam fidem
C quae per Christum erat reuelanda ᵃ concluditur. Ergo
haec eadem didrachma consuetudine legis tamquam ab
10 homine poscebatur a Christo. Sed ut ostenderet legi se
non esse subiectum et ut in se paternae dignitatis gloriam
contestaretur, terreni priuilegii posuit exemplum censu

REP (= α) A (ab XV, 4,15 usque ad XIX, 3,14) GSTM [= β)
10, 5 templo : -plum T M -pli P *Cou.* ‖ 7 exigua impensa :
-guam -sam P T M per -guam -sam *Cou.* ‖ **11,** 3 aut : et α ‖ 4
cetera : reliqua R S‖‖5 hereditas : ueritas β *Bad.*

w. Matth. 17, 22
x. Cf. Matth. 17, 23
y. Matth. 17, 24
y′. Cf. Jn 2, 21
z. Matth. 17, 25
a. Cf. Gal. 3, 23

hommes ᵂ. La tristesse suit l'indication de la Passion, car le mystère de la croix qui serait assumée n'avait pas encore été révélé par la puissance de la Résurrection ˣ.

10. *Et comme Jésus était arrivé à Capharnaüm, les hommes qui collectaient la didrachme s'approchèrent de Pierre* ʸ. On réclame au Seigneur le paiement d'une didrachme. C'était la redevance du service accompli au temple que la Loi avait fixée à l'ensemble d'Israël pour le rachat de l'âme et du corps [14]. Mais la Loi, comme nous le savons, est l'ombre des biens à venir. Ce que Dieu demandait par une somme d'argent ne lui servait pas à accorder, contre une dépense aussi modique, le rachat des fautes de l'âme et du corps. C'est donc pour que nous nous offrions dans le Christ inscrits, engagés et marqués au nom du Christ ʸ′ [15] qui est le vrai temple de Dieu, que l'offrande de cette didrachme a été décrétée en témoignage rendu au Fils de Dieu.

11. Voilà pourquoi, Pierre gardant le silence depuis que cela est convenu, il prend les devants en lui disant : *Qu'en penses-tu Simon ? Les rois de la terre, de qui perçoivent-ils un tribut ou un impôt* ᶻ *?* etc. Est-il douteux que les fils de rois ne sont pas soumis aux tributs ? et que ceux qui ont l'héritage du royaume sont libérés de la servitude ? Mais ces propos visent quelque chose de plus intérieur. On demandait une didrachme au peuple. La Loi effectivement trouve sa conclusion dans la foi qui devait être révélée par le Christ ᵃ ; et donc, selon l'habitude de la Loi, cette même didrachme était réclamée au Christ comme elle le serait à un homme. Mais pour montrer qu'il n'était pas soumis à la Loi et pour témoigner de la gloire de la majesté paternelle en lui, il présenta l'exemple d'un privilège de la terre : les fils de rois n'étaient soumis

---

14. La dualité impliquée par la didrachme est celle de l'homme, âme et corps, selon un *topos* apparu déjà en 10, 18 et remontant à TERT., *paen.*, 3, 4 ; *adu. Marc.*, 4, 37, 3.

15. Le raisonnement est emprunté à TERT., *fug.*, 12, 8, texte d'où vient également l'image de l'homme, pièce de monnaie marquée au nom du Christ (*fug.*, 12, 10) par l'engagement baptismal, qui est un *signaculum*, (cf. TERT., *mart.*, 3, 1 ; *spect.*, 24, 2).

ac tributis regum filios non teneri [b] potiusque se redemp-
torem animae nostrae corporisque esse quam in redemp-
15 tionem sui aliquid postulandum, quia regis filium extra
communionem oporteret esse reliquorum ; scandalum
igitur praestat ut soluat, ceterum debito legis est liber.

12. Deinde sub rerum praesentium effectu et significantiam legis et constantiam euangelicae libertatis
exposuit, ut cognosci promptum esset, quid didrachma
D praefiguraret in lege. Ire Petrus iubetur ad mare ha-
5 mumque mittere et primi piscis ascendentis os requirere
1018 A repertumque in eo staterem pro se ac Domino offerre [c].
Didrachma Dominus postulatur, id est denarios duos ; cur
staterem Petrus offerret ? Deinde cum primum piscem
admonetur inquirere, ascensuri ostenduntur et plures.
10 Numquid etiam natura piscium ferret, ut in litore for-
tuito repertum staterem ore potius contineret, non
intra uiscera conderet ? Subest igitur efficiendis praesentibus rebus ratio interior.

13. Destinatus enim ad praedicationem Petrus et
piscator hominum factus doctrinae hamum misit in
saeculo, quo adpositi cibi dulcedine uagatos ex eo fluc-
tuantesque protraheret. Huic adhaesit beatus ille primus
5 martyr a Domino, qui ore suo quadrigeminum denarium
B continebat, id est euangelici numeri unitate Dei glo-

REP (= α) A (ab XV, 4,15 usque ad XIX, 3,14) GSTM (= β)
13 ac : aut A G T M *edd.* || 16 oportere *PL* || scandalo R A S *Bad.*
|| **12**, 8 offert R P *Cou.* || **13**, 3 cibi : sibi *PL* || uagos β *edd.* || 5 a Do-
mino : hamo T M *Cou.*

---

b. Cf. Matth. 17, 26
c. Cf. Matth. 17, 27

---

16. La drachme attique vaut un denier d'argent selon PLIN.,
nat., 21, 34 (109).
17. Observation dictée probablement par la lecture de scènes de
pêche comme dans Ov., *met.*, 3, 586-587 ; PLIN., *nat.*, 9, 85, 59.

ni à l'impôt ni aux tributs [b], et lui devait être plutôt celui qui rachète notre âme et notre corps au lieu qu'on lui réclamât de quoi racheter sa personne, parce que le propre du fils d'un roi devait être de n'avoir pas le sort commun des autres. Il prend donc sur lui le scandale de payer, mais il est libre de sa dette envers la Loi.

12. Ensuite, pour qu'on connût aisément ce que la didrachme préfigurait dans la Loi, il a fait voir sous la réalité des faits présents le sens de la Loi et la fermeté de la liberté évangélique. Pierre reçoit l'ordre d'aller à la mer, de jeter l'hameçon, de scruter la bouche du premier poisson qui montera et d'offrir pour lui et pour le Seigneur le statère qu'il y trouvera [c]. C'est une didrachme, c'est-à-dire deux deniers [16], qui est réclamée au Seigneur : pourquoi Pierre devait-il offrir un statère ? Ensuite, en l'invitant à scruter le premier poisson, il indique qu'une plus grande quantité va monter aussi à la surface [17]. Et encore, est-ce que la nature des poissons admettait que sur le rivage on trouve par hasard un statère plutôt enfermé dans la bouche que caché dans le ventre[18] ? Une raison intérieure est donc sous-jacente à l'accomplissement des faits présents.

13. Destiné en effet à la prédication et devenu pêcheur d'hommes, Pierre a jeté dans le siècle l'hameçon de son enseignement, pour en extraire par la douceur de l'appât les hommes qui sont errants et flottants. A cet hameçon s'est accroché ce bienheureux, premier martyr [19] après le Seigneur, qui enfermait dans sa bouche le quadruple denier [20], c'est-à-dire qui, dans l'unité du nombre des

18. Ainsi dans l'anecdote rapportée par Cic., *fin.*, 5, 92 de l'anneau de Polycrate trouvé dans le ventre d'un poisson. Cf. I. Opelt, « Das Edelstein im Bauch des Fisches », dans *Mullus* (= Festschrift Th. Klauser), Münster 1964, p. 268-272.

19. Hilaire suit, au sujet d'Étienne, Cypr., *patient.*, 16 : « Sic esse oportuit primum martyrem Christi qui martyras secuturos gloriosa morte praecurrens non tantum praedicator esset dominicae passionis, sed et patientissimae lenitatis imitator. »

20. Le statère vaut deux didrachmes, donc quatre deniers : cf. Gloss., éd. Goetz, t. 5, p. 152, 12 : « stater duo didragma habet ».

riam Dominumque Christum in passione contuens prae-
dicabat [d]. Stephanus igitur primus ascendit, Stephanus
staterem ore continuit, in quo etiam didrachma nouae
10 praedicationis tamquam duo denarii habebantur. Hoc
lex praefigurabat, huius ueritatis umbram tamquam
corporis imaginem circumferebat, haec redemptio animae et corporis designabatur, ideoque ait : *Da pro me et
te* [e], quia iam talis non didrachma, sed stater et pro
15 Christo erat et pro Christi praedicatione soluendus.

18

C **1.** *In illa die accesserunt discipuli ad Iesum dicentes :*
Quis putas maior est in regno caelorum [a] *?* et reliqua.
Non nisi reuersos in naturam puerorum introire regnum
caelorum Dominus docet [b], id est in simplicitatem pueri-
5 lem uitia corporum nostrorum animique reuocanda.
Pueros autem credentes omnes per audientiae fidem [b']
nuncupauit. Illi enim patrem sequuntur, matrem amant,
proximo uelle malum nesciunt, curam opum negligunt,
non insolescunt, non odiunt, non mentiuntur, dictis cre-
10 dunt et quod audiunt uerum habent. Et haec omnium

REP (= α) A (ab XV, 4,15 usque ad XIX, 3,14) GSTM (= β)
11 umbra A S ‖ 14 stateris R A G S
XVIII in illa R P M : in illa E A G S   CAPVT (CANON *Cou.*)
XVIII in illa T *edd.* ‖ **1**, 4 in *om.* β ‖ 5 animaeque β *Bad. Cou.* ‖
9 oderunt P β *edd.*

d. Cf. Act. 7, 56
e. Matth. 17, 27

a. Matth. 18, 1
b. Cf. Matth. 18, 3
b'. Cf. Rom. 10, 17

21. Thème cyprianique : quatre Évangiles « à l'intérieur de
l'unique Église » (*epist.*, 73, 10).
22. D'après *Act.* 7, 55 (*Vulg.*) : « uidit (Stephanus) **gloriam Dei**

Évangiles [21], prêchait la gloire de Dieu et le Christ Seigneur en les regardant dans sa passion [d] [22]. Ainsi Étienne est monté le premier, Étienne a enfermé dans sa bouche un statère, qui contenait aussi la didrachme équivalant à deux deniers de la prédication nouvelle [23]. C'est elle que la Loi préfigurait, c'est de cette vérité qu'elle répandait l'ombre comme l'image de son corps, c'est cette rédemption de l'âme et du corps qu'elle désignait. Et s'il dit : *Donne pour moi et pour toi* [e], c'est non plus de la valeur d'une didrachme, mais d'un statère que Pierre devait s'acquitter pour le Christ et pour la prédication du Christ [24].

Chapitre 18

1. *Ce jour-là, les disciples s'approchèrent de Jésus en lui disant : Qui, à ton avis, est le plus grand dans le Royaume des cieux* [a] *?* et la suite. Le Seigneur enseigne qu'on n'entre dans le Royaume des cieux que si on revient à la nature des enfants [b], c'est-à-dire que les vices de notre corps et de notre âme doivent être ramenés à la simplicité de l'enfant [1]. Enfants, c'est le nom donné à tous ceux qui croient par la foi dans la parole entendue [b']. Ils suivent, en effet, leur père, aiment leur mère, ne savent pas vouloir du mal au prochain, négligent le souci des richesses ; ils ne sont pas arrogants, ne haïssent pas, ne mentent pas, croient ce qu'on leur dit et tiennent pour vrai ce qu'ils entendent. Et quand tous nos sentiments ont pris cette

et Iesum stantem a dextris Dei » : la gloire du Christ étant sa Passion (cf. *Act.* 3, 13 : « Deus... glorificauit Filium suum Iesum quem uos quidem tradidistis »).

23. Les deux parties du *nouum Testamentum* sont d'après TERT., *adu. Prax.*, 15, 1 : *Euangelia* et *Apostoli* ; cf. aussi *bapt.*, 15, 1.

24. La prédication est la vocation de l'apôtre selon TERT., *carn.*, 2, 3 : « Si prophetes es, praenuntia aliquid ; si apostolus, praedica publice ».

1. Sur la « simplicité » comme trait caractéristique du *puer* cf. PLIN., *epist.*, 6, 21, 1.

D adfectionum adsumpta nobis et consuetudo et uoluntas
caelorum iter peruium praestat. Reuertendum igitur est
1019 A ad simplicitatem infantium, quia in ea collocati speciem humilitatis dominicae circumferemus.

2. Si qui autem in Christi nomine tales receperint,
Christi recepti praemium consequentur : *Qui autem scan-*
dalizauerit unum de pusillis istis, id est qui offendiculum
temptationis intulerit, *expedit ei ut suspendatur mola*
5 *asinaria in collo eius et demergatur in profundum maris* c.
Tot tantaeque res non otiose comparatae sunt : et mola et
asinaria et cum ea in mari mergendus et hoc ei expe-
diens. Communi omnium sensu semper quod expedit
utile est. Quid ergo utilitatis est mola asinaria collo
10 suspensa demergi ? Mors enim tam grauis proficiet ad
B poenam, et nescio quomodo erit utile id expetere quod
ultimum sit malorum. Quid ergo sentiri oporteat, quaerendum est. Molae opus labor est caecitatis ; nam clausis
iumentorum oculis aguntur in gyrum. Et sub asini qui-
15 dem nomine frequenter gentes cognominatas reperimus.
Igitur gentes quod agunt nesciunt et in uitae suae opere
detentae caeci laboris ignorantia continentur. Iudaeis
autem scientiae iter in lege praestatum est. Qui si
Christi apostolos scandalizarent, rectius illigata collo
20 mola asinaria demersi in mari fuissent, id est gentium

REP (= α) A (ab XV, 4,15 usque ad XIX, 3,14) GSTM (= β)
11 in nobis R *Cou.* ‖ 2, 19 scandalizarent : -zent E -zauerint
A G S T¹ M ‖ 20 mare T M *Cou.*

---

c. Matth. 18, 6

---

2. L'accumulation des traits qui définissent la « simplicité » de
l'enfant est inspirée des admonitions de style gnomique adressées aux enfants dans *Éphés.* 6, 2 (« Honora patrem et matrem »)
et surtout dans la première partie des Deux Voies de la *Doctrina*
XII apostolorum : « ne nourris pas de mauvais desseins contre ton
prochain » (2, 6) ; « mon enfant, ... ne sois pas menteur » (3, 5) ; « ne
sois pas avide d'argent » (3,) ; « tu ne t'enorgueilliras pas » (4, 9) ;

forme habituelle et cette inclination, ils nous rendent accessible le chemin des cieux [2]. Il faut donc revenir à la simplicité des enfants, parce que, établis en elle, nous porterons autour de nous l'image de l'humilité du Seigneur.

2. Si nous sommes ainsi, et si quelqu'un nous reçoit au nom du Christ, il obtiendra la faveur d'avoir reçu le Christ. *Mais pour celui qui aura scandalisé un de ces petits*, c'est-à-dire qui lui aura dressé l'obstacle de la tentation, *il est avantageux qu'on lui suspende au cou une meule d'âne et qu'il soit plongé au fond de la mer* [c]. Ce n'est pas en vain que tant de dispositions si importantes sont prises, le fait qu'il y ait une meule, qu'elle soit pour les ânes, le le fait qu'il faille avec elle être plongé au fond de la mer et qu'on y ait avantage. Selon le sens commun et universel ce qui est avantageux est toujours utile [3]. Quelle utilité y a-t-il donc à être immergé une meule à âne suspendue au cou ? Une mort si pénible atteindra au châtiment, et je ne sais comment il sera utile de rechercher ce qui est le dernier des maux [4]. Quelle interprétation faut-il donc donner ? Telle est la question à poser. Ce qu'accomplit la meule est un travail aveugle, car les bêtes de somme ont les yeux clos, tandis qu'on les fait tourner en rond [5]. Et sous le nom d'ânes nous avons souvent trouvé désignés les païens [6]. Ainsi, les païens ne savent pas ce qu'ils font et, pris dans l'activité de leur vie, ils sont enfermés dans l'inconscience de leur effort aveugle. Aux Juifs le chemin de la connaissance a été donné dans la Loi. Mais s'ils devaient scandaliser les apôtres du Christ, il eût mieux valu qu'on les plongeât dans la mer, une meule à âne attachée à leur cou, autrement dit qu'ils demeu-

---

« garde ce que tu as appris » (4, 13). L'image du « chemin des cieux » rappelle d'ailleurs celle de la « voie de la vie » de la *Doctrina* 4, 14.

3. L'alliance « quod expedit utile est » est classique : cf. Cic., *off.*, 3, 75-76.

4. Ainsi est définie la mort dans Cic., *Tusc.*, 1, 5, 9.

5. Hilaire se souvient-il de la page des *Métamorphoses* d'Apulée (9, 11, 3) où l'âne Lucius la tête cachée tourne en rond autour d'une meule ?

6. Cf. Fortvnat. Aqvil., *fragm.*, 1, *PLS* 1, c. 217.

labore depressi in ignorantia saeculi demorarentur, quia
illis tolerabilius fuerit nescisse Christum quam istis pro-
phetatum non recepisse.

C   **3.** *Vae huic mundo ab scandalis. Necesse est enim uenire
scandala* ; *uerumtamen uae homini illi per quem scandalum uenit* [d]. Humilitas passionis scandalum mundo
est. In hoc enim maxime ignorantia detinetur humana,
5 quod sub deformitate crucis aeternae gloriae Dominum
nolit accipere. Et quid mundo tam periculosum quam
non recepisse Christum ? Verumtamen sub hominis
nuncupatione auctorem scandali huius Iudaicum populum designat, per quem omne hoc mundo periculum
10 comparatur, ut Christum in passione abnegent, quem
lex et prophetae passibilem praedicauerunt. Ideo uero
necesse esse ait uenire scandala, quia ad sacramentum
reddendae nobis aeternitatis omnis in eo passionis humilitas esset explenda.

1020 A   **4.** Superius autem in abscidendis manu uel pede propinquitatum contineri nomina exposuimus [e], atque ideo
cognationem generis Israelitae relinquendam ueluti quadam membrorum recisione significat, quia per eum
5 mundo scandala comparentur.

5. *Videte ne contemnatis unum de pusillis istis qui
credunt in me* [f]. Artissimum uinculum mutui amoris
imposuit ad eos praecipue qui uere in Domino credidissent. Pusillorum enim angeli quotidie Deum uident,
5 quia filius hominis uenit saluare quae perdita sunt [g].

REP (= α) A (ab XV, 4,15 usque ad XIX, 3,14) GSTM (= β)
3, 6 noluit β ‖ 12 esse *om.* A G S ‖ 13 passionum R P ‖ **4,** 1 ab-
scindendis *Cou.* ‖ 4 eum : eam T M *Cou om.* P ‖ 5 comparantur
A S ‖ **5,** 2 aptissimum β *Bad.* ‖ 3 uero A S

d. Matth. 18, 7
e. Cf. Matth. 18, 8
f. Matth. 18, 10
g. Cf. Matth. 18, 11

rassent dans l'ignorance du siècle [7], écrasés par l'effort des païens, parce qu'on eût mieux admis qu'ils ignorent le Christ plutôt que de ne pas le recevoir, alors qu'il leur avait été prophétisé.

3. *Malheur au monde à cause des scandales. Il est nécessaire de fait que des scandales arrivent, mais malheur à l'homme par qui le scandale arrive* [d]. L'humilité de la Passion est un scandale pour le monde. Car l'attitude dans laquelle s'enferme avant tout l'ignorance humaine est le refus d'admettre, sous l'aspect dégradant de la Croix, le Seigneur de la gloire éternelle. Et y a-t-il une chose plus dangereuse pour le monde que de n'avoir pas reçu le Christ ? Mais pourtant, sous le terme d'homme, celui-ci désigne comme responsable de ce scandale le peuple juif qui donne au monde toutes les occasions d'être en danger de renier le Christ dans sa passion, alors que la Loi et les prophètes ont enseigné qu'il devait souffrir. Et il dit qu'il est nécessaire qu'arrivent des scandales, parce qu'en lui toute l'humilité de la Passion devait s'accomplir en vue du mystère de l'éternité qui nous sera restituée.

4. Précédemment [8], nous avons exposé que la main ou le pied à retrancher [e] recouvre des titres de parenté et ainsi s'il exige l'abandon des liens de famille avec Israël qui est représenté par une sorte d'ablation des membres, c'est parce que, par lui, des occasions de scandale sont données au monde.

5. *Veillez à ne pas mépriser un de ces petits qui croient en moi* [f]. Il a formé un lien très étroit d'amour réciproque [9] comme un privilège pour ceux qui auraient dans le Seigneur une foi vraie. Les anges des petits enfants voient en effet Dieu chaque jour, parce que le Fils de l'homme est venu sauver ce qui est perdu [g]. Ainsi le Fils de l'homme

7. Pour la mer, image du siècle, cf. *in Matth.* 7, 10, 23 ; 14, 14, 2 ; 17, 8, 20-21 ; 21, 7, 12 et TERT., *bapt.* 12,7.
8. Cf. *supra*, 4, 21.
9. L'expression est cicéronienne (cf. CIC., *Att.*, 6, 2, 1 : *uincula amoris artissima*) ainsi que l'idée de l'échange des bienfaits dans l'amour (cf. CIC., *Laelius*, 26) ; cet échange ici est assuré par le ministère des anges qui « voient Dieu » et « assistent d'autre part les prières des croyants ».

Ergo et filius hominis saluat et Deum angeli uident
et angeli pusillorum praesunt ; fidelium orationibus
B praeesse angelos absoluta auctoritas est ; saluatorum
igitur per Christum orationes angeli quotidie Deo offe-
10 runt. Ergo periculose ille contemnitur, cuius desideria ac
postulationes ad aeternum et inuisibilem Deum ambi-
tioso angelorum famulatu ac ministerio peruehuntur.

6. Atque ut ingentem esse in caelis laetitiam reditu
humanae salutis ostenderet, comparationis posuit exemplum eius qui oues nonaginta et nouem in montibus reli-
quisset et errantem unam requisisset [h] ; qua inuenta
5 plus gaudii sit quam habebatur in nonaginta nouem
conseruatione laetitiae [i]. Ouis una homo intelligendus
est et sub homine uno uniuersitas sentienda est. Sed in
C unius Adae errore omne hominum genus aberrauit ;
ergo nonaginta nouem non errantes multitudo ange-
10 lorum caelestium opinanda est, quibus in caelo est laetitia et cura salutis humanae. Igitur et quaerens hominem
Christus est et nonaginta nouem relicti caelestis gloriae
multitudo est, cui cum maximo gaudio errans homo in
Domini corpore est relatus. Merito igitur hic numerus per
15 litteram et Abrahae additur et consummatur in Sarra ;
ex Abram enim Abraham nuncupatur et ex Sara Sarra

REP (= α) A (ab XV, 4,15 usque ad XIX, 3,14) GSTM (= β)
7 praesunt : sunt P *Cou.* ‖ **6,** 3 et *om. edd.* ‖ 5 *post* nonaginta
add. et *Cou.* ‖ 15 Sarra : Saraa A   Sara R G S T M *Cou.* ‖ 16 Sara
Sarra : Sara Saraa A S   Sarai Sara R G T M *Cou.*

h. Cf. Matth. 18, 12
i. Cf. Matth. 18, 13

10. Cf. Tert., *orat.*, 16, 6.
11. Ambiguïté reconnue par les logiciens ; cf. Boeth., *herm. sec.*,
2, 7, éd. Meiser, p. 138 : « Cum dicimus *homo* indefinitum est utrum
omnes dicamus an unum ».
12. Ce trait ainsi que celui de la brebis portée par le Seigneur
vient du texte parallèle de *Lc* 15, 6-7.
13. Le *rho*, dans le nom de Sara (cf. *Gen.* 17, 15), correspond, chez les

sauve, les anges voient Dieu et les anges des petits enfants
les assistent ; il est reconnu comme une évidence que les
anges assistent les prières des croyants [10] ; donc les anges
offrent chaque jour à Dieu les prières de ceux qui sont
sauvés par le Christ. Ainsi il est dangereux de mépriser
l'être dont les désirs et les demandes sont portés devant
le Dieu éternel et invisible par le service empressé du
ministère des anges.

6. Et pour montrer qu'il y a aux cieux une joie intense
au retour du salut de l'humanité, il a donné l'exemple de
la parabole de l'homme qui avait laissé quatre-vingt-dix-
neuf brebis dans les montagnes et est allé chercher la
seule qui s'était égarée [h] ; l'ayant trouvée il a plus de
joie qu'il n'avait de bonheur à garder les quatre-vingt-
dix-neuf autres [i]. La brebis unique doit s'entendre de
l'homme et sous l'homme unique il faut voir l'ensemble
des hommes [11]. Mais dans l'égarement du seul Adam
toute l'humanité s'est égarée. Donc les quatre-vingt-dix-
neuf qui ne s'égarent pas doivent être considérées comme
étant la multitude des anges célestes qui ont au ciel la
joie et le souci de voir le salut de l'homme [12]. Ainsi celui
qui cherche l'homme est le Christ ; les quatre-vingt-dix-
neuf qui restent sont la multitude de la gloire céleste,
à laquelle, au milieu de la plus grande joie, a été ramené,
sur le corps du Seigneur, l'homme égaré. C'est ce dernier
qu'on a donc raison de voir dans le nombre qui, sous la
forme d'une lettre, est ajouté pour donner Abraham et
est accompli en Sarra [13]. D'Abram en effet on passe au
nom d'Abraham et Sara a reçu le nom de Sarra [14]. En

Romains, à *centum* : cf. METROL., *graec.*, 101, éd. Hultsch, t. 1,
p. 397. Cent évoque d'autre part la totalité à l'instar du *centesimus
fructus* de *Matth.* 19, 29 associé dans *in Matth.* 20, 4, 13 à la promo-
tion de Sara en Sarra.

14. En adoptant la leçon *Sarra* des *codd. E P* (une fois) contre
Sara des *codd. R G T M*, on rend compte de l'insertion d'un *rho*
dans le nom de Sara et, comme l'a montré A. WILMART, « Le ' De
mysteriis ' de saint Hilaire au Mont-Cassin », dans *RB* 27, 1910,
p. 15, on établit une continuité entre l'exégèse de l'*In Matthaeum*
(18, 6) et celle des *Tractatus mysteriorum* (1, 18).

Hilaire de Poitiers. II.   6

accepit nomen. In uno enim Abraham omnes sumus et
per nos qui unum omnes sumus caelestis ecclesiae numerus explendus est. Atque ideo et creatura omnis reuela-
20 tionem filiorum Dei exspectat et ideo congemiscit et
1021 A dolet [j], ut numerus, qui per alfa Abrahae additus est et
qui in ro consummatus in Sarra est ad caelestem consti-
tutionem incremento credentium impleatur.

7. *Quod si peccauerit in te frater tuus, uade et corripe
eum* [k], et reliqua. Eum ordinem continendae caritatis
nobis Dominus imposuit, quem ipse in conseruando
Israel tenuerat; iubet enim peccantem fratrem ab eo
5 solo in quem peccauerit corripi atque obiurgari [l].
Ipse enim sacrificantem diis alienis populum Iudaicum
maiestatis sua aduentu et toto praesentis potestatis
terrore corripuit. Tum cum idem populus Dei pro-
pinquantis aduentum extra montem licet positus ferre
B non potuit [m], inoboedienti etiam unum atque duos
iussit adhiberi, ut in ore duum testium fides uerbi ac ueritas maneat [n]; quia insolenti Israel lex et prophetae et
Ioannes est missus testibusque istis ut peccare desi-
neret conuentus est, tertio ipso Domini aduentu tam-
15 quam coetu Ecclesiae inspectantis admonitus est
frustraque habitis his obiurgationibus, publicani aut
ethnici uilitate negligitur [o].

8. Ad terrorem autem metus maximi, quo in praesens omnes continerentur, immobile seueritatis aposto-

---

REP (= α) A (ab XV, 4,15 usque ad XIX, 3,14) GSTM (= β)
17 accipit R P *Cou.* || unum R P A G S || 18 ecclesiae : gloriae
T M *Cou.* || 20 et[1] *om.* A S || 21 alfam A G S T || 22 ro : ra M alfa
R *Gil.*[2] || Sara R A G T M *Cou.* || 7, 8 *ante* tum *add.* et A S T M *Cou.*
|| 9 extra : ad T M || positis T M || 10 inoboedienti etiam : inoboe-
dientiam A G S *Bad.* inaudientiam T M || 12 insolentis A G S

---

j. Cf. Rom. 8, 19-22
k. Matth. 18, 15
l. Cf. Matth. 18, 15
m. Cf. Ex. 19, 16-21
n. Cf. Matth. 18, 16

un seul, Abraham, nous sommes tous et par nous qui ne faisons qu'un, l'Église céleste [15] doit réaliser le chiffre de sa plénitude. Et si toute la création attend la révélation des fils de Dieu et si elle gémit et souffre [j], c'est afin que le nombre qui a été ajouté sous la forme d'un *alpha* pour donner Abraham et qui a été accompli sous la forme d'un *rho* en Sarra atteigne, par l'accroissement des croyants, sa plénitude en vue de l'état céleste.

7. *Si ton frère a péché contre toi, va et reprends-le* [k], et la suite. Le Seigneur nous a fixé comme ordre à suivre, pour garder l'amour, celui qu'il avait observé lui-même en épargnant Israël. Il ordonne en effet que le frère qui pèche soit repris et réprimandé uniquement par celui envers qui il a péché [l]. Lui-même a repris le peuple juif, alors qu'il sacrifiait aux dieux étrangers, par l'avènement de sa majesté qui mettait en présence de toute sa puissance terrible. Puis, également lorsque ce peuple, tout en étant à l'écart de la montagne, n'a pu supporter l'approche de l'avènement de Dieu [m], il chargea encore un ou deux hommes d'être à ses côtés dans sa désobéissance, pour que la foi dans la parole et la vérité demeurent dans la bouche de deux témoins [n]. En effet, à Israël rebelle furent envoyés la Loi et les prophètes ainsi que Jean ; confronté à ces témoins, il lui fut enjoint de cesser de pécher et, pour la troisième fois, lors même de l'avènement du Seigneur, il fut rappelé à l'ordre sous le regard en quelque sorte de l'assemblée de l'Église [16]. Et comme ces objurgations n'ont servi de rien, il est négligé comme un publicain et un païen sans valeur [o].

8. Et pour inspirer la terreur d'une frayeur intense qui fût dans l'immédiat un frein pour chacun, il a fixé d'avance le jugement intangible de la rigueur des apôtres : que

o. Cf. Matth. 18, 17

15. Sarra est un type de l'Église dans Cypr., *testim.*, 1, 20. Sur l'unité dans l'Église céleste, cf. Tert., *bapt.*, 15, 1 : « Vnum omnino baptismum est nobis..., quoniam unus Deus et una ecclesia in caelis. » 16. Allusion aux admonestations de Pierre, Jean et Étienne aux Juifs appuyées sur la prophétie des visions spirituelles promises par Joël (*Act.* 2, 14-21). Dans cet historique des interventions de Dieu auprès du peuple juif, Hilaire suit Tert., *paen.*, 2, 3-4.

licae iudicium praemisit, ut quos in terris ligauerint id
est peccatorum nodis innexos reliquerint et quos solue-
5 rint, confessione uidelicet ueniae receperint in salutem,
C hi apostolicae condicione sententiae in caelis quoque aut
soluti sint aut ligati [p].

9. In tantum igitur humanae pacis studuit concor-
diae, ut unitatis merito [q] omnia quae a Deo precanda
sint impetranda esse confirmet et ubi duo atque tres
1022 A pari spiritu se uoluntate collecti sint, ibi se medium eorum
5 polliceatur futurum [r]. Ipse enim pax [s] atque caritas
sedem atque habitationem in bonis et pacificis uolun-
tatibus collocauit.

10. Quaerenti deinde Petro an peccanti in se fratri
septies remitteret [t] respondit : *Non usque septies, sed
usque septuagies septies* [u]. Omni modo ad similitudinem
nos humilitatis ac bonitatis suae instruit et molliendis
5 ac frangendis turbidorum motuum nostrorum aculeis
placabilitatis suae confirmat exemplo, quippe peccatorum omnium ueniam per fidem tribuens. Neque enim
B naturae nostrae uitia indulgentiam merebantur. Ergo
uenia omnis ex eo est quo etiam ea quae in se sint
10 peccata post reditum confessionis indulgeat. Soluenda
quidem per Cain poena in septuplum constituta est, sed
peccatum illud in hominem est ; in Abel enim fratrem
peccatum usque ad necem fuerat. Sed in Lamech suppli-
cium usque ad septuagies et septies est constitutum [v]
15 et in eo, quantum existimamus, constituta in auctores
dominicae passionis est poena. Sed Dominus per confes-

REP (= α)ᶠAᶠ(abᶠXV, 4,15 usque ad XIX, 3,14) GSTM (= (β)
9, 7 collocabit β *Cou.* ‖ **10**,ᶠ9ᶠquo : cum β *edd.* ‖ 12 homine P β
edd.

---

p. Cf. Matth. 18, 18
q. Cf. Matth. 18, 19
r. Cf. Matth. 18, 20
s. Cf. Éphés. 2, 14
t. Cf. Matth. 18, 21.

ceux qu'ils auront liés sur terre, c'est-à-dire laissés en-
lacés dans les nœuds du péché, et que ceux qu'ils auront
déliés, c'est-à-dire ramenés au salut par l'aveu qui par-
donne [17], soient les uns déliés, les autres liés par la clause
de la sentence des apôtres [p].

9. Il a donc si bien veillé à l'entente pacifique entre les
hommes qu'il assure que tout ce qu'il faut demander à Dieu
doit être obtenu grâce au mérite de l'unité [q] et que, là où
deux ou trois sont réunis dans une identité d'esprit et de
volonté, il promet d'être au milieu d'eux [r]. Il est lui-même
en effet paix [s] et amour et a fait des volontés droites et
pacifiques son siège et sa demeure.

10. Ensuite à Pierre qui lui demandait s'il fallait
pardonner sept fois à un frère qui pécherait contre lui [t], il
répondit : *Non pas jusqu'à sept fois, mais jusqu'à soixante-
dix fois sept fois* [u]. Il nous plie à la ressemblance totale
de son humilité et de sa bonté et pour émousser et briser
les aiguillons de nos mouvements désordonnés [18], il nous
affermit par l'exemple de sa clémence, lui qui accorde à
tout péché le pardon par la foi. Car les vices de notre
nature ne méritaient pas l'indulgence. Donc le pardon
est total par le fait que le Seigneur, à la suite du retour
opéré par l'aveu, peut remettre jusqu'aux péchés commis
à son égard [19]. La peine qu'a dû payer Caïn a été fixée au
septuple, mais il s'agit d'un péché commis contre un
homme, car c'est contre son frère Abel qu'il avait péché
jusqu'à le tuer. Mais, dans le cas de Lamech, le châtiment
a été fixé jusqu'à soixante-dix fois sept fois [v], et, à ce que
nous croyons, la peine fixée à son sujet visait les respon-
sables de la passion du Seigneur. Mais le Seigneur accorde

u. Matth. 18, 22
v. Cf. Gen. 4, 24

---

17. Conception héritée de TERT., *orat.*, 7, 1 : « qui petit ueniam
delictum confitetur ».

18. Il s'agit de la colère, comme cela sera précisé plus loin ;
CIC., *Tusc.*, 4, 43, parle en effet des *aculei iracundiae*.

19. Trait sur lequel TERT., *paen.*, 8, 8 insiste dans son commentaire de la parabole de l'Enfant prodigue en guise d'exhortation
à la pénitence.

sionem credentium huius criminis ueniam largitur, id
est per baptismi munus obtrectatoribus ac persecuto-
ribus gratiam salutis indulget ; quanto magis oportere
20 ostendit sine modo ac numero ueniam a nobis esse redden-
C dam nec cogitandum quotiens remittamus, sed ut irasci
his qui in nos peccant, quotiens irascendi necessitas
exstiterit, desinamus ! Quae utique ueniae adsiduitas
docet nullum omnino penes nos irae tempus esse opor-
25 tere, quando omnium omnino peccaminum ueniam Deus
nobis suo potius munere quam nostro merito largiatur.
1023 A Neque enim fas est nos ex praescripto legis dandae
ueniae numero concludi, cum per euangelii gratiam sine
modo nobis a Deo fuerit indulta.

11. Quin etiam ad perfectae bonitatis adfectum comparationis posuit exemplum ᵂ, in qua seruo unde redderet
non habenti omne dominus debitum relaxauit conser-
uoque suo seruus ille exiguum quod sibi debebatur extor-
5 quens per hoc uoluntatis suae uitium donum munificentiae domini et libertatis amisit. Absoluta autem
comparationis eius est ratio atque ab ipso Domino omnis
exposita est ˣ.

19

B **1.** *Et factum est, cum locutus esset sermones istos Iesus,*
transtulit se in Galilaeam et uenit in fines Iudaeae ᵃ, et
cetera. Galilaeos in Iudaea finibus curat. Potuerat namque

REP (= α) A (ab XV, 4,15 usque ad XIX, 3,14) GSTM (= β)
11, 1 *ante* quin *add.* XIX (CAPVT XIX T) T M ǁ 6 dominus
A G S ǁ liberalitatis E *Cou.*
XIX et factum R P : et factum E β   CANON (CAPVT *Cou.*)
XIX et factum *edd.* ǁ **1, 1** esset : fuisset α ǁ 3 cetera : reliqua T M

---

w. Cf. Matth. 18, 24-34
x. Cf. Matth. 18, 35
a. Matth. 19, 1

le pardon de ce crime par l'aveu des croyants [20], ou encore,
par la faveur du baptême, il fait don à ses détracteurs et
à ses persécuteurs de la grâce du salut [21]. Combien plus,
nous montre-t-il, devons-nous donner en retour le pardon
sans le mesurer ni le chiffrer et penser non pas à évaluer
ce que nous remettons, mais à cesser de nous indigner
contre ceux qui pèchent contre nous, chaque fois qu'il y
a eu nécessité de nous indigner! En tout cas cette constance
du pardon montre qu'il ne doit y avoir chez nous aucune
occasion de ressentiment, puisque Dieu, par une faveur
de sa part plutôt que par notre mérite [22], accorde intégrale-
ment le pardon de tous nos péchés. Et en effet, il est impie
de limiter par un chiffre, comme le prescrit la Loi, le
pardon à accorder, quand Dieu, par la grâce de l'Évangile,
nous a accordé un pardon sans mesure.

11. Encore mieux, il a appliqué aux sentiments de la
bonté parfaite l'exemple de la parabole [w] où un maître a
fait remise de toute sa dette à un serviteur qui n'avait
pas de quoi rendre ; et ce serviteur extorquant à son
compagnon la petite somme qu'il lui devait a perdu, par
sa volonté ainsi viciée, le don de la munificence du maître
et de la liberté. L'explication de cette parabole est évidente et a été tout entière présentée par le Seigneur
lui-même [x].

Chapitre 19

1. *Et il arriva que Jésus ayant tenu ces propos passa*
en Galilée et vint dans le pays de Judée [a], etc. Il guérit
les Galiléens dans le pays de Judée. Il aurait pu de

20. C'est la preuve suprême de la « patience » du Seigneur
selon Cypr., *patient.*, 8.
21. La « grâce » du salut obtenue au baptême par la rémission
des péchés est un leitmotiv de l'enseignement de Cyprien : cf.
Fort. praef., 4 ; *eleem.*, 2 ; *epist.*, 64, 5 ; 70, 1 ; 73, 4 ; 73, 7 ; 73, 18.
22. La pénitence nous vaut un mérite (cf. Tert., *paen.*, 2, 1),
mais le pardon de Dieu nous donne l'impunité (*ibid.*, 6, 4).

aegrotorum turbas ᵃ′ non fatigare et intra ipsam Galilaeam
5 opem ferre debilibus, sed typica ratio etiam locorum
erat explenda priuilegiis, ut peccata gentium in eam
ueniam quae Iudaea parabatur admitteret.

2. *Tunc accesserunt ad eum Pharisaei temptantes eum
et dicentes : Si licet homini dimittere uxorem suam qua-
cumque ex causa* ᵇ ? In eo sermone qui de uxore et
C repudio est occurrit illud aliter scriptum esse in Genesi
5 quam nunc in praesens Dominus sit locutus. Illic
enim sub uerbis Adae res omnis refertur, hic Dominus
indicat ab eo qui et hominem figurauerit et mulierem
fecerit omnia illa dicta esse ᶜ. Sed nos secuti aposto-
licam auctoritatem, qui hoc mysterium grande esse
1024 A professus est, se autem in Christo atque in Ecclesia
accipere ᶜ′, locum hunc sicuti est intactum relinquamus.
Admonemus tamen legentem ut, quotienscumque de
hac eadem quaestione se consulat, uerborum uirtutes et

REP (= α) A (ab XV, 4,15 usque ad XIX, 3,14) GSTM (= β)
6 expleta A G S ‖ **2,** 3 et : ac R ‖ 4 *ante* repudio *add.* de P β *Bad.*
‖ 12 quotienscumque : quotiensquae G S   quotiensquid A

---

a′. Cf. Matth. 19, 2
b. Matth. 19, 3
c. Cf. Matth. 19, 4
c′. Cf. Éphés. 5, 31-32

---

1. A rapprocher du fait juridique des « privilèges des cités »
évoqués par Plin., *epist.*, 108 (109) ; 109 (110).
2. On aurait tort, en se référant à W. Wille, *Studien zum Matthäuskommentar*, p. 215-225, de rattacher la mention d'un désaccord
des textes de l'Écriture à la tradition marcionite des « antithèses »,
même si l'une d'entre elles soulevée par *Matth.* 19, 9 porte, sur la
légitimité du divorce (Tert., *monog.*, 9, 1 à compléter par *adu. Marc.*,
4, 34, 1). Ce désaccord constaté à propos de *Matth.* 19, 5 — et non
Matth. 19, 9 — s'inscrit dans la série des questions que pose à
Hilaire le manque d'unité entre un texte antérieur (en l'occurrence
ici un texte de l'Ancien Testament, comme *supra* 10, 18 un texte de
Paul) et le texte présentement examiné ; il s'agit donc d'une question
d'ordre exégétique, non théologique, rattachée à l'examen des « circonstances » d'une cause, ici la personne qui parle (cf. Fortvn., *rhet.*,
2, 1). La réponse à cet apparent désaccord sera donnée par Hilaire
dans *myst.*, 1, 13.

fait ne pas fatiguer les foules de malades [a'] et porter
secours aux infirmes à l'intérieur même de la Galilée,
mais il fallait que le privilège même des lieux [1] permît
d'accomplir la raison typologique qui voulait que les
péchés des païens fussent admis au pardon qui était
préparé pour la Judée.

2. *Alors des Pharisiens l'abordèrent, lui disant pour le ten-*
ter : Est-ce qu'il est permis à un homme de renvoyer sa femme
pour n'importe quelle cause [b] *?* Dans ce développement sur
l'épouse et la répudiation, on constate que la formule de
la Genèse est différente de celle qu'a employée présentement
le Seigneur [2]. Là, toute la pensée est rapportée sous le
couvert des paroles d'Adam ; ici, le Seigneur annonce
que tout cela a été dit par celui qui a modelé l'homme et
fait la femme [c]. Mais nous, conformément à l'autorité de
l'Apôtre qui a déclaré que c'était un grand mystère et
qu'il l'entendait du Christ et de l'Église [c'], laissons ce passage comme il est, sans y toucher [3]. Nous invitons cependant le lecteur, chaque fois qu'il s'interroge sur cette
question [4], à faire soigneusement attention à la valeur

---

3. La raison de cette *reticentia* est que Paul a donné du *locus*
une explication satisfaisante. Cette remarque ne trahit pas un
embarras (cf. *infra*, n. 4), mais doit être rapprochée des observations
que fait Hilaire, lorsqu'un passage a été expliqué par le Seigneur
de façon assez évidente pour qu'il soit vain de vouloir le compléter : cf. par ex. *in Matth.* 13, 1.

4. Cette « question » serait celle de la légitimité du divorce et la
permission du remariage donnée au mari d'une femme adultère,
si l'on en croit deux commentaires récents et divergents de ce passage, ceux de H. Crouzel et de P. Nautin. Selon H. CROUZEL,
L'Église primitive face au divorce, Paris 1971, p. 256, puis « Le
remariage après séparation pour adultère chez les Pères latins »,
dans *BLE* 75, 1974, p. 201-202, Hilaire serait « embarrassé » par
Matth. 19, 9 qu'il lirait avec l'addition *nisi ob fornicationem... et*
qui dimissam duxerit, moechatur (nous n'en sommes pas sûr, car
elle ne figure pas dans la grande majorité des manuscrits de la
Vetus latina de Matthieu) et demanderait au lecteur de tenir
compte « du reste de la péricope et de l'enseignement de Paul »
(*I Cor.* 7, 10-11) qui exclut le remariage, même si le divorce est
permis dans le cas prévu par *I Cor.* 7, 12-16 (« privilège paulin »).
Selon P. NAUTIN, « Divorce et remariage dans la tradition de
l'Église latine », dans *RecSR* 62, 1974, p. 22-26, Hilaire comprend

quibus Dominus responderit [d] et quibus discipuli usi
15 sint [e] diligenter aduertat, Pauli autem apostoli de hoc
adfectum uel silentis uel interdum sub aliis locis trac-
tantis expendat. Nobis circa eunuchos sermo sit et uoluntas. Et in uno posuit naturam, in altero necessitatem,
in tertio uoluntatem, naturam in eo qui ita nascitur,
20 necessitatem in eo qui ita factus est, uoluntatem in illo
qui spe regni caelestis talis esse decreuerit ; cui nos similes
effici, si tamen possimus, admonuit [f].

B   3. *Tunc oblati sunt ei infantes, ut manus his imponeret et oraret. Discipuli autem prohibebant eos* [g], et reliqua. Nouum est discipulos prohibuisse ne infantes ad
Christum accederent, qui offerebantur, ut super eos
5 manum imponeret et oraret. Res euangelica, ut diximus, inter praesentis et futuri effectum mediam utrique
rei et congruam rationem temperauit, ut his quae effi-
ciebantur futuri species adhaereret. Infantes quidem
uere oblati sunt, sed et uere inhibiti sunt. Sed hi gentium

REP (= α) A (ab XV, 4,15 usque ad XIX, 3,14) GSTM (= β)
16-17 tractandis A S ‖ 17 *post* circa *add.* cum R ‖ 18 et *om. Cou.*

---

d. Cf. Matth. 19, 8-9
e. Cf. Matth. 19, 10
f. Cf. Matth. 19, 12
g. Matth. 19, 13

---

dans *Matth.* 19, 9 que le Seigneur excepte de sa condamnation
du divorce et du remariage « le mari qui répudie sa femme pour
cause de fornication » ; Hilaire ferait référence au « silence de Paul »,
parce que dans *I Cor.* 7, 10-11, l'Apôtre n'évoque pas le cas du
remariage du mari, ce qui voudrait dire qu'il l'accepterait.
Cette explication est refusée par H. CROUZEL, *Le remariage...*,
p. 201 : « Il est invraisemblable qu'Hilaire ait mentionné le silence
de saint Paul en faisant allusion à *I Cor.* 7, 11 sans le dire. » A
notre avis, la question sur laquelle le lecteur est invité à étudier
le sens du texte est la continence (*Matth.* 9, 10-12) ; cf. *infra*, n. 5
à 7.
    5. « Comprenne qui pourra ! » (*Matth.* 19, 12) et non — comme
le veulent H. Crouzel et P. Nautin — : « sauf pour cause de fornication » (*Matth.* 19, 9).

des mots, ceux de la réponse du Seigneur [d] [5] et ceux que les disciples ont employés [e] [6] et à peser le sentiment de l'Apôtre Paul à ce sujet, soit qu'il se taise [7], soit que parfois il en traite dans d'autres passages [8]. Pour nous, notre propos doit vouloir porter sur les eunuques. Aussi bien le Seigneur a distingué, à titre de principe, la nature chez l'un, la contrainte chez l'autre, la volonté chez un troisième, la nature chez celui qui naît dans cet état, la contrainte chez celui qui a été rendu tel, la volonté chez celui qui aura décidé d'être tel dans l'espérance du Royaume des cieux. C'est à ce dernier qu'il nous invite à ressembler, si cependant nous le pouvons [f].

3. *Alors on lui présenta des enfants pour qu'il leur imposât les mains en priant. Mais les disciples les écartaient* [g] *et la suite.* Il est étrange que les disciples aient empêché les enfants d'approcher le Christ, quand ils lui étaient présentés pour qu'il leur imposât les mains en priant. Le fait évangélique, comme nous l'avons dit, a ménagé entre sa réalisation présente et sa réalisation future un rapport d'équilibre qui s'adapte à l'une et à l'autre, de façon que l'image de l'avenir s'ajuste aux faits qui s'accomplissaient. Il est assurément vrai que les enfants ont été présentés, comme il est vrai également qu'ils ont été écartés. Mais ils sont l'image des païens auxquels le salut est rendu par la foi dans ce qu'ils ont

6. « Il n'est pas expédient de se marier » (*Matth.* 19, 10).

7. Cf. *I Cor.* 7, 25 (et non *I Cor.* 7, 11 : thèse de P. Nautin) : « Pour ce qui est des vierges, je n'ai pas d'ordre du Seigneur » (trad. E. Osty).

8. *I Cor.* 7, 1 : « Il est bon pour l'homme de s'abstenir de la femme » ; *I Cor.* 7, 7 : « Je voudrais que tout le monde fût comme moi ». Le recours à ces textes de Paul a servi à Tertullien à établir la supériorité de la continence : dans *uxor.*, 1, 3, 5, commentant le « Melius est nubere quam uri » de *I Cor.* 7, 9, Tertullien explique que le mariage n'est pas nécessairement bon, parce qu'il ne nuit pas comme la concupiscence. Ce qui est pleinement bon non seulement ne nuit pas, mais profite : c'est le cas de la continence. Étude de ce raisonnement dans C. RAMBAUX, « La composition et l'exégèse dans les deux lettres *Ad uxorem*, le *De exhortatione castitatis* et le *De monogamia* », dans *REAug* 22, 1976, p. 3-28 ; 201-217.

10 forma sunt, quibus per fidem et auditum salus redditur [h].
Verum ex adfectu primum saluandi Israel a discipulis
inhibentur accedere. Inhibendi quidem uoluntas placa-
bilitati apostolicae non conuenit, sed in typicam consum-
C mationem prohibendorum infantium subrepit instinctus.
15 Quos Dominus ait non oportere prohiberi, quia talium
sit regnum caelorum [i] ; munus enim et donum Spiritus
sancti per impositionem manus et precationem, cessante legis opere, erat gentibus largiendum.

1025 A   **4.** *Et ecce unus accessit ad eum et ait illi : Magister,
quid boni faciam ut habeam uitam aeternam* [j] *?* et reliqua.
Opportune post sermonem superiorem, quo et infantes
inhibiti sunt et talium regnum caelorum esse responsum
5 est, succedit hic iuuenis requirens quibusnam bonis
operibus uitam aeternam habere posset. Iuuenis iste et
interrogauit et insolens fuit et rursum maestus est factus, resque omnes quae scriptae sunt gestae effectaeque
sunt. Sed admonuimus ea quae sub Deo agebantur
10 praesentium effectibus consequentium formam prae-
tulisse, atque ita semper in scripturis caelestibus sermonem omnem temperatum fuisse, ut non minus his quae
gerebantur quam eorum quae gerenda essent simili-
tudini conueniret. Iuuenis hic namque formam Iudaici
B populi habet, in lege insolentis et nihil praeter praecepta Moysi spei exspectantis a Christo. Cui Dominus in
responsione ipsa seueritatem iudicii ex se futuri protes-

REP (= α) A (ab XV, 4,15 usque ad XIX, 3,14) GSTM (= β)
3, 12 *post* accedere *add.* et A S ‖ 13 in *om.* β *Bad.* ‖ **4,** 1 *post* ecce
add. iuuenis T M ‖ 14 namque : itaque R E *Gil.*[2]   tamquam P ‖
17 seueritatis T M

---

h. Cf. Rom. 10, 17
i. Cf. Matth. 19, 14
j. Matth. 19, 16

---

9. Cette réminiscence de *fides ex auditu* (*Rom.* 10, 14) a déjà
été appliquée aux enfants *supra*, 18, 1.

entendu [h 9]. Et c'est dans leur désir de sauver par priorité Israël [10] que les disciples les empêchent d'approcher. Ce n'est pas que la volonté de les écarter convienne à la clémence des apôtres [11], mais c'est pour accomplir un plan typologique que se glisse en eux l'envie d'exclure les enfants. Le Seigneur leur dit qu'il ne faut pas les exclure, parce que le Royaume des cieux appartient à ceux qui sont comme eux [i]. En effet, la faveur et le don du Saint-Esprit devaient être offerts aux païens par l'imposition des mains et la prière, tandis que prenait fin l'œuvre de la Loi [12].

4. *Et voici qu'un homme s'approcha de lui et lui dit : Maître, que dois-je faire de bon pour posséder la vie éternelle [j] ?* et la suite. C'est opportunément qu'après le développement précédent, où les enfants sont écartés et où il y a cette réponse que le Royaume des cieux appartient à ceux qui sont comme eux, s'avance ce jeune homme qui demande par quelles œuvres bonnes il pourrait avoir la vie éternelle. Ce jeune homme lui a posé des questions, s'est montré hautain et, se ravisant, est devenu triste : tout cela qui est écrit s'est passé et s'est accompli. Mais nous avons signalé que tout ce qui se faisait sous l'autorité de Dieu projetait devant les réalités présentes la figure de ce qui suivrait et qu'ainsi, dans les Écritures célestes, tout propos était équilibré de façon à convenir aussi bien à ce qui se passait qu'à l'image de ce qui devait se passer. Ce jeune homme en effet est la figure du peuple juif, hautain dans la Loi et en dehors des commandements de Moïse, n'attendant du Christ aucun espoir. Dans la simple réponse qu'il lui fit, le Seigneur témoigna de la sévérité du jugement qui émanerait de lui [13] : *Pourquoi*

10. La primauté du Juif est un leitmotiv de l'*Épître aux Romains* (1, 16 ; 2, 10).

11. Le propre de l'apostolicité est la *communicatio pacis* selon Tert., *praescr.*, 20, 8.

12. Dans *Act.* 8, 14-17, Pierre et Jean quittent Jérusalem pour aller chez les Samaritains leur imposer les mains, après avoir prié pour que vienne sur eux l'Esprit-Saint.

13. Il semble qu'Hilaire conçoive le jugement comme la répression du péché, en quoi il suit Tert., *patient.*, 5, 12 : « Hinc prima

tatus est dicens : *Quid me uocas bonum* [k] ? Is enim cui
necesse sit impia et iniqua punire, nomine bonitatis
20 abstinuit soli hoc nomen Deo patri reseruans qui se
iudicem dando officio seueritatis exuerit, non quod bonus
et ipse non esset, sed quod congrua in eum seueritate
iudex esset futurus.

5. Hunc igitur ex lege insolentem, sollicitum de salute
remittit ad legem, ut in ea ipsa, in qua gloriaretur, intel-
ligeret nihil se exinde recti operis fecisse. Verbis enim
C legis ei Dominus respondit. Sed adolescens tamquam
5 populus insolens et glorians in lege confidit, cui tamen
obsecutus ex nullo est. Iussus enim fuerat non occidere [l] :
prophetas interfecerat ; non moechari : hic corruptelam
fidei et legi adulterium intulerat et deos alienos ado-
rauerat ; non furari : hic ante quam libertatem credendi
10 in fide Christus redderet, furto legis praecepta dissoluit.
Non falsum testem fieri : hic Christum negauit ex mortuis. Patrem et matrem iussus est honorare [m] : hic ipse
se a Dei patris atque ab Ecclesiae matris familia abdi-
cauit. Proximum tamquam se amare praeceptus est :
15 hic Christum, qui omnium nostrum corpus adsumpsit et
unicuique nostrum adsumpti corporis condicione fit
D proximus, usque in poenam crucis persecutus est. Vt igitur, his depositis ac recisis omnibus uitiis, in legem reuer-
teretur est iussus.

REP (= α) GSTM) = β)
23 futurus : usurus R P *Gil.*[2] || **5**, 8 diis alienis A[ac] G S *Bad.* ||
16 factus est *edd.* || 18 ac recisis : agressis (agres his S) G S T M
egressis *Bad. Era.*

k. Matth. 19, 17
l. Cf. Matth. 19, 18
m. Cf. Matth. 19, 19

iudicii unde delicti origo. » C'est pour cela que la *seueritas* — un
mot très classique du barreau : cf. Cic., *Verr.*, 3, 220 ; 4, 69 ; 5, 74 ;
5, 150 — est présentée comme caractéristique du jugement divin.

m'appelles-tu bon [k] *?* lui dit-il. Ayant en effet l'obligation de punir l'impiété et l'iniquité, il a évité le terme de bonté pour le réserver seulement à Dieu le Père, qui, en le donnant comme juge, s'est déchargé du devoir de sévir. Ce n'est pas que le Christ ne fût pas bon lui aussi [14], mais il devait comme juge montrer à l'égard du jeune homme la rigueur qui convenait.

5. Comme ce jeune homme tire son arrogance de la Loi et s'inquiète de son salut, il le renvoie à la Loi, pour qu'il comprenne que dans celle-ci, précisément parce qu'elle faisait sa fierté, il n'a rien fait de bien. Le Seigneur lui répondit en effet par les mots de la Loi. Mais le jeune homme, à l'image de son peuple arrogant et fier, met son assurance dans la Loi, à laquelle cependant il n'a obéi en rien. Car les commandements étaient de ne pas tuer [1], et il avait fait mettre à mort les prophètes ; de ne pas forniquer, et il avait introduit la corruption dans la foi, l'adultère dans la Loi et adoré des dieux étrangers ; de ne pas dérober, et c'est lui qui, avant que le Christ ne rende dans la foi la liberté de croire [15], a rompu les commandements de la Loi en les dérobant ; de ne pas devenir un faux témoin, et il a nié le Christ ressuscité des morts ; il a reçu l'ordre d'honorer père et mère [m], et c'est lui-même qui s'est séparé de la famille de Dieu Père et de l'Église Mère [16]. Il lui a été prescrit d'aimer le prochain comme lui-même et il a persécuté jusqu'au supplice de la Croix le Christ qui a pris notre corps à tous et qui, dans la condition du corps qu'il a pris, devient le prochain de chacun d'entre nous. Voilà donc tous les vices qu'il reçut ordre d'abandonner et d'arracher en revenant à la Loi.

14. Cette mise au point se comprend à la lumière de la réfutation par Tertullien de la division introduite par les Marcionites entre le Père et le Fils et faisant de l'un un Dieu juge et de l'autre un Dieu bon (*adu. Marc.*, 1, 6, 1) ; selon Tertullien, Dieu, étant un, est bon et juge (*ibid.* 2, 23, 3), mais « le Père ne juge personne, ayant remis tout jugement au Fils » (*Jn* 5, 22 cité dans *adu. Prax.*, 16, 1).

15. Thème d'un développement de l'*Épître aux Galates* 3, 23-26.

16. L'alliance de la paternité de Dieu et de la maternité de l'Église est un thème sur lequel Cyprien revient souvent : *epist.*, 73, 19 ; *laps.*, 9 ; *eccl. unit.*, 6.

1026 A   **6.** Sed respondit haec omnia fecisse se a iuuentute sua
et quaerit quid adhuc sibi restet [n]. Sed, ut diximus,
neque superiora illa egerat ad quae remittitur et in ipsis
glorians tamquam consummatus haec loquitur. Cui
5 Dominus respondit uendenda omnia bona sua esse et
danda pauperibus et tunc eum futurum esse perfectum
habiturumque thesaurum in caelis [o]. Respondetur hic
quidem iuueni pulcherrimo illo ac maxime utili relin-
quendi saeculi praecepto, quo iactura terrenae substan-
10 tiae caelorum opes emendae sunt ; sed in eo quod bona
sua uendere et dare pauperibus iubetur, confidentiam
legis relinquere admonetur et eam felici commercio
mutare et ut meminerit umbram in ea ueritatis esse,
quae deinceps pauperibus, id est gentibus sit sub ipsius
B ueritatis corpore diuidenda ; haec autem neminem posse
efficere nisi qui sequi coeperit Christum.

    7. Sed adolescens, auditis his, tristis recessit [p] ; mul-
tam enim opulentiae fiduciam habebat ex lege. Atque in
eo etiam typicae efficientiae ratio seruata est, ut, cum
adolescentem hunc esse significet, ipse superius dixerit ab
5 omni se iuuentute sua praeceptis his quae habentur in
lege seruiuisse, cum adolescentia intra iuuentutem sit et
posterior aetatis gradus non possit intra prioris terminos
contineri, sed hoc ideo ut a iuuentute hoc seruiente lon-
gum iam in opere legis populi tempus ostenderet.

REP (= α) GSTM (= β)
6, 1 respondet *Cou.* ‖ 5 respondet T M *Cou.* ‖ 7 huic R P
Cou. his *Bad. Era.* ‖ **7,** 7 priores S *Bad.* ‖

---

n. Cf. Matth. 19, 20
o. Cf. Matth. 19, 21
p. Cf. Matth. 19, 22

---

17. L'alliance de ces deux aspects d'un acte moral est exposée
maintes fois dans le 3e livre du *De officiis* de CICÉRON.

6. Mais il répondit qu'il avait fait tout cela depuis son jeune âge et il demande ce qu'il lui reste encore à faire [n]. Mais, comme nous l'avons dit, il n'avait pas accompli ces devoirs rappelés précédemment, auxquels il est renvoyé, et pourtant il en parle en se glorifiant à leur sujet, comme s'il était parvenu à son accomplissement. Le Seigneur lui répliqua qu'il fallait vendre tous ses biens, les donner aux pauvres et qu'alors il serait parfait et aurait un trésor dans les cieux [o]. Ces mots du moins, qui sont répondus au jeune homme, constituent le précepte si beau et si utile [17] de renoncement au siècle, précepte qui commande qu'en sacrifiant la fortune de la terre on achète les richesses des cieux ; mais en recevant l'ordre de vendre ses biens et de les donner aux pauvres, il est invité à perdre sa confiance dans la Loi et à la troquer par un heureux échange, et cela en se rappelant qu'il y a en elle l'ombre de la vérité qui doit être ensuite distribuée aux pauvres, c'est-à-dire aux païens, dans l'incarnation de la vérité elle-même [18]. Or cela nul ne pouvait le faire sans se mettre à suivre le Christ.

7. Mais l'adolescent entendant cela se retira triste [p], car il tenait de la Loi une grande confiance dans son opulence. Et ici encore un plan de réalisation typologique est observé dans cette indication que, tandis qu'il s'agissait d'un adolescent, lui-même a déclaré que depuis toujours sa jeunesse s'était soumise aux préceptes contenus dans la Loi, puisque l'adolescence est en deçà de la jeunesse [19] et qu'en matière d'âge, un échelon postérieur ne saurait être contenu dans les limites d'un âge antérieur. Mais si cet adolescent est soumis depuis son jeune âge, c'est pour qu'apparût la longueur du temps déjà passé par le peuple dans l'exécution de la Loi.

18. La « vérité » de la chair du Christ est un leitmotiv du *De carne Christi* de Tertullien : « uere mortuus, ... uere crucifixus, ... uere resuscitatus... Totus ueritas fuit » (*carn.*, 5, 2 et 8).
19. Selon la division classique des âges fixée par Varron et rapportée par Serv., *Aen.*, 5, 295 : « Aetates omnes Varro sic diuidit : infantiam, pueritiam, adulescentiam, iuuentam, senectam. »

C   **8.** Dehinc Dominus, cognita adolescentis maestitu-
dine, respondit difficile diuitem uenturum in regnum
caelorum q. Diuitem se igitur, ut diximus, Israel legis
fiducia gloriabatur. Huic difficilis est aditus in caelum
5 ueteres opes sub Abrahae nomine inanis prosapiae
ambitione retinenti.

    9. Quin etiam adiecit camelum facilius per foramen
acus posse transire quam caelorum regnum diuitem
introire r. Habere criminis non est, sed modus in habendo
retinendus est. Nam quomodo impertiendum est, quo-
5 modo communicandum, si impertiendi et communi-
candi materia non relinquatur ? Ergo nocenter magis
D habere quam illud ipsum habere fit crimen. Sed periculosa
cura est uelle ditescere et graue onus innocentia subit
incrementis opum occupata. Rem enim saeculi famulatus
10 Dei non sine saeculi ipsius uitiis adsequitur. Hinc diffi-
1027 A cile est diuitem regnum caelorum adire. Atque etiam,
quia uti plures his quae habent recte possent, ea in sermone Domini ratio seruata est, ut non absolute regnum
caelorum nemo introire posset, sed intelligi posset futu-
15 rorum raritas ex difficultate. Et haec quidem ad simpli-
cis sensus intelligentiam pertinent, uerum eodem cursu
interioris causae ordo retinendus est.

    10. Adolescens, ut diximus, insolens, ubi iacturam legis
facere praecipitur, maestus et tristis est. Est autem huic

REP (= α) A (usque ad XX, 7,4) GSTM (= β)
    8, 2 diuitem : diuinitatem A S ‖ 3 Israel ut diximus *edd.* ‖ 4 glo-
riatur β *Bad.* ‖ **9**, 10 adsequetur β *Bad.* ‖ hunc G T M ‖ 14 posset[1] :
possit β *Bad.*

q. Cf. Matth. 19, 23
r. Cf. Matth. 19, 24

20. Cf. *supra*, 19, 6 : « confidentiam legis ».
21. Réminiscence du *Ps.* 48, 7 (*Vulg.*) : « qui confidunt in uirtute
sua et in multitudine diuitiarum suarum gloriantur ».

8. Puis le Seigneur, voyant la tristesse de l'adolescent, répondit qu'un jeune homme riche arrivera difficilement au Royaume des cieux [q]. C'est en riche ainsi qu'Israël, comme nous l'avons dit [20], se glorifiait de l'assurance que lui donnait la Loi [21]. C'est pour lui que l'accès au ciel est difficile, car il retenait d'anciennes richesses en se flattant d'une noblesse de race inconsistante qu'il plaçait sous l'égide du nom d'Abraham.

9. Et mieux, il ajouta qu'un chameau pouvait plus facilement passer par le trou d'une aiguille qu'un riche entrer dans le Royaume des cieux [r]. Ce n'est pas un crime de posséder, mais il faut garder une mesure dans la possession [22]. Comment en effet doit-on partager, mettre en commun [23], si on ne laisse aucune ressource à partager et à mettre en commun ? Donc ce qui est une faute, c'est plus de posséder en faisant du tort que de posséder en soi. Mais c'est un souci dangereux que de vouloir s'enrichir et l'innocence se charge d'un lourd fardeau, si elle est absorbée par l'accroissement de ses richesses. Car le service de Dieu n'obtient la fortune dans le siècle qu'en ayant les vices du siècle lui-même [24]. De là vient qu'il est difficile à un riche d'accéder au Royaume des cieux. Ajoutons que, parce que dans plus d'un cas on peut jouir comme il faut de ce que l'on a, les propos du Seigneur ont observé le principe non de rendre explicitement impossible l'entrée à quiconque dans le Royaume des cieux, mais de permettre d'expliquer la rareté de ceux qui entreront par la difficulté de la chose. Voilà du moins ce qui concerne l'explication simple du sens, mais il faut garder son cours à l'ordre d'une raison intérieure.

10. L'adolescent, arrogant, comme nous l'avons dit, s'afflige et s'attriste, quand il lui est prescrit de faire le

22. Les notions de la mesure dans les désirs et de la nocivité des richesses accumulées viennent du *De officiis* de Cicéron : cf. *off.*, 1, 15-17 ; 1, 25.

23. Ce thème est traité dans Cypr., *eleem.*, 10-11.

24. Cette contamination propre aux Pharisiens alimente la diatribe de Cypr., *eleem.*, 12.

populo crux et passio scandalum, et idcirco ipsi nihil
salutis ex ea est. Sed gloriatur in lege [s] et coheredes
5 gentes aspernatur et transire in euangelicam libertatem
recusat ; atque ideo difficile regnum caelorum introibit.
B Pauci enim eorum et iuxta multitudinem gentium admo-
dum rari erant credituri et difficile praeduratam in lege
uoluntatem ad praedicationem euangelicae humilitatis
10 inflecterent.

11. Sed facilius camelus per foramen acus transibit.
Non conuenit camelo cum acus foramine neque angus-
tiis cauernae exiguissimae recipi poterit belluae ingentis
informitas. Sed in primordio libri sub uestitu Ioannis in
5 camelo gentes significari admonuimus. Pecus enim hoc
uerbis oboedit, metu continetur, ieiunii patiens est et
oneri suo quadam disciplinae ratione succumbit ; cuius
exemplo gentium immanitas ad oboedientiam praeceptorum caelestium emollitur. Hae igitur angustissimum
10 iter regni caelestis introeunt, acus scilicet, quae est
C uerbi noui praedicatio, per quam corporum uulnera
adsuuntur et dissuta uestium retexuntur et mors ipsa
compungitur. Ergo huius nouae praedicationis hoc iter
est, in quod facilius infirmitas gentium introibit quam
15 opulentia diuitis, id est gloriantis in lege.

REP (= α) A (usque ad XX, 7,4) GSTM (= β)
10, 8 et : ut *Gil.*[2] || **11**, 2-3 *ante* angustiis *add.* in β *edd.* || 14 in-
formitas β *edd.*

s. Cf. Rom. 2, 23

25. Ce détail extérieur ainsi que l'application de l'*immunditia*
du chameau (cf. *Lév.* 11, 4) aux païens sont repris de Novatian.,
cib. iud., 3.
26. Cf. *supra*, 2, 2.
27. Hilaire amalgame des traits qu'on lit ailleurs : Arnob.,

sacrifice de la Loi. Pour le peuple qu'il est, la croix et la Passion sont un scandale, et c'est la raison pour laquelle il n'y a pas pour lui de salut en elles. En revanche, il se glorifie dans la Loi [8], méprise les païens comme cohéritiers et refuse de passer à la liberté de l'Évangile, et c'est pourquoi il lui sera difficile d'entrer dans le Royaume des cieux. En effet, dans ce peuple, ceux qui croiraient seraient peu nombreux et même tout à fait rares par comparaison avec la multitude des païens, et il serait difficile de plier à l'enseignement de l'humilité évangélique une volonté qui s'est endurcie dans la Loi.

11. En revanche, *le chameau passera plus facilement par le trou d'une aiguille.* Un chameau et le trou d'une aiguille ne vont pas ensemble, et la difformité d'une bête énorme [25] ne pourra pas s'enfiler dans l'étroitesse d'une fente très mince. Mais au début du livre, nous avons fait remarquer que les païens sont désignés, sous l'apparence du vêtement de Jean, par le chameau [26]. Cette bête obéit à ce qu'on lui dit, est retenue par la crainte, supporte le jeûne et s'abaisse sous le fardeau qu'elle porte selon un principe qu'on lui a appris [27] : à son exemple, la barbarie des païens s'adoucit pour obéir aux préceptes célestes. Voilà donc ceux qui entrent dans la voie si étroite du Royaume des cieux, celle de l'aiguille, qui est l'enseignement de la Parole nouvelle [28], qui recoud les blessures du corps [29], raccommode les déchirures des vêtements et transperce la mort elle-même [30]. Telle est donc la voie de ce nouvel enseignement où la faiblesse des païens entrera plus facilement que l'opulence du riche, c'est-à-dire de celui qui se glorifie dans la Loi.

nat., 2, 25 : « discit... camelus se submittere siue cum sumit onera siue cum ponit » ; VEG., *mil.*, 3, 23 : « (camelus) genus animalium harenis et tolerandae siti aptum ».

28. Écho de *Apoc.* 1, 16 : « de ore eius gladius utraque parte *acutus* exiebat » joint à *Éphés.* 6, 17 : « (adsumite) gladium Spiritus quod est verbum Dei ».

29. Souvenir de textes médicaux, par exemple CELS., 7, 25, 2 : « cutis acu filum ducente transsuitur ».

30. L'image rappelle celle de *I Cor.* 15, 55 : « Vbi est, mors, stimulus tuus ? »

20

1. Auditis itaque istis, discipuli admirantur et metuunt dicentes neminem posse saluari [a]. Dominus respondit hoc impossibile esse apud homines, possibile apud Deum [b].
D Rursum illi dictis Domini haec reddunt, reliquisse se
5 omnia et cum ipso esse [c]. Quibus Dominus, cum sederit in maiestatis suae sede, sessuros super sedes duodecim
1028 A ac totidem tribus Israel iudicaturos spopondit [d] omnibusque qui uniuersa reliquerint propter nomen eius fructum centupli praemii reseruatum, multos autem ex
10 nouissimis primos et ex primis futuros nouissimos [e].

2. Multa sunt quae non sinunt nos simplici intellectu dicta euangelica suscipere. Interpositis enim nonnullis rebus quae ex natura humani sensus sibi contraria sunt, rationem quaerere caelestis intelligentiae admonemur.
5 Apostoli dicunt et sequi se Christum et se omnia reliquisse. Quomodo igitur fiunt tristes et quomodo metuunt dicentes saluum esse neminem posse ? Namque et ab aliis fieri poterat, si quid fecissent ipsi. Deinde cum fecissent, quare metus uel unde susceptus est ? Additur etiam
B in responsione Domini haec apud homines impossibilia, possibilia apud Deum. Numquid apud homines impossibilia erant, quae et apostoli fecisse se gloriantur et

REP (usque ad XX, 1,3 et ab XX, 3,9) (= α) A (usque ad XX, 7,4) GSTM (= β)

XX auditis *scripsi* : auditis *codd.* CANON (CAPVT *Cou.*) XX auditis *edd.* ‖ **1**, 2 respondet R ‖ 10 *post* primos *add.* futuros β *Bad.* ‖ **2**, 3 contrariae *Cou.* ‖ 4 *post* admonemur *add.* XX T M ‖ 8-9 *post* fecissent *add.* ipsi T M *edd.* ‖ 9 uel : et R ‖ 10 hominem R β ‖ 12 se *om.* R

a. Cf. Matth. 19, 25
b. Cf. Matth. 19, 26
c. Cf. Matth. 19, 27
d. Cf. Matth. 19, 28
e. Cf. Matth. 19, 29

Chapitre 20

1. Entendant cela, les disciples sont dans l'étonnement
et la crainte, disant que nul ne peut être sauvé [a]. Le
Seigneur leur répondit que ce qui est impossible aux
hommes est possible à Dieu [b]. En réponse ils donnent la
réplique aux paroles du Seigneur en disant qu'ils ont tout
quitté et sont avec lui [c]. Le Seigneur leur promit que, le
jour où il serait assis sur le siège de sa majesté, ils siégeraient
sur douze sièges et qu'ils jugeraient un nombre égal de
tribus d'Israël [d] ; et qu'à tous ceux qui auraient tout
quitté pour son nom était réservé le centuple à titre de
récompense et que beaucoup de ceux qui étaient derniers
seraient premiers et que beaucoup de ceux qui étaient
premiers seraient derniers [e].

2. Il y a beaucoup de détails qui ne nous permettent
pas de prendre les paroles de l'Évangile dans un sens
simple [1]. Plusieurs faits qui interviennent en se contre-
disant du point de vue de la nature de l'intelligence
humaine nous invitent à chercher la raison d'une intelligibilité céleste [2]. Les apôtres disent qu'ils suivent le
Christ et qu'ils ont tout quitté. Comment donc deviennent-
ils tristes et comment ont-ils peur, disant que nul ne peut
être sauvé ? Car si eux-mêmes avaient fait quelque chose,
d'autres aussi auraient pu le faire. Ensuite, puisqu'ils
avaient fait quelque chose, pourquoi et à cause de quoi
ont-il pris peur ? A quoi s'ajoute encore ce détail de la
réponse du Seigneur que ce qui est impossible aux hommes
est possible à Dieu. Étaient-elles impossibles aux hommes
les choses que les apôtres se glorifient d'avoir faites et

---

1. Sur les fondements rhétoriques de la notion de « sens simple »,
cf. notre *Hilaire de Poitiers...*, p. 268.
2. Rapprocher la justification que TERT., *adu. Marc.*, 3, 13, 3,
donne d'une interprétation figurée en se fondant sur la difficulté
d'une explication naturelle : « Si nusquam hoc natura concedit
ante militare quam uirum facere, sequitur ut figurata pronuntiatio
uideatur. »

fecisse eos Dominus agnoscit. Et deinceps plures usque
ad martyrii beatitudinem essent omnia relicturi ? Aut
15 numquid est Deo quo egere possit relictumque sit aliquid, quod ei iactura rerum quas habeat sit sequendum,
ut soli ipsi hoc facere possibile sit ? Omnis itaque hic
sermo est spiritalis.

3. Apostoli enim spiritaliter audientes neminem ex
lege posse saluari, cum ipsi etiam nunc in lege essent ;
nam uehemens eos amor legis fauorque detinuit. Hi igitur, nondum penitus euangelici mysterii ueritate com-
C perta, metuunt neminem saluum esse posse sine lege,
quia omnem salutem etiam tunc in lege constituant. Sed
Dominus breui absolutaque ratione eorumdem et ignorantiam et metum soluit dicens : *Hoc quidem impossibile
est apud homines, possibile autem apud Deum* [f]. Quid
10 enim Iudaeo tam sine effectu uidetur, ut ab homine magis
salutem exspectet quam ex lege, quam ut in crucis scandalo [g] legislatio et testamentum et adoptio et haere-
ditas negligatur ? Quid autem Dei uirtuti tam possibile
est quam ut per fidem saluet [h], ut per aquam regeneret,
15 ut per crucem uincat, ut per euangelia adoptet, ut per
resurrectionem ex morte uiuificet ?

4. Quibus auditis, apostoli cito credunt seseque omnia
D reliquisse profitentur. Sed hanc eorum oboedientiam
cito Dominus muneratur omnem difficultatem superioris
quaestionis absoluens, cum dicit : *Vos qui secuti estis me*

REP (usque ad XX, 1, 3 et ab XX, 3,9) (= α) A (usque ad XX, 7,4)
GSTM (= β)

15 quod R ‖ 16 ei *om.* β *Bad. Cou.* ‖ **3**, 2 nunc : tunc R *om.*
T M num *Bad.* ‖ 10 Iudaeo : in Deo P ‖ homini T M ‖ 11 exspectet :
-tat P A^ao -tanti T M *Cou.* -petat R G *Bad.* ‖ quam^l : que
P *om.* T M et *Cou.* ‖ **4**, 4 ante uos *add.* XX R ‖ me estis R T M
Bad.

f. Matth. 19, 26
g. Cf. Gal. 5, 11
h. Cf. Matth. 9, 22

dont le Seigneur reconnaît qu'ils les ont faites ? Et ensuite plusieurs d'entre eux auraient-ils dû tout quitter pour aller jusqu'à la béatitude du martyre [3] ? Ou bien y a-t-il quelque chose qui puisse manquer à Dieu [4] ? Reste-t-il quelque chose que, sacrifiant ce qu'il a, il ait à rechercher en étant seul à pouvoir le faire ? Tout ce développement est donc spirituel.

3. Les apôtres en effet, se plaçant d'un point de vue spirituel, comprennent que nul ne peut être sauvé à partir de la Loi, alors qu'eux-mêmes sont encore dans la Loi ; ils ont été en effet retenus par un amour et une ferveur intenses pour la Loi. Ces hommes alors, qui n'avaient pas encore connu à fond la vérité du mystère évangélique, craignent que nul ne puisse être sauvé, s'il est sans la Loi, parce que, pour eux encore à ce moment-là, ils fondent tout salut sur la Loi. Mais le Seigneur dissipe à la fois leur ignorance et leur crainte au moyen d'une raison brève et évidente en disant : *C'est impossible aux hommes, mais possible à Dieu* [f]. Aux yeux d'un Juif en effet est-il une chose plus irréalisable que, pour attendre le salut d'un homme plutôt que de la Loi, il faille perdre dans le scandale de la Croix [g] le souci de la législation, du testament, de l'adoption, de l'héritage [5] ? Et est-il une chose dont la puissance de Dieu ait autant la possibilité que de sauver par la foi [h], régénérer par l'eau, vaincre par la Croix, adopter par les Évangiles, vivifier par la résurrection des morts ?

4. Entendant ces mots, les apôtres croient promptement [6], affirmant qu'ils ont tout quitté. Mais cette obéissance reçoit promptement sa récompense, le Seigneur résolvant toute la difficulté de leur question antérieure par ces mots : *Vous qui m'avez suivi dans la régénération, vous jugerez*

3. Rapprocher Tert., *praescr.*, 36, 3 qui loue les apôtres d'avoir scellé dans le sang leur enseignement.
4. Souvenir de *Act.* 17, 25 : « nec manibus humanis colitur (Dominus) indigens aliquo » ; cf. Novatian., *trin.*, 4, 23.
5. Énumération des privilèges d'Israël d'après *Rom.* 9, 4.
6. Réminiscence de la formule *fides ex auditu* de *Rom.* 10, 17 ; *Gal.* 3, 5.

1029 A *in regeneratione iudicabitis duodecim tribus Israel* [i].
Secuti sunt in lauacro baptismi, in fidei sanctificatione,
in adoptione hereditatis, in resurrectione ex mortuis.
Haec enim illa regeneratio est quam apostoli sunt secuti,
quam lex indulgere non potuit, quae eos super duodecim
10 thronos in iudicandis duodecim tribubus Israel in duodecim patriarcharum gloriam copulauit. Ceteris quoque contemptu saeculi se sequentibus, centesimi fructus copiam
pollicetur. Hic centesimus fructus est qui in cente-
sima oue cum caelesti laetitia expletur. Hic centesimus
15 fructus est quem perfectae terrae ubertas consequetur.
Qui Ecclesiae honor iam in Sarrae cognomento est destinatus et iactura legis ac fide euangelica promerendus
B est, atque ita ex nouissimis primos efficiendos, quia
nouissimi efficiantur ex primis.

5. *Simile est regnum caelorum homini patri familias
qui exiuit primo mane conducere operarios* [j], et cetera.
Comparatio omnis per se absoluta est, sed personis distinguenda et discernenda temporibus est. Patremfamilias
5 hunc Dominum nostrum Iesum Christum existimari
necesse est, qui totius humani generis curam habens
omni tempore uniuersos ad culturam legis uocarit.
Vineam uero legis ipsius opus oboedientiam, denarium
autem oboedientiae ipsius praemium significari intelli-
10 gimus. Et de denario iam superius tractauimus. De uinea

REP (= α) A (usque ad XX, 7,4) GSTM (= β)
5 in regeneratione *om.* R ‖ 6 in¹ *om.* β *Bad.* ‖ 10 tribus R β ‖ 11
gloria *edd.* ‖ 12 se *om.* R P G ‖ 15 ubertas : li- β ‖ consequitur T
M *Cou.* ‖ 16 Sarrae R G A² T M *Cou.* ‖ 18 ex nouissimis : nouissimos
A Sᵃᶜ Tᵃᶜ ‖ 5, 2 *post* operarios *add.* in uineam suam T M ‖ cetera :
reliqua β *edd.* ‖ 7 uocauerit β *edd.* ‖ 10 superius iam T M

i. Matth. 19, 28
j. Matth. 20, 1

7. *Lauacrum baptismi* ne constitue pas un plénonasme. Comme
le souligne M. Sᴀɪɴɪᴏ, « Semasiologische Untersuchungen über die

les douze tribus d'Israël [1]. Ils l'ont suivi dans la régénération, dans la purification baptismale [7], dans la sanctification par la foi, dans l'adoption de l'héritage, dans la résurrection des morts. Telle est la régénération que les apôtres ont suivie, que la Loi n'a pu accorder, qui à l'occasion du jugement des douze tribus d'Israël les a réunis sur douze trônes, pour qu'ils atteignent la gloire des douze patriarches. A tous les autres aussi qui le suivent dans le le mépris du siècle il promet l'abondance d'une récompense centuplée. Cette récompense centuplée est celle qui est donnée pleinement dans la centième brebis avec la joie céleste. Cette récompense centuplée est celle qu'obtiendra la fécondité d'une terre parfaite. C'est l'honneur destiné désormais à l'Église dans le nom de Sarra [8] et qui doit être mérité par le sacrifice de la Loi et la foi de l'Évangile ; et c'est ainsi que ceux qui étaient derniers deviendraient premiers, parce que ceux qui sont premiers deviendraient derniers.

5. *Le Royaume des cieux est semblable à un maître de maison qui sortit au début de la matinée louer des ouvriers* [i], et la suite. La parabole tout entière est claire d'elle-même, mais il faut marquer la différence des personnes et distinguer les circonstances. Ce maître de maison doit être considéré comme notre Seigneur Jésus-Christ qui, ayant le souci de tout le genre humain, a convié à chaque époque tous les hommes à la culture de la Loi [9]. Par la vigne, nous entendons l'exécution de la Loi elle-même qui est obéissance, par le denier, la récompense de l'obéissance elle-même. Du denier d'ailleurs nous avons déjà traité plus haut [10]. Au sujet de la vigne, nous donnerons dans

Entstehung der christlichen Latinität » (dans *Annales Acad. scient. Fennicae*, 47, 1), Helsinki 1940, p. 28-29, *lauacrum* désigne spécifiquement l'acte liturgique du baptême : cf. Tert., *bapt.*, 7, 1 ; 8, 4.

8. Pour Sarra type de l'Église, cf. *supra*, 18, n. 15.

9. Point de la polémique antijuive : cf. Tert., *adu. Iud.*, 2, 2 : « Omnibus gentibus eandem legem dedit (Deus) quam certis statutis temporibus obseruari praecepit. »

10. *In Matth.* 17, 13.

uero opportunius in consequentibus rationem adferemus.
C Forum autem pro saeculo accipi res ipsa admonet, aequa-
biliter turbis hominum, calumniarum iniuriarumque
contentionibus et diuersorum negotiorum difficulta-
15 tibus semper tumultuosum.

6. In prima igitur hora tempus constituti testamenti
ad Noe ex matutini significatione noscendum est, tertia
autem hora ad Abraham, sexta ad Moysen, nona ad
Dauid et prophetas. Totidem enim testamenta humano
5 generi constituta per singulos reperiuntur, quotidem ad
1030 A forum enumerantur egressus. In undecima autem hora
corporei aduentus tempus ostendit ; nam ex omni
numero, qui spatio est praesentis saeculi constitutus, in
eam rationem conuenit ortus eius ex Maria, in quam
10 undecimae tempus ex die est. Diuisione enim per quin-
gentenum numerum facta, in omni sex millium annorum
summa tempus corporei ortus eius undecimo diuisionis
totius calculo supputatur.

7. Et quidem diuersus ad undecimae horae operarios
sermo est. Primis enim, sed et ceteris dictum est : *Ite ad
uineam* [k] (merces tamen denarii cum primo est constituta [l], nam ceteris iustae solutionis promissa spes est),
B nouissimis uero dicitur : *Quid hic statis* [m] ?, quia, quam-

---

REP (= α) A (usque ad XX, 7,(4) GSTM (= β)
15 tumultuosis P A G S *Bad.* ‖ **6,** 6 enumeratur A G S ‖ undecima : duodecima P β *Bad.* ‖ 7 *post* aduentus *add.* Domini *Cou.* ‖
9 eandem β ‖ eius : est T M ‖ **7,** 1 undecimae : duodecimae P β
Bad. ‖ horae *om.* R ‖ 3-4 constituta est *Cou.*

---

k. Matth. 20, 4
l. Cf. Matth. 20, 2
m. Matth. 20, 6

---

11. *In Matth.* 22, 1.
12. Définition de *forum* tissée de souvenirs des traités oratoires

ce qui suit une explication plus adéquate [11]. La place
est mise pour le siècle, comme la chose elle-même nous le
suggère, place toujours agitée indistinctement par le
tumulte des hommes, le heurt des calomnies et des ini-
quités, et le conflit des intérêts opposés [12].

6. Dans la première heure, déduite de l'indication du
matin, il faut reconnaître l'époque du testament fixé au
moment de Noé, dans la troisième heure celui du temps
d'Abraham, dans la sixième celui du temps de Moïse, dans
la neuvième celui du temps de David et des prophètes [13].
On trouve en effet qu'ils ont successivement institué pour
le genre humain autant de testaments que l'on compte
de sorties sur la place. Dans la onzième heure le Seigneur
indique le temps de son avènement dans la chair, car le
calcul de la date de naissance du sein de Marie, à partir
du nombre total fixé pour la durée du monde présent,
s'accorde avec celui de la onzième heure du jour. En
effet, la base de la division, dans le total de six mille
ans [14], étant le nombre cinq cents, la date de l'avènement
corporel du Seigneur est donnée par le onzième multiple
de la base de toute la division [15].

7. Les paroles adressées aux ouvriers de la onzième
heure ont certes quelque chose de spécial. Aux premiers
et aussi aux autres on a dit : *Allez à la vigne* [k] ; avec le
premier cependant on a convenu que le salaire serait
d'un denier [l], car aux autres on n'a promis que l'espoir
d'une juste rémunération et aux derniers on dit : *Pourquoi
êtes-vous là* [m] *?*, parce que même si la Loi avait été faite

de Cicéron, *de orat.*, 1, 82 : « huius ciuilis *turbae* ac fori » ; 1, 249 :
« in *negotiis* et in foro » ; *orat.*, 37 : « a forensi *contentione* ».

13. Hilaire remploie le schéma des « quatre générations » établi
par Victorin de Poetovio, *fabr. mundi* 3, en ajoutant une division, celle de David.

14. Selon Cypr., *Fort. praef.*, 2 ; Lact., *inst.*, 7, 14, 9. Mais pas
de chiliasme chez Hilaire : cf. K. H. Schwarte, *Die Vorgeschichte
der augustinischen Weltalterlehre* (*Antiquitas* 1, 12), Bonn 1966,
p. 226-232.

15. En faisant l'opération $500 \times 11 = 5\,500$, on obtient le
chiffre de la date fixée pour la naissance du Christ par le Chrono-
graphe de 354 dans *MGH*, *AA* 9, p. 131, n° 148.

uis ad Israel data lex fuerat, uoluntas tamen gentium
non excludebatur a lege. Qui responderunt : *Nemo nos
conduxit* [n]. Debitum namque erat per orbem terrarum
euangelium praedicari et gentes fidei iustificatione saluari.
10 Hi igitur mittuntur ad uineam. Et cum sero esse coepisset, donum constitutae in totius diei labore mercedis
primi operarii horae uesperis consequuntur. Merces
quidem ex dono nulla est, quia debetur ex opere, sed
gratuitam gratiam Deus omnibus ex fidei iustificatione [o]
15 donauit ; uerum secundum insolentiam populi iam sub
Moyse contumacis hinc murmur operantium est [p], hinc
gratuitae mercedis inuidia est, quod sine longi laboris
difficultate et sub aestus nomine, non longo in eos dia-
C bolici instinctus calore flagrante, idem praemium redde-
20 batur operantibus. Sed ideo quod apud homines impossibile est, possibile est apud Deum, ut mercedem legis
optime et inculpabiliter custoditae donum gratiae per
fidem credentibus primis et nouissimis largiatur.

8. *Et ascendens Iesus Hierosolymis adsumpsit duodecim
discipulos et ait illis : Ecce ascendimus Hierosolymam* [q], et
cetera. Iam sine scandalo audituris apostolis sacramentum crucis Dominus exponit. Denique nulla hunc sermo-
1031 A nem maestitia consequitur confirmati scilicet superiore
sermone per fidem crucis nouissimos primos futuros,
diuitibus autem, id est confidentibus legis in eamdem
crucem scandalizantibus inuium iter regni caelorum
futurum.

REP (= α) GSTM (= β)
6 data : lata R P G S *edd.* ‖ 14 fide R P G ‖ iustificationem R P ‖
19 instinctu G T M ‖ 19-20 reddebatur : redebatur S   redibatur
T M   redibeatur G *Bad. Cou.* ‖ 24 et : ex β *Cou.* ‖ 8,1 Hierosolymam
E P T M *edd.* ‖ 3 cetera : reliqua β *edd.* ‖ 5 confirmatis E T M *Gil.*[3] ‖
7 legis : in lege T M

n. Matth. 20, 7
o. Cf. Rom. 3, 24

pour Israël, l'attention aux païens n'était pas exclue de la Loi [16]. Ils répondirent : *Personne ne nous a embauchés* [n]. L'Évangile était destiné à être prêché par toute la terre et les païens à être sauvés par la justification de la foi. Ces hommes sont donc envoyés à la vigne. Et comme il commençait à se faire tard, les ouvriers de l'heure du soir sont les premiers à toucher en cadeau le salaire fixé pour le travail de tout un jour. Un salaire certes ne procède pas d'un don, puisqu'il est dû pour un travail [17], mais Dieu a fait don à chacun gratuitement de sa grâce par suite de la justification de la foi [o]. Cependant, s'inspirant de l'arrogance du peuple déjà rebelle sous Moïse, il y a du murmure chez les ouvriers [p], il y a de la jalousie à cause d'un salaire qui n'est pas gagné, puisque même sans la peine d'un long labeur, moyennant un peu de temps de chaleur brûlante désignée par l'été et insufflée par le diable, la rémunération des ouvriers était la même. Mais c'est parce que ce qui est impossible pour les hommes est possible pour Dieu que le salaire d'une observation excellente et irréprochable de la Loi est accordé par la foi comme un don de la grâce à ceux qui croient, qu'ils soient premiers ou derniers.

8. *Et Jésus montant à Jérusalem prit douze disciples et leur dit : Voici que nous montons à Jérusalem* [q], etc. Maintenant le Seigneur expose le mystère de la Croix aux apôtres qui sont prêts à l'écouter sans scandale. En effet aucune tristesse ne suit cet exposé, du fait apparemment que les propos antérieurs leur ont garanti que par la foi dans la Croix les derniers seront les premiers, et que pour les riches, c'est-à-dire ceux qui ayant confiance dans la Loi se scandalisent par là-même de la Croix, le chemin du Royaume des cieux sera inaccessible.

p. Cf. Matth. 20, 11
q. Matth. 20, 17-18

16. Souvenir de *Rom.* 2, 15 (*Vulg.*) : « qui (gentes) ostendunt opus legis scriptum in cordibus suis ».
17. Définition juridique de *merces* : cf. IАVOL., *dig.*, 19, 2, 51 : « ... nisi in operas singulas merces constituta erit ».

9. *Tunc accessit ad eum mater filiorum Zebedaei cum
filiis suis* [r], et reliqua. Non sine aliquo momento rerum
ita effectum fuisse existimandum est, ut mater filiorum
Zebedaei Dominum deprecaretur. Numquid et filiis
5 petendi familiaritas non erat ? Sed erat gestorum effectibus prophetandum. Apostoli quidem iam ex lege crediderant, quae eos in fidem euangelicam nutriuerat.
Itaque in matre filiorum Zebedaei lex intelligitur, quae
B de confidentia priuilegii sui pro credentibus ex se populis
10 deprecatur. Quae quia superius audierat primos nouissimos et nouissimos primos futuros [s], deferri filiis suis
orat, ut in Domini regno unus ad dexteram eius sedeat,
alius ad sinistram [t]. Cui Dominus respondit nescire eam
quid oret [u] (nihil quidem de gloria apostolorum ambi-
15 gebatur et iudicaturos eos sermo superior exposuit).
Denique in medio sermone an calicem suum possent
bibere interrogat [v]. Non utique de communis poculi
genere loquebatur ; neque enim labor est bibere de calice ;
sed ille de calice sacramenti passionis interrogat. At
20 illi qui iam martyrii libertatem constantiamque retine-
bant, bibituros se pollicentur. Dominus collaudans eorum
C fidem ait martyrio quidem eos secum compati posse, sed
ut laeuae eius ac dexterae adsiderent aliis a Deo patre
fuisse dispositum [w].

1092 A   10. Et quidem, quantum arbitramur, ita honor iste
aliis est reseruatus, quod tamen nec apostoli ab eo erunt
alieni, qui in duodecim patriarcharum sede consident

REP (= α) GSTM (= β)
9, 4 Domino R P ‖ 5 petendi *om.* T M ‖ erat[1] : est R P ‖ 9 de
om. β *edd.* ‖ 13 eam : etiam T M ‖ 14 oret : orat R oraret T M ‖
quidem : enim R ‖ 15 superius P G S T M ‖ 23 ut *om.* β *Cou.* ‖
adsidere β *Cou.* ‖ 10, 2 fuerint R ‖ 3 consident et : considentes β *edd.*

---

r. Matth. 20, 20
s. Cf. Matth. 19, 30
t. Cf. Matth. 20, 21
u. Cf. Matth. 20, 22

9. *Alors s'approcha de lui la mère des fils de Zébédée avec ses fils* ʳ, et la suite. Il faut considérer que ce n'est pas un événement sans importance que la mère des fils de Zébédée prie le Seigneur. Est-ce que ses fils n'étaient pas assez intimes avec lui pour le solliciter aussi ? Mais il fallait que les faits qui se déroulent fussent prophétiques. Les apôtres avaient cru à partir de la Loi, qui les avait nourris en vue de la foi de l'Évangile. Aussi dans la mère des fils de Zébédée, on voit comment la Loi assurée de son privilège prie pour les peuples qui tirent d'elle leur foi. Et parce qu'elle avait appris précédemment que les premiers seraient les derniers et les derniers les premiers ˢ, elle demande qu'on accorde à ses fils que, dans le royaume du Seigneur, l'un siège à sa droite, l'autre à sa gauche ᵗ. Le Seigneur lui répondit qu'elle ne savait pas ce qu'elle demandait ᵘ — il n'y avait certes aucun doute à avoir sur la gloire des apôtres et un développement précédent a expliqué qu'ils seraient juges. En effet, à brûle-pourpoint, le Seigneur leur demande s'ils pouvaient boire son calice ᵛ. Ce n'est pas qu'il parle d'un calice de l'espèce commune, car c'est sans effort que l'on boit dedans [18]. Mais la question porte sur le calice du mystère de sa passion. Or eux, qui observaient déjà la liberté de parole et la constance du martyre [19], promirent qu'ils le boiraient. Le Seigneur, louant leur foi, leur dit que par le martyre ils pouvaient souffrir avec lui, mais que siéger à sa droite et à sa gauche revenait à d'autres en vertu des dispositions de Dieu le Père ʷ.

10. Et s'il est vrai que cet honneur, à ce que nous croyons, a été réservé à d'autres, c'est sans que les apôtres en fussent écartés, eux qui siégeront sur le trône des

v. Cf. Matth. 20, 22
w. Cf. Matth. 20, 23

---

18. Comme il ressort des invitations à boire inscrites sur les coupes : cf. *CIL* X, 8056, 4 : *bibe amice meo*.
19. Même alliance de notions à propos du martyre *supra*, 10, 21. Le martyre peut être une intention avant d'être accompli, comme l'expose Cypr., *mort.*, 17.

et Israelem iudicabunt. Et quantum sentire ex ipsis
5 euangeliis licet, in regno caelorum Moyses et Elias adsi-
debunt. Nam cum spopondisset Dominus uisuros quos-
dam de apostolis, antequam mortem gustarent, filium
hominis uenientem in regno suo [x], adsumptis Petro et
Iacobo et Ioanne, apparuit cum gloriae suae habitu,
10 Moyse et Elia in monte comitantibus [y]. Et hos quidem
eosdem prophetas duos praeuenientes aduentum eius
esse intelligimus, quos Apocalypsis Ioannis ab Anti-
B christo perimendos esse dicat [y'], licet uariae uel de Enoch
uel de Ieremia plurimorum exstiterint opiniones, quod
15 alterum eorum sicut Eliam mori oporteat. Sed non possumus ueritatis fidem, quam Dominus tribus superioribus testibus reuelauit, sensus nostri opinione corrum-
pere neque alios uenturos existimare quam qui ad sponsionem fidei uenisse conspecti sunt. Et quamquam ultra
20 euangelicam ueritatem non necesse sit opinari, tamen si
quis condicionem et mortis et sepulcri Moysi diligenter
aduerterit et secretarum scripturarum secundum Apostoli
auctoritatem [z] cognitionem adeptus sit, intelliget omnia
ita esse tractata, ut Moyses potuerit iam uideri. Et haec
25 quidem instruendi causa sint dicta.
C   **11.** Ceterum ut ratio spiritalis intelligentiae plena esset,
1033 A pro duobus Dominum mater orauit. Duae enim sunt hae
uocationes ex Israel una discipulorum Ioannis, altera
per apostolos Pharisaeorum. Namque post passionem

REP (= α) A (ab XX, 10,17 usque ad [XX, 13,22) GSTM (= β)
13 dicit P *edd.* ‖ 20 sit : est R E   *om.* P ‖ 21 *post* mortis *add.* et
sepulturae R P *Cou.* ‖ **11**, 3 alia P A G S ‖ 4 per [apostolos [: par
apostolis P   apostolorum A   apostolorum et S *Bad.*

x. Cf. Matth. 16, 28
y. Cf. Matth. 17, 2-3
y'. Cf. Apoc. 11, 7
z. Cf. II Cor. 12, 4

douze patriarches et jugeront Israël. Et pour autant qu'on
peut le penser d'après les Évangiles eux-mêmes, Moïse
et Élie siégeront dans le Royaume des cieux. En effet,
comme le Seigneur avait promis que certains parmi les
apôtres, avant de goûter la mort, verraient le Fils de
l'homme venir dans son royaume [x], il prit Pierre, Jacques
et Jean et apparut dans le vêtement de sa gloire, en
compagnie de Moïse et d'Élie sur la montagne [y]. Et nous
comprenons que ce sont encore ces prophètes qui sont les
deux précurseurs de son avènement, dont l'Apocalypse de
Jean dit qu'ils doivent être tués par l'Antéchrist [y'], bien
qu'il existe des opinions différentes, fort nombreux étant
ceux qui pensent soit à Énoch soit à Jérémie, parce que l'un
des deux devait mourir comme Élie [20]. Mais nous ne pouvons, par une opinion à nous, altérer le crédit de la vérité
que le Seigneur a révélée aux trois témoins précédents ni
penser qu'il en viendra d'autres que ceux qui ont été vus
venant pour donner une garantie digne de foi. Et bien qu'il
ne soit pas nécessaire de conjecturer au-delà de la vérité
de l'Évangile [21], si l'on prête cependant une attention sé-
rieuse à la particularité de la mort et du sépulcre de
Moïse et si l'on a acquis la connaissance des Écritures
secrètes, selon l'autorité de l'Apôtre [z], on comprendra que
tout est présenté de façon que Moïse pût dès lors être
visible [22]. Voilà ce qu'on pourrait dire à titre d'informa-
tion [23].

11. Par ailleurs, c'est pour qu'un plan d'intelligibilité
spirituelle soit rempli que la mère pria pour ses deux fils.
Ce sont les deux vocations d'Israël, d'un côté celle des
disciples de Jean, de l'autre celle des Pharisiens grâce

---

20. Ces « opinions différentes » sont celles de TERT., *anim.*, 50, 5
et de VICTORIN. POETOV., *in apoc.*, 11, 3 : cf. notre *Hilaire de Poitiers...* p. 325, n. 2.

21. Le principe de « non-dépassement du sens du Seigneur » a été
énoncé par TERTULLIEN dans l'exposé des règles générales de l'exégèse (*pudic.*, 9, 22).

22. Argument développé dans TERT., *resurr.*, 55, 10.

23. Pour ceux qui « cherchent » inquiets de leur ignorance : tel
est le sens de ces « quaestiones » annexes de l'Écriture selon TERT.,
coron., 1, 6.

5 Ioannis superius legimus discipulos eius ad Dominum
transisse [a]. Ideo igitur pro duobus oratur, quia euangelio Christi hae uocationes geminae crediderunt. Post
haec igitur decem discipuli contristati sunt de fratribus
duobus [b], uerum ipsorum duorum discipulorum nulla
10 maestitia est. Hoc ratio non patitur, ut alterius contumelia alius fiat maestus. Certe etiam pro se decem
maesti esse potuissent ; sub duorum enim nominibus
negatum hoc omnibus uidebatur, sed typicus ordo seruatus est. Apostoli de se certi erant, ideo solum maesti
15 sunt de duobus, quia etiam his duabus uocationibus, quae
B ex lege sunt, consortium gloriae huius optabant. Ita
enim rationem et futuri et praesentis sermo moderatur,
ut non de se neque decem neque duo solliciti scriberentur
et in decem sollicitudine de duobus praesentis negotii
20 efficientiae obtemperaretur.

12. Volens igitur Dominus proprietatem nobis istius
praefigurationis ostendere atque hanc praesumptionem
eos qui erant ex lege uenturi de praerogatiua Israelitae
nominis uelle praesumere, docet principatum ab his non
5 modo gentium capessendum [c], sed ministros et seruientes [d] et non quibus ministratum sit ad gloriam
honoris maximi aduocandos, exemplo scilicet patriarcharum ac prophetarum qui seruierint, exemplo etiam
apostolorum qui ministrauerint, exemplo etiam Domini
C qui animam suam pro redemptione nostrae salutis
impenderit [e]. Ad gloriam autem humilitatis istius cenae

REP (= α) A (ab XX, 10,17 usque ad XX, 13,22) GSTM (= β)
6 quia : qui A S ‖ 7 hae uocationes : euocationes R P G et
uocationes (-is S) A S ‖ 9 duum R E A G S *Bad.* ‖ 19 sollicitudinem A G S ‖ **12**, 3 Israelitici T͜M ‖ 8 ac : et R *Gil.*²

a. Cf. Matth. 14, 1-2
b. Cf. Matth. 20, 24
c. Cf. Matth. 20, 25-26
d. Cf. Matth. 20, 27

aux apôtres [24]. Car, après la passion de Jean, nous avons lu précédemment que ses disciples passèrent au Seigneur [a]. Si donc la prière est faite pour deux d'entre eux, c'est parce que cette double vocation a cru dans l'Évangile du Christ. Après cela donc, les dix disciples éprouvèrent de l'affliction au sujet des deux frères [b], mais chez les deux disciples eux-mêmes il n'y a aucune tristesse. La raison n'admet pas que l'on s'attriste de l'offense faite à un autre [25]. Les dix du moins auraient pu être tristes pour eux aussi, car, c'est à tous que paraissait s'adresser un refus opposé à titre personnel à deux d'entre eux ; mais un ordre typologique a été observé. Les apôtres étaient pleins d'assurance en ce qui les concernait ; s'ils sont tristes pour deux d'entre eux seulement, c'est qu'ils souhaitaient à ces deux vocations issues de la Loi d'avoir part aussi à cette gloire. Ainsi le texte tient compte de façon équilibrée de l'avenir et du présent, en ne disant pas que les dix ou les deux apôtres étaient inquiets pour eux et en s'adaptant à la réalité de la situation présente par ce détail que les dix sont inquiets au sujet des deux frères.

12. Voulant donc nous montrer le sens particulier de cette préfiguration et comment cette présomption était celle de ceux qui allaient venir de la Loi et qui voulaient présumer de la prérogative du nom d'Israël, le Seigneur leur enseigne qu'ils ne doivent pas exercer la primauté à la façon des païens [c] [26], mais être appelés à la gloire de l'honneur suprême comme ministres et serviteurs [d] et non comme ceux que l'on a servis, à l'exemple des patriarches et des prophètes qui ont été serviteurs, à l'exemple aussi des apôtres qui ont été des ministres, à l'exemple même du Seigneur qui a donné sa vie pour acheter notre salut [e]. En vue de les former à cette humilité glorieuse, il les

e. Cf. Matth. 20, 28

24. L'apôtre Paul est « Pharisien, fils de Pharisiens » (*Act.* 23, 6).
25. Principe de conduite du sage stoïcien : cf. SEN., *const. sap.*, 13, 5 : « nullius ergo mouebitur (sapiens) contumelia ».
26. Sur cette forme de *principatus*, cf. *supra*, 14, note 5.

eos et conuiuii modo instruit monens in locis eminen-
tioribus accubari non oportere, ne forte, eo adueniente
qui clarior est, per dominum cenae occupato loco cum
15 cedendi contumelia admonitus decedat [f]. Porro autem
si in humilibus accubuerit, aduenientibus humilioribus,
ad gloriam loci celsioris accedet [g]. Atque ita non praesumere aliquid honoris decet, sed humilitatis operibus
promereri.

13. *Et egredientibus illis ab Iericho, secuta est eum*
turba multa [h] *et ecce duo caeci sedentes super uiam audie-*
runt quod Iesus transit [i] et cetera. Superius per figuram
D duorum filiorum Zebedaei de Israelita populo tractatum
5 est, qui ex semine Sem erat ortus. Competenter igitur
1034 A caeci duo uiam adsident, populi uidelicet gentium duo
ex Cham et Iaphet procreati egressus et iter eius obser-
uant sibique caecis uisum reddi precantur [j]. Denique
eos turba obiurgat cur clament et ut sileant increpat,
10 non quod silentium causa honoris exigerent, sed acerbe
a caecis audiunt quod negabant, Dominum esse Dauid
filium. Illuminatis enim caecorum mentibus, Deus in
homine praedicabatur, ut uerum esset quod a Domino
dictum est : *In iudicio mundi huius ueni, ut qui uident*
15 *non uideant, caeci uero respiciant* [k]. At illi magis clama-
bant [l], et demorante legis populo, uehementiorem fidei
suae protestantur calorem. Sed Dominus miseretur et

REP (= α) A (ab XX, 10,17 usque ad XX, 13,22) GSTM (= β)
13 accumbi R ‖ 15 cedendi : dis- E   con- S *Bad.*   cenandi T M
decenti R P *Cou.* ‖ **13**, 3 transiret E A T M ‖ et cetera *om.* A S ‖
4 duum R A G S ‖ 3 Israelitico T M *Cou.* ‖ 5 Seth T M ‖ 8 reddere
R P ‖ deprecantur β *edd.* ‖ 9 increpant R P A G S ‖ 14 iudicium
P S T M ‖ 15-16 clamant T M

---

f. Cf. Lc 14, 8-9
g. Cf. Lc 14, 10
h. Matth. 20, 29
i. Matth. 20, 30
j. Cf. Matth. 20, 31
k. Jn 9, 39

instruit par le biais d'un repas et d'un banquet, leur
rappelant qu'il ne faut pas prendre place au haut bout [27],
de peur que n'arrive quelqu'un de plus honorable et
qu'on ne soit invité par le maître du repas à quitter, par
une retraite outrageante, la place occupée [f] ; mais par
contre, si l'on a pris place au bas bout et que des convives
plus modestes arrivent, on accédera à la gloire d'une
place plus élevée [g]. Et ainsi il convient non de s'arroger
d'avance un honneur, mais de le mériter par des œuvres
d'humilité [28].

13. *Et alors qu'ils sortaient de Jéricho, une foule nom-*
breuse le suivit [h]. *Et voici que deux aveugles assis au-dessus de*
la route, entendirent que Jésus passait [i], etc. Précédemment,
à l'occasion de la figure des deux fils de Zébédée il a été
question du peuple d'Israël, qui était né de la race de
Sem. Il est donc heureux qu'au bord de la route s'assoient
deux aveugles, pour être les deux peuples de païens issus
de Cham et Japhet qui guettent les allées et venues du
Seigneur et le supplient de leur rendre la vue [j]. A la suite
de quoi la foule leur reproche leurs cris et leur commande
de se taire. Ce n'est pas comme marque d'honneur qu'elle
exigeait le silence, mais elle entend avec aigreur les
aveugles affirmer ce qu'elle niait, que le Seigneur est Fils
de David. En effet, aux esprits illuminés des aveugles Dieu
fait homme était enseigné, pour que cette parole du
Seigneur se vérifie : *Je suis venu à l'occasion du jugement*
de ce monde, pour que ceux qui voient ne voient pas et que ceux
qui sont aveugles regardent [k]. *Mais eux criaient plus fort* [l].
Le peuple de la Loi les retenant, ils redoublent d'ardeur
pour témoigner de la chaleur de leur foi. Mais le Seigneur

l. Matth. 20, 31

27. Ce haut bout est, dans l'usage romain, la place de l'invité
d'honneur qui s'attable étendu (*accubari*) sur le *lectus summus* : cf.
Dictionnaire des Antiquités, I, art. *cena*, p. 1278.

28. Principe énoncé dans la catéchèse testimoniale : cf. CYPR.,
testim., 3, 5 : « humilitatem et quietem in omnibus tenendam » et
illustré par « in euangelio secundum Matthaeum : *Diligunt primum*
recumbendi locum in cenis... » (*Matth.* 23, 6).

quid uolunt requirit [m], illi uero aperiri oculos suos pre-
B cantur [n]. Quibus misertus oculos contigit et uisum cognos-
20 cendi Dei reddidit. Atque ut typus crediturarum gentium expleretur, caelestis gratiae cognitione percepta,
qui caeci fuerant, uidentes Dominum sunt secuti [o].

21

1. *Tunc Iesus misit duos ex discipulis dicens : Ite in
castellum quod contra uos est* [a], et cetera. Duo discipuli
ad uicum mittuntur, ut asinam ligatam cum pullo eius
C absoluant atque ad eum perducant [b] ; et si quis interro-
5 get cur ita fiat, respondeant Domino necessarios ac statim
remittendos [c]. Post superiorem sermonem, quo in duobus
filiis Zebedaei duplicem ex Israel uocationem signifi-
catam meminimus, competenter nunc duo discipuli ad
soluendam asinam et pullum destinantur, quia duplex
10 erat ex gentibus plebis uocatio consecuta. Erant enim
atque sunt Samaritae profecti quondam per secessionem
ex lege et sub quadam obseruantiae suae consuetudine
seruientes ; erant etiam gentes indomitae et feroces. Igitur duo mittuntur, ut soluant ligatos et obstrictos et
15 erroris atque ignorantiae uinculis praepeditos, et mit-

REP (= α) A (ab XX, 10,17 usque ad XX, 13,22) GSTM (= β)
20 Dei : Domini P   Deum R E T M ǁ crediturum A S ǁ 22 *post*
Dominum *add.* suum P *Cou.*
    XXI tunc R P T M : tunc E G A S   CANON (CAPVT *Cou.*)
XXI tunc *edd.* ǁ 1, 1 *post* discipulis *add.* suis *edd.* ǁ 2 cetera : reliqua
β *om.* P ǁ 11 secessionem : cessionem G   successionem E S T M

m. Cf. Matth. 20, 32
n. Cf. Matth. 20, 33
o. Cf. Matth. 20, 34
a. Matth. 21, 1-2
b. Cf. Matth. 21, 2

a pitié et leur demande ce qu'ils veulent [m]. Eux supplient
que leurs yeux s'ouvrent [n]. Les ayant pris en pitié, il
leur toucha les yeux et leur rendit la vue qui est connaissance de Dieu [29]. Et pour que la figure des païens appelés
à croire trouve sa plénitude, une fois reçue la connaissance de la grâce céleste, ceux qui avaient été aveugles,
voyant le Seigneur, le suivirent [o].

Chapitre 21

1. *Alors Jésus envoya deux de ses disciples en leur
disant : Allez au bourg qui est en face de vous* [a], etc. Deux
disciples sont envoyés au village pour détacher une
ânesse qui est retenue avec son ânon et les amener à lui [b].
Et si on leur demande pourquoi ils font cela, ils doivent
répondre que ces bêtes sont nécessaires au Seigneur et
qu'elles seront renvoyées aussitôt [c]. Après le texte précédent, où nous nous rappelons que dans les deux fils
de Zébédée était signifiée la double vocation issue d'Israël,
il convient que maintenant deux disciples soient dépêchés
pour détacher une ânesse et son ânon, parce qu'une
double vocation de la foule devait provenir des païens.
Il y avait en effet et il y a des Samaritains qui avaient
jadis quitté la Loi à la suite d'une sécession [1] et qui
vivaient dans la dépendance, en pratiquant la soumis-
sion [2] ; il y avait aussi les païens rebelles et farouches.
Ainsi deux disciples sont envoyés pour détacher ceux
qui sont retenus et entravés par les liens de l'erreur

c. Cf. Matth. 21, 3

---

29. Emploi topique de la *iunctura* classique : *uideo et cognosco*
(cf. Cic., *Tim.*, 2).
1. Cette interprétation se trouve déjà dans Tert., *adu. Marc.*, 3,
13, 9 ; *adu. Iud.*, 9, 13.
2. N'étant plus sous la Loi, ils sont soumis à l'habitude : des
juristes opposent en effet *consuetudo* et *ius* (cf. Cic., *rep.*, 3, 41).

tuntur extra Hierusalem ; extra eam enim hae duae
uocationes habebantur. Ceterum mater filiorum Zebe-
D daei intra Hierusalem Dominum orauit, duabus enim
uocationibus Israel uel per apostolos uel per Ioannem
1035 A ex lege saluatur. Verum adaeque per Philippum Samaria credidit ᵈ ; per Petrum autem Cornelius Christo tamquam primitiae gentium adductus est ᵉ. Quod autem
instruuntur ut quaerenti respondeant Domino necessarios et mox remittendos, id est eos ipsos genti suae prae-
25 dicatores fidei euangelicae esse reddendos. Impleta igitur
est prophetia, quae inuectum asina et pullo nouo Dominum uenturum Hierusalem nuntiabat ᶠ. Sed gestorum
effectibus prophetatur. Asina namque de uico soluitur
atque exhibetur, Samaria uidelicet alieno et peregrino
30 obsessa dominatu per apostolos soluitur et Domino suo
redditur. Pullum uero idem Dominus ascendit nouellum,
contumacem, durum, atque haec omnia gentilis igno-
B rantiae uitia dominantur et tot animorum ferocitates
uectio Deo factae sunt.

2. Omnis autem haec species futuri ordinem tenet
et parabolicis significationibus rerumque praesentium
condicionibus futuri forma praemittitur. Aderit enim
Dominus in claritatis suae aduentu gentes possidens
5 earumque mentibus tamquam uector insidens toto
comitatus sui agmine praedicabitur patriarcharum, prophetarum atque apostolorum. Nam gloriam suam in
uestimentis patriarchae Domino substernent (eorum

REP (= α) GSTM (= β)
19 uel per Ioannem *om.* P ‖ 20 adaeque : aeque P S *Cou.* ad
eaque E   extra eam T M ‖ 24 et *om.* R P ‖ gentis T M ‖ 27 *ante*
Hierusalem *add.* in G S *edd.* ‖ 28 *post* namque *add.* quae P T M
Cou. ‖ 29 *post* Samaria *add.* est quae E   est T M ‖ 31 idem : *om.*
E P dum R *edd.* ‖ 33 uitiatae E P ‖ dominantur : domantur
(muntur T) S T¹ edomantur R ‖ animarum *Cou.* ‖ 34 uecto R *Bad.* ‖
2, 1 futuris R E ‖ 3 erit β *Bad. Cou.* ‖ 5 aductor T M ‖ 8 patriarcharum G S *Bad.* ‖ substernunt P β *edd.*

et de l'ignorance et ils sont envoyés hors de Jérusalem, car c'est en dehors de cette ville qu'il y avait ces deux vocations. Par contre, c'est à l'intérieur de Jérusalem que la mère des fils de Zébédée a prié le Seigneur, car c'est par deux vocations issues de la Loi qu'Israël est sauvé, celle qui passe par les apôtres et celle qui passe par Jean. Mais il y eut également la Samarie qui crut par Philippe [d] et Corneille qui fut amené au Christ par Pierre comme prémices des païens [e]. Le fait que les disciples sont instruits à répondre, si on les interroge, que les deux bêtes sont nécessaires au Seigneur et doivent être relâchées bientôt après veut dire que, prédicateurs de la foi évangélique, à leur tour ils doivent être donnés eux-mêmes à leur nation particulière. Ainsi est accomplie la prophétie qui annonçait que le Seigneur viendrait à Jérusalem monté sur une ânesse et un ânon tout jeune [f]. Mais la prophétie est donnée par les faits réels, car l'ânesse est détachée du bourg et est présentée : c'est-à-dire que la Samarie investie par la domination étrangère d'autrui, est détachée par les apôtres et rendue à son Seigneur. Le Seigneur également monte sur l'ânon, tout jeune, rebelle et dur, et voilà que tous ces défauts de l'ignorance païenne reçoivent un maître et que l'arrogance de tant d'esprits est devenue un véhicule pour Dieu.

2. Tout cet appareil observe l'ordre de l'avenir et, par des modes figurés d'expression ainsi que par les propriétés des faits présents, l'image de l'avenir est anticipée. En effet, à l'avènement de sa gloire, le Seigneur viendra, prenant possession des païens et, porté par leur esprit comme un cavalier, il sera confessé par toute la troupe de son escorte de patriarches, de prophètes et d'apôtres. Car, dans les vêtements il y a l'idée que les patriarches étendront leur gloire sous le Seigneur, — par leur naissance en effet, par leur nom, par leur persécution

---

d. Cf. Act. 8, 5
e. Cf. Act. 10, 5
f. Cf. Matth. 21, 4-5

enim et generationibus et nominibus et insectationibus
10 est Dominus prophetatus) eique omni dignitatis suae
ornatu concedentes seque sedili substernentes f' doce-
C bunt omnem gloriam suam praeparationi dominici
aduentus fuisse substratam. Illic etiam prophetae uestimenta sua incedentis itineri substernunt g ; hanc enim
15 uiam gentium uecturarum Deum praedicauerunt, quique
saeculi amore postposito mortibus se et lapidationibus
offerendo ipsis quodam modo corporibus exuerunt ad
ingressum uiae talis oblatis. Apostoli quoque excisarum
arborum ramos post uestimenta substernunt, sed nulla
20 in hoc est humani officii reuerentia. Rami enim ince-
dentem impedirent et implicitum iter facerent prope-
rantis ingressui, uerum explicatur omnis ratio prophetiae
et futuri forma seruatur. Igitur infructuosarum gen-
1036 A tium rami, id est infidelium quondam gentium fructus
25 per apostolos itineri Domini substernuntur et saluatoris
iustificantur ingressu et per 'eos inceditur et gratissi-
mum fit incedenti Deo ex ramis infecundae radicis
officium.

3. *Turba autem et praecedens et consequens clamabat :
Hosanna fili Dauid. Benedictus qui uenit in nomine
Domini* h. Sed crucifigendum quomodo turba collaudat
aut quomodo odium meruit ex fauore ? Verum laudatio-
5 nis uerba redemptionis in eo exprimunt potestatem.
Nam hosanna hebraico sermone significatur redemptio

REP (= α) GSTM (= β)
10 omnes R E ‖ 11 ornatus R E ‖ *post* sedili *add.* eius P S TM
Cou. ‖ 11-12 docebunt : -ceant R P G S *Bad. Era.* -cent T M
Cou. ‖ 14 incedentes P G S ‖ itineris G S ‖ 17 offerentes R ‖
post ipsis *add.* se *Cou.* ‖ 23 futuris R E ‖ 25 *post* saluatoris *add.*
Domini R ‖ 27 incedendi α ‖ **3**, 2 filio S T M

f'. Cf. Matth. 21, 7 ; Apoc. 4, 10
g. Cf. Matth. 21, 8
h. Matth. 21, 9

3. Noé par la naissance (cf. HIL., *myst.*, 1, 12), Josué par le nom

ils l'ont prophétisé [3] — et, se dessaisissant pour lui de tout
l'appareil de leur prestige [4], en se couchant sous son siège [f'],
ils enseigneront que toute leur gloire s'est couchée pour
préparer la venue du Seigneur. Pour l'heure, les habits qui
encore s'étendent sur le chemin [g] de celui qui s'avance sont
ceux des prophètes : ils ont annoncé en effet cette route
comme celle des païens qui transporteraient Dieu et celle
des hommes qui, sacrifiant l'amour du siècle en s'offrant à
la mort et aux lapidations [5], se sont dépouillés en quelque
sorte de leurs propres corps offerts dans l'intention que l'on
marche sur cette sorte de chemin. Les apôtres, à leur tour,
étendent, après les vêtements, des branches d'arbres coupés, mais il n'y avait pas dans ce geste l'accomplissement
respectueux d'un devoir humain, car les rameaux pouvaient
gêner celui qui s'avançait et embarrasser le chemin de
celui qui se hâtait pour entrer [6], mais tout un plan prophétique se déploie et l'image de l'avenir est sauvegardée.
Ainsi ce sont les branches des païens stériles, c'est-à-dire
les fruits des païens naguère incroyants qui sont étendus
par les apôtres sur la route du Seigneur et qui sont rendus
justes par les pas du Sauveur. Sa marche se déroule grâce
à eux et, pour Dieu qui s'avance, c'est un hommage très
agréable qui est rendu par les branches d'une tige stérile.

3. *La foule qui le précédait et le suivait s'écriait : Hosanna, Fils de David. Béni soit celui qui vient au nom du
Seigneur* [h]. Mais comment la foule couvre-t-elle d'éloges
celui qu'elle doit crucifier et comment a-t-il mérité sa
haine après avoir eu sa faveur ? En vérité les termes de
l'éloge indiquent chez lui le pouvoir de rédemption. Car
hosanna en hébreu veut dire : rédemption de la maison

(cf. Tert., *adu. Marc.*, 3, 16, 6 ; Hil., *myst.*, 2, 5), Isaac et Joseph
par le sacrifice (cf. Tert., *adu. Marc.*, 3, 18, 2-3).
    4. Victorin de Poetovio, *in apoc.*, 4, 7 a projeté de la même
façon sur l'hommage du peuple juif à l'entrée de Jésus à Jérusalem l'image des patriarches et des prophètes offrant au Christ la
palme de leur victoire sur le péché.
    5. Ainsi David d'après *I Sam.* 30, 6.
    6. Comme dans les scènes d'*aduentus* impérial : cf., à propos de
l'entrée de Vitellius en Italie, Tac., *hist.*, 2, 70 : « ... pars uiae quam
Cremonenses lauru rosaque construerant ».

domus Dauid. Deinde Dauid filium nuncupant, in quo
agnoscerent regni aeterni hereditatem. Postremo bene-
B dictum in nomine Domini confitentur. Atquin adclaman-
10 dum ab his erat *Crucifige* blasphemum [i]. Sed peragunt
formam futuri gesta praesentia et, compugnantibus licet
eorum inter quos haec gerebantur adfectibus, quamuis
mox diuersa essent consecutura, rerum tamen caelestium
fidem etiam inuitorum meditatur operatio. Commouetur
15 deinde Hierosolyma ; rerum enim nouitas motum adto-
nitis adferebat.

4. Templum uero introiit [j], id est ecclesiam traditae a
se praedicationis ingressus est. A qua primum omnia
sacerdotalis ministerii uitia iure potestatis expellit ; reddenda enim ab omnibus gratuita tradiderat, quae gratuita
C fuerant consecuti [k], quia neque emi aliquid per corruptelam sacerdotis aut uendi libertas doni debebat admit-
tere. Cathedras autem praecipue uendentium columbas
euertit. Quae porro dignitas est in nundinis columbarum ?
aut quod priuilegium in auium istarum commerciis
10 reseruatum est, ut uendentes eas honorem sibi adrogent
cathedrarum ? Sed in omni loco admonemus altius uerborum uirtutes in istius modi significationibus contuendas. In columba secundum prophetiae exempla sanctum
Spiritum intelligimus, in cathedra sacerdotii sedes est.
15 Ergo eorum qui sancti Spiritus donum uenale habent
cathedras euertit, quibus ministerium a Deo commissum
1037 A negotiatio est, admonitionis eius commemorans auctori-

REP (= α) A (ab XXI, 3,8 usque ad XXIII, 6,20) GSTM) = β)
8-9 *post* benedictum *add.* qui uenit T M *edd.* ‖ 4, 2 ingressus est :
ingressus R P A G S T *Bad.* ingressu A[2] T[1] M *Cou.* ‖ 7 praecipue :
precibus R P ‖ 9 commerciis : -cii R -cio P ‖ 11 admonemur R P A
G S T M *Bad.* ‖ 14 sacerdotum β *Bad.* ‖ 15 uenalem A G S

i. Lc 23, 21 = Jn 19, 6
j. Cf. Matth. 21, 12
k. Cf. Matth. 10, 8

de David [7]. Ensuite l'appellation Fils de David s'applique
à celui en qui l'on pouvait reconnaître l'héritage du
royaume éternel. Enfin il y a cette confession : Béni au
nom du Seigneur. Et pourtant ils devaient s'écrier en
blasphémant : *Crucifie-le* [i]. Mais les faits présents réalisent l'image de l'avenir, et même si les sentiments des
hommes qui participaient à ces événements se contre-
disent, et quelque opposés que dussent être ensuite leurs
effets, ce que des hommes font même involontairement
prépare à croire aux réalités célestes. Jérusalem ensuite
est en émoi, car l'étrangeté des faits jetait le trouble dans
les esprits épouvantés.

4. Et il entra dans le temple [j], autrement dit pénétra
dans l'Église à laquelle il a confié la tâche de le prêcher.
D'abord il en chasse, par un droit attaché à son pouvoir,
tout ce qui est vicieux dans le ministère des prêtres :
il leur avait remis ce qu'ils avaient obtenu gratuitement,
pour que tous le rendent gratuitement [k], parce que la
liberté du don ne devait pas admettre que l'on achetât
ou que l'on vendît quelque chose en corrompant un
prêtre [8]. Et il renverse les sièges des marchands de colombes surtout. Soit, mais quelle noblesse y a-t-il dans le
trafic des colombes ? Et quel privilège réservé au commerce
de ces oiseaux permet à ceux qui les vendent de s'arroger
l'honneur des sièges ? Mais à chaque occasion nous rappelons que dans des détails d'expression de cette espèce, il
faut approfondir l'étude de la portée des mots. Par colombe, nous entendons, à l'exemple de la prophétie, l'Esprit-Saint ; par siège, la chaire sacerdotale. Ainsi ce sont
ceux qui traitent l'Esprit-Saint comme un don vénal dont
il renverse les sièges, grâce auxquels la fonction confiée
par Dieu devient un négoce, leur rappelant cet avertisse-

7. Jérôme traite cette étymologie d'« invention ». Elle ne doit
rien à celle qu'on lit dans JUVENCUS, 3, 639-640. Elle vient sans
doute d'un *Onomasticon* différent de celui qu'a traduit Jérôme et qui
rend *Osanna* par *saluifica* (cf. F. WUTZ, *Onomastica sacra*, p. 335).
Le problème est posé par J. DANIÉLOU, « Hilaire et ses sources
juives », dans *Hilaire et son temps*, Paris 1969, p. 143-147.
8. Thème de diatribe développé dans CYPR., *laps.*, 6.

tatem quae in propheta teneatur. *Scriptum est : Domus
mea domus orationis uocabitur ; uos autem fecistis illam*
20 *speluncam latronum* [1]. Sed neque emere Iudaeos in Synagoga neque uenire Spiritum sanctum posse existimandum est. Non enim habebant ut ueniere possent
neque erat quod emere quis posset ; sed praefiguratio
futurorum dictis praesentibus continetur Ecclesiae uitia
25 in ipso aduentu dominicae claritatis esse purganda.

5. Infirmitates quoque caecorum et claudorum curauit
in templo [m] et publicas eius operationes fauor populi
consecutus est. Inuident autem puerorum clamoribus
principes sacerdotum [n] eumque admonent cur ista
B audiat [o] ; in redemptionem enim uenisse domus Dauid
praedicabatur. Quibus respondit non legisse eos : *Ex ore
infantium et lactantium perfecisti laudem* [p] ; cessantibus
enim prudentum iudiciis, hanc sibi a pueris atque infantibus, quorum sit regnum caelorum, confessionis gloriam
10 praeparatam, quia prudentes et principes saeculi sapien-
tiam Dei reprobauerint, Christum autem regenerationis
paruuli lactantesque sint praedicaturi. Et his dictis ciuitatem egressus reliquit eos atque in Bethania mansit [q],
infidelem uidelicet Synagogam deserens in Ecclesia gen-
15 tium demoratur.

6. *Mane autem transiens in ciuitatem esuriit et uidens
C arborem fici unam secus uiam uenit ad eam* [r], et reliqua.
Idem etiam rerum caelestium ordo praemittitur. Nam
in ficu Synagogae positum exemplum est. Dato enim

REP (= α) A (ab XXI, 3,8 usque ad XXIII, 6,20) GSTM (= β)
18 *ante* scriptum *add.* nam *Cou.* ‖ 20-21 synagogam R A G ‖
22 uendere E *edd. plures* ‖ possent : -ssint G -sset T M ‖ 25 Domini
A G S *Bad.* ‖ 5, 4 eumque : cumque R P ‖ 7 lactentium α T M
edd. ‖ 11 regenerationis : gene- S generationes T M generationem
A ‖ 12 paruulae A T M ‖ lactentes R E P T M *edd.* ‖ praedica-
turae A T M ‖ 6, 3 etiam : etiamnum A G S *Bad.* ‖ ordinum T M

1. Matth. 21, 13

ment de poids qui est contenu dans les mots du prophète : *Il est écrit : Ma maison sera appelée maison de prière, et vous en avez fait un repaire de brigands* [1]. Mais il ne faut pas penser que les Juifs puissent dans la Synagogue acheter ou vendre l'Esprit-Saint, car ils n'avaient pas le moyen de le vendre et ce n'était pas une chose que l'on pouvait acheter. Mais les paroles présentes contiennent l'annonce pour l'avenir que les vices de l'Église doivent être purifiés à l'avènement même de la gloire du Seigneur [9].

5. Il guérit aussi dans le temple les infirmités des aveugles et des boiteux [m], et ses actes publics ont obtenu la faveur du peuple. Mais les princes des prêtres sont jaloux des cris des enfants [n] et lui font des remarques sur le motif qu'il a de les écouter [o] — il était dit d'avance qu'il venait pour la rédemption de la maison de David. Il leur répondit qu'ils n'avaient pas lu : *Par la bouche des tout-petits et des nourrissons tu as réalisé ta louange* [p]. En effet, comme les jugements des sages faisaient défaut, les enfants et les tout-petits, auxquels le Royaume des cieux appartient, lui avaient préparé cette confession glorieuse, car si les sages et les princes du monde avaient condamné la sagesse de Dieu, les tout-petits et les nourrissons de la régénération allaient prêcher le Christ. Et à ces mots, sortant de la ville, il les quitta et resta à Béthanie [q]. Autrement dit, abandonnant la Synagogue infidèle, il s'arrête dans l'Église des païens.

6. *Le matin, il passa dans la cité et eut faim ; voyant un arbre le long de la route, il vint à lui* [r], et la suite. Ici encore l'ordre des faits célestes est anticipé, car le figuier sert d'exemple pour la Synagogue. Accordant au repentir

m. Cf. Matth. 21, 14
n. Cf. Matth. 21, 15
o. Cf. Matth. 21, 16
p. Matth. 21, 16
q. Cf. Matth. 21, 17
r. Matth. 21, 18-19

9. Schéma hérité de TERT., *adu. Marc.*, 3, 7, 7.

Hilaire de Poitiers. II.

5 paenitentiae spatio, eo uidelicet tempore quod inter passionem et reditum claritatis est medium ueniet esuriens
plebis huius salutem et inueniet infecundam, foliis tan-
tummodo uestitam, id est uerbis inanibus gloriantem,
sed fructibus uacuam, operibus quippe bonis sterilem,
10 et exspectatis prouentibus nudam. Et quia paenitendi
tempus excesserit, in perpetuum sententia iudicii caelestis
arescet. Et in eo quidem bonitatis dominicae argumentum reperiemus. Nam ubi adferre uoluit procuratae per
se salutis exemplum, uirtutis suae potestatem in huma-
15 nis corporibus exercuit spem futurorum et animae salu-
D tem curis praesentium aegritudinum commendans. Nunc
uero ubi in contumacis formam seueritatis constituebat,
futuri speciem damno arboris indicauit, ut infidelitatis
periculum sine detrimento eorum, in quorum redemp-
20 tionem uenerat, doceretur.

7. Admirantur uero discipuli arborem in momento
1038 A dicti ipsius aruisse [s], quia praesentis facti efficacia futuri
imaginem praeferebat. Cum enim in regno caelesti adue-
nerit, in tempore ipso aduentus eius infidelitatis Iudai-
5 cae sterilitatem aeternae damnationis sententia consequetur. Quos Dominus, si fidem habuerint, non solum
haec, sed et maiora horum eos posse confirmat. Illi
quidem iudicaturi erant Israel secundum antecedentes
sponsiones, sed etiam ius omne in diabolum, quem mon-
10 tem nuncupat, essent consecuturi. Ait enim ita : *Si fidem
habueritis, non solum de ficulnea facietis, sed et si monti
huic dixeritis : Tolle et iacta te in mari, fiet* [t]. O ingens
fidei praemium, cuius merito in tantum potestas creden-

REP (= α) A (ab XXI, 3,8 usque ad XXIII, 6,20) GSTM (= β)
5 eo *om.* β *Bad.* || quod : quo R || 11 sententiam A S || 12 arescit
R P || 17 contumaces T M *Cou.* || 20 doceretur : indicaretur β *Bad.* ||
7, 7 horum : eorum R P G S *Bad.* || 11 et *om.* A S || 12 et *om.* A G S T[1]
edd. plures || mari : mari et A G S   mare *Bad.*

---

s. Cf. Matth. 21, 20
t. Matth. 21, 21

un délai, c'est-à-dire le temps situé entre sa Passion et
son retour glorieux [10], il viendra affamé du salut de ce
peuple et le trouvera stérile, vêtu seulement de feuilles,
autrement dit se glorifiant de mots vides, sans fruits,
j'entends dépourvu d'œuvres bonnes et dénué des récoltes
espérées. Et parce que le temps du repentir sera passé,
la sentence du jugement céleste le desséchera pour toujours. Et dans cette action nous trouverons une preuve
de la bonté du Seigneur. Quand il a voulu en effet offrir
un exemple du salut administré par ses soins, il a exercé
la puissance de sa vertu sur les corps humains, faisant
désirer l'espérance des biens à venir et le salut de l'âme
à cause des soucis dus aux chagrins présents. Mais maintenant qu'il fixait la norme de sa sévérité à l'égard
d'hommes rebelles, il révéla la figure de l'avenir dans
le dommage causé à l'arbre, en montrant le péril de
l'incroyance qui ne touchait pas ceux qu'il était venu
racheter.

7. Les disciples s'étonnent que l'arbre ait séché dans
le temps d'une simple parole [s], parce que la réalité de
l'acte présent offrait d'avance une image de l'avenir. En
effet, quand il sera venu dans le Royaume des cieux, à
l'heure même de son avènement, la stérilité de l'incroyance
juive sera frappée par la sentence d'une condamnation
éternelle. Et aux disciples le Seigneur garantit que, s'ils
avaient la foi, ils pourraient faire non seulement la même
chose, mais encore des choses plus grandes. Sans doute
ils devaient juger Israël en vertu des promesses antérieures, mais ils obtiendraient aussi tout pouvoir sur le
diable appelé montagne, selon ce qu'il leur dit : *Si vous
avez la foi, non seulement vous ferez cela au figuier, mais
si vous dites à cette montagne : Soulève-toi et jette-toi dans la
mer, cela se fera* [t]. Ô prix démesuré de la foi, par le mérite
de laquelle la puissance des croyants s'élève si haut que,

---

10. TERT., *apol.*, 39, 2-3 affirme que les chrétiens prient pour un
délai (*mora*) avant la fin du monde. Hilaire conçoit ce délai comme
le temps que Dieu accorde aux pécheurs pour se repentir (cf. *II
Tim.* 2, 25).

tium extollitur, ut iudicaturi uniuersos pari seueritatis
B sententia in damnationem saeculi diaboli celsitudinem
molemque demergant !

8. Contuendum autem est qua ratione Synagoga
ficus arbori comparetur. Haec namque arbor dissimi-
liter a ceterarum arborum et natura et condicione flo-
rescit. Nam flos ei primus in pomis est, sed non his quae
5 maturitatem ut emerserint consequentur. Grossa enim
haec et communis usus et prophetica auctoritas [u] nuncupauit. Verum postea internae fecunditatis uirtute exu-
berante, eiusdem speciei atque formae poma prorumpunt, quibus prorumpentibus ista truduntur et, dissolutis
10 quibus continebantur radicibus, decidunt aliaque illa
exeuntia usque ad maturitatem fructuum prouehuntur.
Sed de superioribus illis si quando inciderit ut in sinu
C uirgularum ex ramulo eodem prodeuntium emerserint,
manent semper et non sicut grossa cetera decidunt,
15 sed haerent sola tantum pomaque cetera maturitate
praeueniunt. Et hos pulcherrimos fructus arbor illa ex
se dabit, qui cum grossis ceteris promergentes de medio
utrarumque uirgularum clauiculo proferentur. Igitur
ex condicione arboris propria et competens Synagogae
20 similitudo proposita est.

9. Primos enim populi fructus quos ab exordio protu-
lerat grossorum amisit exemplo, quia plebem eius inutilem fidelis et pertinax et usque ad consummationem
temporum manens populus gentium protrusit. Verumta-
D men credentes primi ex Israel apostoli et inter legem et
euangelia grossorum modo inhaerentes ceteros resurrec-

REP (= α) A (ab XXI, 3,8 usque ad XXIII, 6,20) GSTM (= β)
15 damnatione A G S *Bad* ‖ **8**, 3 et[1] *om.* A T M ‖ 4 *ante* his *add.*
in PAST M *Cou.* ‖ 5 consequantur R T M *Cou.* ‖ 8-9 prorumpunt
quibus *om.* A S ‖ **9**, 2 grossarum P A G S T[ac] ‖ 5 et[2] *om.* A S ‖ 6
grossarum P A S

u. Cf. Nahum 3, 12

lors du jugement universel, ils précipiteront avec la sévérité d'un même verdict la hauteur et la masse diaboliques dans la condamnation réservée au siècle !

8. Mais il faut étudier sous quel rapport la Synagogue est comparée au figuier [11]. La floraison de cet arbre diffère de celle des autres arbres par sa nature et son régime. Car sa première fleur est dans les fruits, mais non dans ceux qui une fois sortis arriveront à maturité. Il y a en effet ces fruits appelés figues vertes selon l'usage commun et l'autorité prophétique [u]. Mais après elles, la force de la fécondité interne étant exubérante, des fruits de même aspect et de même forme éclatent et, éclatant, poussent les premiers, lesquels, quand les racines qui les maintenaient sont pourries, tombent, et ces autres pousses qui sortent prospèrent jusqu'à la maturité des fruits. Mais s'il arrive que parmi ces premiers fruits il en est qui sont sortis à l'angle des rameaux poussant de la même branche, ils demeurent toujours et ne tombent pas comme les autres figues vertes, mais sont les seuls à rester attachés et devancent les autres fruits par la maturité. Et cet arbre produira de son fonds ces fruits merveilleux qui, surgissant avec les autres figues vertes, pousseront du renflement qui est au milieu de deux rameaux. Ainsi se développe, à partir du régime de cet arbre, une comparaison appropriée et adaptée à la Synagogue [12].

9. A l'exemple des figues vertes, celle-ci a perdu les premiers fruits que depuis le début son peuple avait produits, parce que sa foule improductive a été poussée dehors par le peuple des païens fidèle, endurant et constant jusqu'à la consommation des siècles. Cependant les apôtres, qui sont les premiers croyants venus d'Israël et qui sont fixés entre la Loi et les Évangiles à la manière des figues vertes, précéderont les autres par la gloire et le

11. La notice sur le figuier et ses fruits est faite à l'aide de Plin., *nat.*, 13, 7 (14) et 15, 18 (19) : cf. notre *Hilaire de Poitiers...*, p. 306, n. 3.

12. Tert., *resurr.*, 33, 5 compare le figuier à la *Iudaica infructuositas*.

tionis gloria et tempore anteibunt. Et quidem iam in
exordio Genesis [v] in huius rei formam pudorem suum
Adam atque Eua huius arboris foliis texerunt, cum se
10 ipsos ad aduentum Domini uocantis occulerent, quia
Synagoga infidelis et legis mandata transgrediens impu-
1039 A dentiae sua foeditates et turpitudinum confusionem
infructuosis esset uerborum uelamentis tamquam ficus
foliis contectura. Atque haec quidem de natura arboris
15 interiecta sunt, ut comparationis proprietas intelligi posset. Reliquus itaque gestorum ordo est contuendus.

10. Pharisaei multa exinde uiderant ingentibus magis
digna miraculis, sed nunc maxime solliciti sunt et interrogant in qua haec faciat potestate [w]. Res enim sub praesentium gestorum effectibus ingens futurorum complec-
5 tebatur arcanum. Atque idcirco ex eo specialiter inter-
rogandi reperitur instinctus, sub quo totius periculi prae-
B formatio proferebatur. Dominus respondit dicturum esse
se in qua haec faceret potestate [x], si modo illi interroganti sibi respondissent, Ioannis baptisma utrum de
10 caelo aut ex hominibus putarent esse [y]. At illi responsionis periculo cunctantur cogitantes, si de caelo pro-
fessi essent, confessione sua se reos deprehendendos, cur
caelestis testimonii auctoritati non credidissent ; si ex
hominibus dixissent, turbas uerebantur [z] ; plures enim
15 prophetam Ioannem habebant. Responderunt itaque
nescire se [a] (non utique de caelo nesciebant), cum conuinci

---

REP (= α) A (ab XXI, 3,8 usque ad XXIII, 6,20) GSTM (= β)
11-12 impudentiam T M ‖ 12 foeditatis G T M ‖ 14 *post* arboris
add. huius R T M *Cou.* ‖ **10**, 7 respondet T M *Cou.* ‖ 10-11 *post* responsionis *add.* suae T M *Cou.* ‖ 12 reprehendendos β *Bad.*

---

v. Cf. Gen. 3, 7
w. Cf. Matth. 21, 23
x. Cf. Matth. 21, 24
y. Cf. Matth. 21, 25
z. Cf. Matth. 21, 26

moment de leur résurrection [13]. Et pour figurer ce fait,
déjà au début de la Genèse [v], Adam et Ève ont couvert
l'objet de leur honte au moyen des feuilles de cet arbre,
en se cachant eux-mêmes à l'arrivée du Seigneur qui les
appelait, parce que la Synagogue infidèle, transgressant les
commandements de la Loi, devait couvrir les horreurs
de son impudence et la confusion de ses turpitudes sous
le voile stérile des mots [14] comparable aux feuilles de
figuier. Voilà les détails que nous avons insérés ici sur la
nature de cet arbre, pour que l'on pût saisir l'exactitude
de la comparaison. Il faut donc examiner la suite de
l'ordre des faits.

10. Les Pharisiens, depuis le temps, avaient vu beaucoup de choses plus dignes de puissants prodiges, mais
c'est maintenant que leur inquiétude est la plus vive,
et ils lui demandent au nom de quel pouvoir il fait cela [w].
L'événement exprimait, sous la réalité des faits présents,
le vaste mystère de l'avenir. C'est pour cela qu'on les trouve
incités à l'interroger spécialement après un événement
sous lequel se profilait la figure d'un danger général.
Le Seigneur répondit qu'il dirait au nom de quel pouvoir
il fait cela [x], si seulement ils lui répondaient quand il leur
demandait s'ils pensaient que le baptême de Jean venait
du ciel ou des hommes [y]. Mais eux hésitent devant le
danger encouru par leur réponse, pensant que s'ils
avouaient qu'il venait du ciel, ils seraient reconnus coupables par leur aveu, pour n'avoir pas cru à l'autorité
d'un témoignage venu du ciel. S'ils disaient qu'il venait
des hommes, ils craignaient les foules [z], car ils étaient
assez nombreux à tenir Jean pour un prophète. Ils répondirent donc qu'ils ne savaient pas [a], tout en sachant

a. Cf. Matth. 21, 27

---

13. Sur cette idée cf. *supra*, 14, note 22.
14. Le travesti des mots est une métaphore de rhéteurs (cf.
Qvint., *inst.*, 2, 15, 25) employée dans l'apologétique chrétienne
(Cypr., *ad Donat.*, 2 ; Lact., *inst.*, 5, 1, 18-19) avec une valeur péjo-
rative : Tert., *apol.*, 46, 18 oppose le *philosophus famae negotiator*,
uerborum operator au *Christianus uitae negotiator*, *factorum operator*.

ueritate professionis suae metuunt. Sed uerum de se
etiam cum fallendi uoluntate dixerunt. Per infidelitatem
enim suam de caelo esse Ioannis baptisma nescierunt.
20 Quod autem ex hominibus esset, idcirco non potuerunt
C scire, quia non erat.

11. *Homo quidam habebat duos filios* [b], et reliqua.
Multa et grauia sunt quae confundere intelligentiam
possint, nisi prioris et posterioris sensus ordinem tenue-
rimus. Quis enim hic existimari poterit filius senior, qui
5 iturum se ad opus negauerit et per paenitentiam emen-
datus eo rursum profectus sit [c] ? Atquin Israel non
paenituit, sed in Dominum manus intulit et uniuersitas
eius Deum suum impio ore crucifixit. Iuniorem autem
quem sentiemus, qui iturum se spoponderit et non
10 abierit [d] ? Sed gentium peccatorumque plebs id quod
spopondit effecit. Abiit enim et ad opus ad quod uoca-
batur egressa est : quomodo ergo ea esse quae non abiit
D sentietur ?

1040 A   **12.** Deinde ipsa Pharisaeorum responsio quid momenti
habeat, quaerendum est. Dicunt uoluntati iuniorem
oboedisse [e]. Hoc rerum ratio non patitur, ut simulata
professio meritum perfectae ueritatis obtineat, ut plus
5 sit fefellisse spondentem quam perfecisse omnia non
pollicentem. Quis autem non malit negari sibi id quod
poscat, dummodo id quod poposcerit fiat quam non
fieri quod spondeatur ut fiat, cum facti effectus ex desperatione sit gratior, spes autem destituta plus doleat,

---

REP (= α) A (ab XXI, 3,8 usque ad XXIII, 6,20) GSTM (= β)
17 ueritatem A S ‖ **11,** 3 possint : -ssent R P -ssunt T M *Cou.* ‖
4 potuerit A S^ac T M ‖ 7 paenituit : -teat A G S -tet R ‖ uniuersa
A S ‖ 12 isse R T M ‖ **12,** 6 id *om.* β ‖ 9 grauior A S

---

b. Matth. 21, 28
c. Cf. Matth. 21, 29
d. Cf. Matth. 21, 30
e. Cf. Matth. 21, 31

qu'il venait du ciel, parce qu'ils craignent que la vérité
de leur aveu ne les accuse [15]. Mais même avec la volonté
de tromper ils ont dit la vérité sur eux-mêmes, car
c'est en raison de leur incroyance qu'ils ignorèrent que
le baptême de Jean venait du ciel. Et s'il venait des
hommes, ils n'ont pu le savoir, puisque cela n'était
pas.

11. *Un homme avait deux fils* [b], et la suite. Il y a beaucoup de faits embarrassants qui pourraient jeter le trouble
dans notre intelligence, si nous n'observions l'ordre des
idées qui précèdent et qui suivent. Qui pourra en effet
regarder comme l'aîné celui qui a dit qu'il n'irait pas au
travail et qui, se reprenant sous l'effet d'un repentir
purifiant, y est parti [c] ; or Israël ne s'est pas repenti,
mais a porté la main sur le Seigneur et, dans sa généralité,
il a crucifié son Dieu d'une bouche impie. Qui verrons-
nous dans le plus jeune qui a promis qu'il irait et n'est
pas allé [d] ? La foule des païens et des pécheurs ? Mais
elle a fait ce qu'elle a promis, car elle est partie et est
sortie pour aller au travail où on l'appelait. Comment
donc verra-t-on en elle celui qui n'est pas parti ?

12. Ensuite, il faut se demander quelle importance a
en elle-même la réponse des Pharisiens. Ils disent que
c'est le plus jeune qui a obéi à la volonté (du Père) [e].
L'état de choses normal n'admet pas qu'un engagement
simulé possède la valeur de la vérité parfaite, en sorte
qu'il y ait avantage à trahir sa promesse plutôt qu'à
tout accomplir sans promettre [16]. Et qui ne préférerait
pas qu'on lui refuse ce qu'il demande, pourvu que se
réalise ce qu'il a demandé, plutôt que de ne pas voir se
réaliser ce qu'on promet de faire, du fait que la réalisation
d'un acte est mieux accueillie quand on désespérait d'elle,
tandis qu'il y a plus de souffrance dans l'espoir déçu [17],
à moins que la volonté de ceux qui demandent ne soit

15. Argument utilisé dans la polémique anti-épicurienne : cf. Cic.,
fin., 2, 99 : « conuincuntur scripta (Epicuri) probitate ipsius ».
16. Définition empruntée à Cic., *off.*, 3, 20, 82.
17. Analyse inspirée par Cic., *Tusc.*, 4, 8, 18.

10 nisi forte poscentium uoluntas sola sibi adulatione
spondentium blandiatur ?

13. Recordandum igitur est propositionem comparationis istius ex eo sermone descendere qui initus sit de
B Ioanne, ut infidelitatis cunctationem et ex ea silentii
necessitatem istiusmodi positum obiurgaret exemplum.
5 Sed sicut in ceteris admonuimus, hic quoque meminisse
nos oportet, rationi rerum praesentium aliquid interdum
ea condicione deesse, ut futurorum species sine damno
aliquo praefiguratae efficientiae expleatur. Primus est
filius populus ex Pharisaeis in praesens a Deo per Ioan-
10 nis prophetiam ut praeceptis suis obtemperaret admonitus. Hic insolens et inoboediens et dictis praesentibus
contumax fuit habens in lege fiduciam et paenitentiam
peccatorum gloria praerogatiuae ex Abraham nobili-
tatis aspernans, qui deinceps operum miraculis post
15 Domini resurrectionem paenitens sub apostolis credidit,
facti fide ad uoluntatem euangelicae operationis regres-
sus anterioris insolentiae culpam paenitendo confessus
C est.

14. Filius autem minor plebs est publicanorum et
peccatorum ipsa peccati in qua tum demorabatur condicione posterior, cui praeceptum sit per Ioannem ut a
Christo exspectaret salutem et ab eo baptizata crediderit.
5 Sed quod ait spopondisse eam ituram se et non isse, ostendit credidisse eam quidem Ioanni, sed quia euangelicam
accipere doctrinam non nisi post passionem Domini
per apostolos potuit (tum enim erant humanae salutis
sacramenta peragenda), non isse eam significat. Denique
10 non ait noluisse, sed non abiisse. Res extra culpam infidelitatis est, quia in facti erat difficultate ne fieret. Non

REP (= α) A (ab XXI, 3,8 usque ad XXIII, 6,20) GSTM (= β)
13, 4 necessitate (in n. S) R A S *Bad.* || *post* positum *add.* quo eos
G T M quae eos A S || 9 populus *om.* T M || 15 credit A G S || **14,** 2
quantum β

flattée par la simple adulation de ceux qui leur font des promesses.

13. Il faut se rappeler que le thème de cette parabole découle de la conversation engagée au sujet de Jean, de façon que la leçon proposée de cette manière blâme l'hésitation de l'incroyance et l'obligation du silence qui en découle [18]. Mais comme nous l'avons indiqué ailleurs [19], il faut se rappeler ici aussi que si l'explication des événements présents offre parfois quelque défaillance, c'est pour que l'image de l'avenir se réalise, mais sans porter atteinte à la réalité qui donne lieu à une figure. Le premier fils est le peuple issu des Pharisiens [20] et avisé par Dieu de façon pressante grâce à la prophétie de Jean d'avoir à obéir à ses commandements. Ce peuple a été arrogant, désobéissant et rebelle aux avertissements pressants, car il mettait son assurance dans la Loi et méprisait le repentir des péchés, glorieux de la noble prérogative qu'il tenait d'Abraham ; mais par la suite, comme devant les miracles opérés après la résurrection du Seigneur, pris de repentir il a cru au temps des apôtres, revenant devant la réalité des faits à la volonté d'agir selon l'Évangile et se repentant, il a avoué la faute de son arrogance première.

14. Le fils cadet est la foule des publicains et des pécheurs qui, venant après dans la condition pécheresse où elle demeurait alors, a reçu de Jean l'ordre d'attendre du Christ le salut et de croire, ayant été baptisée par lui. Mais quand il dit qu'elle a promis d'aller et qu'elle n'est pas allée, le Seigneur montre qu'elle a cru en Jean, mais, parce qu'elle n'a pu recevoir la doctrine évangélique qu'après la Passion du Seigneur grâce aux apôtres — c'est alors que les mystères du salut devaient être accomplis —, il indique qu'elle n'est pas allée. En effet, il dit non pas qu'elle n'a pas voulu, mais qu'elle n'est pas allée. Sa conduite échappe au grief d'incroyance, parce que la difficulté de la réalisation empêchait qu'elle eût lieu. Il

---

18. Cf. *supra*, 21, 10.
19. Cf. *supra*, 7, 1 ; 19, 4.
20. Reprise du schéma des deux vocations issues d'Israël exposé *supra*, 20, 11.

igitur ire statim ad opus quod praeceptum est noluit, sed
D quia ire non poterat, non iit. In eo enim necessitatis
mora sine crimine uoluntatis ostenditur.

1041 A　　**15.** Et in responsione quidem Pharisaeorum quaedam
est necessitas prophetiae. Nam inuiti licet confitentur
quis obsecutus sit uoluntati, iunior scilicet filius oboediens professione, licet non efficiens in tempore, quia
5 fides sola iustificat. Atque ideo publicani et meretrices in
regno caelorum erunt priores [f], quia Ioanni crediderint [g]
et in remissionem peccatorum baptizati in aduentum
Christi confessi sint, curationum opera laudauerint, sacramentum passionis acceperint, uirtutem resurrectionis
10 agnouerint. Principes autem sacerdotum et Pharisaei
uidentes haec et contemnentes, qui iustificati per fidem
non erant, nec per paenitentiam regressi sunt ad salutem, atque ideo in perpetuum fructus eorum sub male-
B dictione ea quae in arbore ficu praeformabatur arescet.

22

1. *Aliam parabolam audite. Homo erat paterfamilias
et plantauit uineam et sepem circumdedit ei et fodit in ea
torcular et turrem aedificauit* [a], et cetera. Quaestio omnis
in absoluto est. Nam etiam ipsi principes sacerdotum
5 et Pharisaei de se dici haec intelligentes [a'] in iram accensi
sunt. Sed personarum proprietas et rerum compara-

REP (= α) A (ab XXI, 3,8 usque ad XXIII, 6,20) GSTM (= β)
15, 6 caelorum *om.* β ǁ 11 condemnantes R P ǁ 14 ficu (-us T M)
arbore P β *Bad.* ǁ arescit β *Bad.*
XXII aliam R T : aliam P A G S　　CANON (CAPVT M *Cou.*)
XXII aliam M *edd.* ǁ **1,** 3 cetera : reliqua β *edd.*

f. Cf. Matth. 21, 31
g. Cf. Matth. 21, 32
a. Matth. 21, 33
a'. Cf. Matth. 21, 45

est donc faux que le fils n'ait pas voulu se rendre aussitôt au travail qui lui était prescrit, mais il n'y est pas allé, parce qu'il ne pouvait pas y aller. Dans ce cas, en effet, l'obstacle de la nécessité est mis en évidence, sans qu'il y ait lieu d'incriminer la volonté [21].

15. Et dans la réponse des Pharisiens il y a comme une nécessité prophétique, car ils reconnaissent, même à contre-cœur, lequel s'est plié à la volonté du père, c'est-à-dire le plus jeune fils qui fait profession d'obéissance, même s'il n'agit pas à temps car la foi seule justifie. Et la raison pour laquelle les publicains et les courtisanes seront les premiers dans le Royaume des cieux [f], c'est qu'ils ont cru en Jean [g], que baptisés en vue de la rémission des péchés, ils ont fait un aveu d'adhésion à l'avènement du Christ, loué les guérisons qu'il a opérées, accepté le mystère de sa Passion, reconnu la puissance de sa résurrection. Mais les princes des prêtres et les Pharisiens, à la vue de ces choses qu'ils méprisaient, n'étant pas justifiés par la foi, n'ont pas eu le remords qui les fît revenir au salut, et c'est pourquoi leur fruit pour toujours sera desséché sous le coup de la malédiction qui était préfigurée dans le figuier.

Chapitre 22

1. *Écoutez une autre parabole. Un homme était maître de maison et il planta une vigne, l'entoura d'une clôture, creusa un pressoir et bâtit une tour* [a], etc. L'ensemble pose une question qui est claire. En effet les princes des prêtres et les Pharisiens, comprenant d'eux-mêmes [a'] que ces propos les concernaient, s'enflammèrent de colère. Mais il faut présenter le caractère propre des personnages et des choses qui sont l'objet de comparaisons. Le maître

---

21. L'antithèse entre *necessitas* et *uoluntas* est classique : cf. Cɪc., *off.*, 3, 3.

tiones sunt proferendae. Patremfamilias hic patrem
C Deum intelligimus, qui populum Israel in prouentus
optimorum fructuum plantauerit b quique eos sanctifi-
10 catione paterni nominis, id est nobilitate Abrahae et
Isaac et Iacob intra fines suos tamquam septo aliquo
custodiae peculiaris incluserit, prophetas quoque quaedam quasi torcularia aptauerit, in quos musti modo
quaedam ubertas sancti Spiritus feruentis influeret, in
15 turrem autem eminentiam legis exstruxerit, quae et in
caelum ex solo egressa proueheret et ex qua speculari
1042 A Christi posset aduentus. In colonis uero principum sacerdotum et Pharisaeorum est species, quibus in plebem
potestas est permissa doctrinae.

2. In seruis uero, qui missi sunt ut fructus perciperent c,
uarius et saepe repetitus progressus est prophetarum d.
Missi autem rursum plures prioribus tempus illud est
quo post singulorum praedicationem plurimus in unum
5 prophetantium numerus emissus est qui uariis tempori-
ribus uerberati et lapidati et occisi sunt e fructus ins-
titutae plebis edoctaeque repetentes. In filio uero ad
ultimum misso Domini nostri et aduentus et passio est,
qui extra Hierusalem tamquam extra uineam in senten-
B tiam damnationis abiectus est. Consilium uero colonorum
et hereditatis, occiso herede, praesumptio f spes ina-

REP (= α) A (ab XXI, 3,8 usque ad XXIII, 6,20) GSTM (= β)
11 et *om.* T M ‖ 13 multimoda (-de P) R P ‖ 15 turrem : -rrim E
-rre β -rri *Cou.* ‖ 16-17 Christi speculari α *Gil.*[2] ‖ 2, 2 uarios
A S

b. Cf. Jér. 2, 21
c. Cf. Matth. 21, 34
d. Cf. Matth. 21, 36
e. Cf. Matth. 21, 35
f. Cf. Matth. 21, 38-39

1. « Le Seigneur te garde », chante le Psalmiste dans *Ps.* 120,
6-8.

de maison, nous comprenons ici que c'est Dieu le Père
qui, ayant planté le peuple d'Israël en vue de récolter
des fruits excellents [b], par la sainteté du nom de ses pères,
c'est-à-dire par la noblesse d'Abraham, d'Isaac et de
Jacob, l'a tenu enfermé dans son territoire comme dans
l'enclos d'une protection particulière [1], puis a aménagé
des sortes de pressoirs qui sont les prophètes, où coule-
rait pour ainsi dire la fécondité de l'Esprit-Saint bouil-
lonnant à la façon du vin nouveau [2], enfin a dressé en
forme de tour l'éminence de la Loi [3], pour que, sortant
du sol, elle s'élève jusqu'au ciel et pour que d'elle on
pût observer l'avènement du Christ. Dans les fermiers,
il y a l'image des princes des prêtres et des Pharisiens
auxquels a été remis un pouvoir sur le peuple pour qu'il
fût enseigné.

   2. Dans les serviteurs qui ont été envoyés pour perce-
voir les fruits [c], il y a l'avant-garde des prophètes à qui
sous des formes diverses on a souvent fait appel [d]. L'envoi
à nouveau d'un nombre plus élevé d'entre eux que la
première fois a eu lieu quand, après la prédication de
quelques isolés [4], a été dépêché un nombre considérable
d'hommes qui, dans leurs prophéties, ne visaient qu'un
nom et qui à diverses époques ont été frappés, lapidés,
et tués [e], parce qu'ils cherchaient à recueillir les fruits d'un
peuple qu'ils avaient formé et instruit. Dans la mission du
fils pour terminer, il y a l'avènement et la passion de
notre Seigneur qui a été rejeté hors de Jérusalem comme de
la vigne, pour subir une sentence de condamnation. L'intention des fermiers et, une fois l'héritier tué, la présomption d'héritage [f] représentent l'espoir inconsistant que la

---

   2. Combinaison d'images provenant du second chapitre des
Actes : on dit des Apôtres : « ils sont pleins de vin doux » (*Act.* 2,
13) et Pierre d'ajouter : « Non, ces gens ne sont pas ivres... Mais
c'est bien ce qu'a dit le Prophète Joël : Il se fera, dit le Seigneur,
que je répandrai de mon Esprit sur toute chair » (*Act.* 2, 15-17).
   3. Paul dans *II Cor.* 3, 10 parle de l'*excellens gloria* du « ministère de la Loi ».
   4. Ce sont les prophètes anonymes évoqués dans *Sir.* 44, 3
avant les grands prophètes célébrés dans les chapitres 47 à 49.

nis est gloriam legis, perempto Christo, posse retineri.
In patrisfamiliae reditu [g] tempore iudicii gloria est in
filio paternae maiestatis adsistens [h]. In responsione
15 autem ipsorum principum et Pharisaeorum [i] redditur
dignius apostolis legis hereditas. Sed hic Filius lapis est
ab aedificantibus improbatus et in fastigium angularis
erectus et in oculis omnium mirabilis [j] et inter legem
atque gentes lateris et aedificii utriusque coniunctio.

3. *Simile est regnum caelorum homini regi qui fecit*
nuptias filio suo et misit seruos suos uocare inuitatos ad
C *nuptias* [k], et cetera. Et haec quidem parabola distinguenda temporibus est et dignoscenda personis est. De
5 persona regis et filii absoluta intelligentia est. Fecisse
autem patrem nuptias filio et sic inuitasse noua ratio est.
Nam nuptias facere et auctoris et temporis est nuptiarum.
Verum hic nuptiae uitae caelestis et in resurrectione
suscipiendae aeternae gloriae sacramentum est. Merito
10 igitur a Patre sunt factae, quia aeternitatis huius societas et noui corporis desponsata coniunctio iam perfecta
1043 A habebatur in Christo. Et in hoc quidem loco admone-
bimus ita, ut et in superiore ubi de repudii condicione

REP (= α) A (ab XXI, 3,8 usque ad XXIII, 6,20) GSTM (= β)
|| 13 familias *edd.* 17 in : ad P *om.* E[ac] A[ac] S || 18 electus β
Bad. || **3,** 1 XXIII simile P || 3 et cetera *om.* P β || 6 filii A G S
Bad. || 11 desponsa R P A G S *Bad. Cou.* || coniunctione R P

---

g. Cf. Matth. 21, 40
h. Cf. Matth. 16, 27
i. Cf. Matth. 21, 41
j. Cf. Matth. 21, 42
k. Matth. 22, 2-3

---

5. Souvenir de plusieurs versets amalgamés de *Rom.* 3 : « Maintenant, sans la Loi, la justice de Dieu s'est manifestée... en vertu
de la rédemption dans le Christ Jésus (*Rom.* 3, 21 et 24)... Où est
donc le droit de se glorifier ? » (*Rom.* 3, 27) (trad. S. Lyonnet).

6. Sur les apôtres comme vocation issue de la Loi, cf. *supra* 20,
9 ; 21, 1.

gloire de la Loi peut être conservée, une fois le Christ mis
à mort [5]. Dans le retour du maître de maison [g] il y a, à
l'heure du jugement, la gloire de la majesté du Père qui
siège dans le Fils [h]. La réponse des princes des prêtres
et des Pharisiens eux-mêmes [i] indique que l'héritage de
la Loi mérite de revenir davantage aux apôtres [6]. Quant
à cette pierre rejetée par les bâtisseurs qui s'est dressée
au faîte comme pierre angulaire, admirable aux yeux
de tous [j], jonction entre la Loi et les païens qui unit
à l'édifice chacun de ses côtés, c'est le Fils.

3. *Le Royaume des cieux est semblable à un roi qui
célébra les noces de son fils et envoya ses serviteurs appeler
les invités aux noces* [k], etc. C'est ici aussi une parabole
où il faut marquer les différences de temps et les distinctions de personnes. Pour la personne du roi et celle de
son fils le sens est évident. Mais il y a une raison insolite
qui explique qu'un père ait célébré les noces de son fils
et l'ait fait par des invitations. Car il revient à l'intéressé
de célébrer ses noces et de le faire au moment de ses
noces [7]. Mais ici les noces sont le mystère de la vie
céleste et de l'adoption de la gloire éternelle à la résurrection [8]. C'est donc à juste titre qu'elles ont été célébrées
par le Père [9], parce que la participation à cette éternité
et l'union des fiançailles avec un corps nouveau étaient
tenues pour déjà accomplies dans le Christ [10]. Et ici
comme aussi dans le passage précédent, où la question
traitée a été celle de l'état de divorce [11], nous inviterons

---

7. Cf. cette formule de l'usage courant dans PLAVT., *Aul.*, 288 :
« Sed erus nuptias / meus *hodie* faciet ».
8. La résurrection marque les noces de l'Esprit et de la chair, de
Dieu et de l'homme selon TERT., *resurr.*, 63, 1, qui explicite l'enseignement de *I Cor.* 15, 45.52-53.
9. C'est le Père qui nous « a transférés au royaume de son fils »
selon *Col.* 1, 13.
10. L'idée d'une *coniunctio* de Dieu et de l'homme dans le Christ
remonte à la christologie de TERT., *adu. Prax.*, 27, 11. Sur cette
idée se greffe l'image des noces du Christ et de l'Église (*Éphés.*
5, 25-32), comme le montre la suite du texte. « Corps nouveau »
est le *corpus spiritale* (*I Cor.* 15, 44) de l'état de ressuscité.
11. *In Matth.* 19, 2.

Hilaire de Poitiers. II.   10

tractatum est, diligenter quae de ratione resurrectionis
15 significata sunt contueri et id quod sub persona Adae
ad Euam dictum est, quia sacramentum magnum sit, ne
incuriose relinquatur.

4. Qui autem admonentur ut ueniant inuitati antea [1]
populus Israel est ; in gloriam enim aeternitatis per
legem est aduocatus. Serui missi qui inuitatos uocarent
apostoli sunt ; eorum enim erat proprium commone-
5 facere eos quos inuitauerant prophetae. Qui uero iterum
cum praeceptorum condicione mittuntur [m] apostolici
B sunt successores apostolorum. Tauri autem saginati
gloriosa martyrum species est, qui confessioni Dei tamquam hostia electa sunt immolati. Saginata uero sunt
10 homines spiritales tamquam caelesti pane ad euolandum
aues pastae ceteros accepti cibi ubertate expleturae. His
enim omnibus iam paratis et in numerum complacitae
Deo multitudinis collectis, regni caelestis gloria tamquam
nuptiae nuntiantur.

5. Sed eorum quoque admonitionem ita neglexerunt [n]
ut aliqui eorum ambitione saeculi tamquam agro occu-
parentur, plures uero ob pecuniae cupiditatem negotia-

REP (= α) A (ab XXI, 3,8 usque ad XXIII, 6,20) GSTM (= β)
4, 4-5 commune facere G S ‖ 7 *post* sunt *add.* uiri et *Gil.*[2] ‖ 8
confessioni : -ne A S   pro -ne E ‖ 9 sunt[1] : sint P β *edd.* ‖ 11 pastae :
paratae E A G S *Bad.* ‖ 13 collectis *om.* β *Bad.*

---

l. Cf. Matth. 22, 3
m. Cf. Matth. 22, 4
n. Cf. Matth. 22, 5

---

12. Les noces de la Résurrection marquent l'adhésion de la chair
à l'esprit (cf. *supra*, n. 8 et Tert., *anim.*, 41, 4 cité *supra*, chap. 10
note 44) « dans la mesure où... les fonctions du corps cessent » (cf.
infra, 23, 3).
13. Cf. *Gen.* 2, 24 cité dans *Éphés.* 5, 31 (*Vulg.*) : « *Propter hoc
relinquet homo patrem et matrem et adhaerebit uxori suae, et erunt
duo in carne una.* Sacramentum hoc magnum est. »
14. Cf. dans *Luc* 11, 49 la succession prophètes-apôtres : « Mit-
tam ad illos prophetas et apostolos » (*Vulg.*).

à examiner soigneusement ce qui a été indiqué concernant les modalités de la résurrection [12] et ce qui a été énoncé sous la responsabilité d'Adam s'adressant à Ève, de façon que cela ne soit pas laissé de côté par négligence, parce que c'est un grand mystère [13].

4. Ceux qui sont exhortés à venir en ayant été invités au préalable [l] sont le peuple d'Israël : il a été convié par la Loi à la gloire de l'éternité. Les serviteurs qui sont envoyés pour convier les invités sont les apôtres : leur office propre était de rappeler à l'ordre ceux qu'avaient invités les prophètes [14]. Quant à ceux qui sont envoyés derechef avec des dispositions prescrites [m], ils sont les hommes apostoliques [15], successeurs des apôtres [16]. Les taureaux engraissés sont l'image glorieuse des martyrs qui ont été immolés comme une victime choisie pour confesser Dieu [17]. Les bêtes grasses sont les hommes spirituels [18], qui sont comme des oiseaux nourris du pain céleste pour prendre leur envol [19] et qui doivent, par la richesse de la nourriture qu'ils ont avalée, rassasier les autres. En effet, quand tous ces préparatifs furent terminés et que le rassemblement a atteint le chiffre de la multitude agréable à Dieu [20], la gloire du Royaume céleste est annoncée, comme le sont des noces.

5. Mais cet appel aussi a été négligé [n], certains étant saisis par l'ambition du monde représentée par un champ et beaucoup, désireux d'argent, étant pris par le commerce [21].

15. Selon TERT., *adu. Marc.*, 4, 2, 2, Jean et Matthieu sont des *apostoli*, Luc et Marc sont des *apostolici*.

16. A Smyrne, rapporte TERT., *praescr.*, 32, 2, Polycarpe fut installé par Jean ; à Rome, Clément a été ordonné par Pierre.

17. La gloire de la confession de Dieu par le martyre est un lieu commun chez CYPRIEN : cf. *epist.*, 22, 1 ; 58, 1.

18. Expression tirée de *Gal.* 6, 1 : les *spiritales* sont chargés d'« instruire ».

19. L'esprit est ailé (TERT., *apol.*, 22, 8) et l'oiseau est fait pour s'envoler (cf. *supra*, 10, 18).

20. L'*Apocalypse* 7, 4 fixe un « nombre » déterminé d'élus des tribus d'Israël pour les noces de l'Agneau (*ibid.*, 19, 7).

21. Thèmes de diatribe : cf. CIC., *Tusc.*, 2, 62 (pour l'*ambitio*) ; CIC., *off.*, 1, 151 et TERT., *patient.*, 7, 12 (pour l'appât du gain dans le commerce).

tione detinerentur. Ceteri autem missos seruos, quod in
5 ipsis apostolis expletum est, adfectos iniuriis occide-
C runt [o]. Sed tam immanis facti scelus ultio digna consequitur. Missi exercitus caelestes omnem eorum congregationem iudicio Dei urent et flammis aeterni ignis
succendent [p], quia contra humanitatis adfectum homici-
10 darum odiis saeuierunt.

6. Quoniam uero de iudicii tempore et resurrectionis
ista loquitur, sermonem eumdem ad congregationem
gentium retulit. Indignis enim repertis his qui primi
inuitati fuerant [q], iubet iri ad exitus uiarum [r]. Dono
5 enim gratiae uitae anterioris crimina remittuntur [s] (nam
saepissime uiam tempus saeculi intelligendam monuimus). Atque ideo ad exitus uiarum iubentur ire, quia
omnibus retroacta donantur. Vocari deinde omnes sine
aliqua exceptione ad nuptias iubet et mali simul cum
D bonis ueniunt [t]. Vocatio quidem bonos efficere debuerat,
quia sancta est et ex optimo adfectu inuitantis profecta
est, sed per uitium inemendatae uoluntatis discrimen
est uocatorum.

1044 A 7. Et quia in fallendis hominibus plurimum artis
soleat habere simulatio, quae si nos uel secreto mentis
alienae uel simplicitate iudicii nostri fefellerit, tamen

REP (= α) A (ab XXI, 3,8 usque ad XXIII, 6,20) GSTM (= β)
6, 2 loqueretur A S ‖ 3 retulerit R P ‖ 5 remittuntur : omit-
E P S *Cou.*   amit- R ‖ 9 iubet : i. ut T M   iubentur E ‖ 10 ueniant
T M

o. Cf. Matth. 22, 6
p. Cf. Matth. 22, 7
q. Cf. Matth. 22, 8
r. Cf. Matth. 22, 9
s. Cf. Éphés. 3, 7
t. Cf. Matth. 22, 10

22. « Un homicide n'a pas la vie éternelle qui demeure en lui »
(*I Jn* 3, 15).
23. *Topos* eschatologique venu de *Apoc.* 19, 14-20.
24. Jeu de mots antinomique entre *humanitas* et *homicida*.

Pour les autres, ils infligèrent des sévices aux serviteurs qui leur avaient été envoyés et les tuèrent °, ce qui s'est réalisé dans le cas des apôtres précisément. Mais le crime de leur conduite si barbare est suivi de la vengeance qu'ils méritent [22]. Les armées célestes qui auront été dépêchées brûleront par le jugement de Dieu leur rassemblement entier et l'embraseront dans les flammes du feu éternel p [23], parce que, violant le sentiment d'humanité, ils ont laissé se déchaîner leur haine d'homicides [24].

6. Et comme le Christ évoque par ces images le temps du jugement et de la Résurrection, il a rapporté ses propos aussi au rassemblement des païens. Il ordonne en effet que, les premiers invités s'étant trouvés indignes q, on aille au débouché des voies r. Car, la voie devant s'entendre du temps dans le siècle, comme nous l'avons fait remarquer très souvent, les crimes de la vie passée sont remis par le don de la grâce s [26] ; et, c'est parce qu'il y a pour tous un pardon rétrospectif qu'ordre est donné d'aller aux carrefours des routes. Puis, il ordonne d'inviter aux noces tout le monde sans aucune exception, et avec les bons viennent les méchants t. L'invitation aurait dû les rendre bons, parce qu'elle est sainte et procède des sentiments les meilleurs de la part de celui qui invite [27], mais par la faute d'une volonté qui ne s'est pas corrigée [28], il existe une différence entre ceux qui sont appelés.

7. Et parce que la dissimulation, qui emploie le plus grand art à tromper les hommes, si elle devait nous abuser en usant d'une hostilité secrète ou en profitant de la naïveté de notre jugement [29], ne pourrait

---

25. Cf. *supra*, 1, 5 : « prioris uitae itinere » ; 6, 3 : « perditionis uia lata est ».

26. Le don de la grâce est l'Esprit reçu au baptême, lequel efface les péchés (cf. TERT., *bapt.*, 6, 1).

27. Cf. *II Tim.* 1, 9 : « qui nos uocauit uocatione sua sancta » ; *I Pierre* 1, 15, « secundum eum qui uocauit sanctum » (*Vulg.*).

28. Thèse de l'éthique de TERT., *paen.*, 3, 11 : « quibus exceptis iam non nisi uoluntate delinquitur ».

29. L'alternative est une schématisation des traits prêtés aux *lapsi* par CYPR., *laps.*, 6 : « ad decipienda corda simplicum callidae fraudes, circumueniendis fratribus subdolae uoluntates ».

Deum latere non possit, ideo ingressus Deus felicis resur-
5 rectionis istius coetum et hominem accumbentem sine
nuptiali ueste conspiciens ᵘ interrogat quomodo sit
ingressus ᵛ. Numquid inuitandorum habitum designaue-
rat ? Deinde cum inuitari quoscumque iussisset, quomodo
unus omnibus poterat esse uestitus ? Aut si certus ex
10 consuetudine conuiuantium in nuptiis habitus esse soleret,
et ab inuitantibus ac ministris potuisset inhiberi. Sed
quia malos intelligere non omnium est et humana simpli-
citas difficile fraudulentiam simulatae mentis intelligit,
idcirco hunc malum et indignum coetu nuptiali Deus
B solus inuenit. Vestis autem nuptialis est gloria Spiritus
sancti et candor habitus caelestis, qui bonae interrogationis confessione susceptus usque in coetum regni
caelorum immaculatus et integer reseruatur. Hic itaque
tollitur et in exteriores tenebras mittitur ʷ, quia multi
20 uocati sunt et pauci electi ˣ. Non est igitur paucitas in
inuitatis, sed raritas in electis, quia in inuitante sine exceptione publicae bonitatis humanitas est, in inuitatis uero
de iudicii merito probitatis electio est.

REP (= α) A (ab XXI, 3,8 usque ad XXIII, 6,20) GSTM (= β)
7, 4 ideoque R P A G S ‖ 8 *post* iussisset *add*. et A G S ‖ 9 esse
om. R P A G S ‖ 14 coetu : c. in A G Sᵃᶜ   coetui S T M ‖ 15 uestitus
R P A G S ‖ 18 reseruatur : -uatus A G S   -etur E P *Cou*. ‖ 20 est
om. R P ‖ 21 raritas : paucitas α ‖ in inuitante : inuitantis R M ‖
22 in *om*. R Aᵃᶜ Sᵃᶜ

---

u. Cf. Matth. 22, 11
v. Cf. Matth. 22, 12
w. Cf. Matth. 22, 13
x. Cf. Matth. 22, 14

---

30. Question suggérée par l'enseignement de *I Cor*. 15, 40-44 :
« *Alia* quidem caelestium *gloria* ; *alia* autem terrestrium. »
31. Hilaire n'évoque pas le rite post-baptismal de la vêture de
l'aube, rite qui n'est pas attesté en Occident avant AMBR.,
myst., 7, 34 (cf. en particulier le silence à ce sujet de V. SAXER, *Vie
liturgique et quotidienne à Carthage vers le milieu du IIIᵉ siècle*

cependant échapper à Dieu, celui-ci, entrant dans l'assemblée qui est celle de la Résurrection bienheureuse et apercevant un homme attablé sans la tenue nuptiale [u], lui demande comment il est entré [v]. Y avait-il pour l'invitation une tenue prescrite ? Et puis, étant donné qu'il avait donné ordre d'inviter n'importe qui, comment tous pourraient-ils avoir une tenue unique [30] ? Ou encore si une coutume fixait la tenue des convives aux noces, l'exclusion eût pu venir aussi bien des serviteurs qui invitaient. Mais, parce que discerner les méchants n'est pas donné à tout le monde et que la simplicité de l'homme a du mal à remarquer la tromperie des sentiments feints, Dieu est seul à trouver ce méchant qui est indigne de l'assemblée des noces. Le vêtement nuptial est la gloire de l'Esprit-Saint et la blancheur de la tenue céleste [31] qui, revêtue lors de l'interrogatoire d'une profession orthodoxe [32], est mise en réserve immaculée et intacte jusqu'à l'assemblée du Royaume des cieux [33]. Voilà pourquoi cet homme est emporté et jeté dans les ténèbres extérieures [w], car beaucoup sont appelés et peu sont élus [x]. Ainsi il n'y a pas de petit nombre chez les invités, mais chez les élus il y a un faible nombre, parce que celui qui invite sans faire d'exception a des sentiments humains et bons pour tous [34], tandis que chez ceux qui sont invités a lieu le choix en faveur d'une droiture au prix d'un jugement [35].

(= *Studi di antichità cristiana* 29), Città del Vaticano 1969, p. 123-146). On retrouve ici le souvenir d'une image du *De baptismo* 13, 2 de TERTULLIEN : « le sceau du baptême » — reçu de l'Esprit, *ibid.*, 6, 1 — , sorte de « vêtement pour la foi » dont le *candor* est évoqué dans *pudic.*, 20, 7.

32. Il s'agit de la triple question posée au néophyte sur sa foi : cf. TERT., *coron.*, 3, 2.

33. « La foi vraie et solide est baptisée dans l'eau pour le salut... elle est assurée du salut » (TERT., *bapt.*, 10, 7 ; 18, 6, trad. F. Refoulé).

34. Telle est la définition d'*humanitas* dans GELL. 13, 17, 1 : « significat... quandam beneuolentiam erga omnes homines promiscam ».

35. Telle est la définition classique du choix d'après CIC., *off.*, 2, 9 : « eligendi *iudicium* ».

23

C   **1.** *Tunc abierunt Pharisaei et consilium fecerunt, ut
eum caperent in uerbo* [a], et cetera. Frequenter Pharisaei
commouentur et occasionem insimulandi eum habere ex
praeteritis non possunt : cadere enim uitium in gesta
5 eius et dicta non poterat. Sed de malitiae adfectu in
omnem se inquisitionem reperiendae accusationis exten-
dunt. Namque a saeculi uitiis atque a superstitionibus
humanarum religionum uniuersos ad spem regni caelestis
uocabat. Igitur an uiolaret saeculi potestatem de pro-
10 positae interrogationis condicione pertemptant, an uidelicet reddi tributum Caesari oporteret [b]. Qui interna
cogitationum secreta cognoscens [c] — Deus enim nihil
non eorum quae intra hominem sunt absconsa specula-
tur [d] — adferri sibi denarium iussit [e] et quaesiuit cuius
D   et inscriptio esset et forma. Pharisaei responderunt Caesaris eam esse [f]. Quibus ait Caesari redhibenda esse
quae Caesaris sunt, Deo autem reddenda esse quae Dei
sunt [g].

1045 A   **2.** O plenam miraculi responsionem et perfectam dicti
caelestis absolutionem ! Ita omnia inter contemptum
saeculi et contumeliam laedendi Caesaris temperauit,

REP (= α) A (ab XXI, 3,8 usque ad XXIII, 6,20) GSTM (= β)
XXIII tunc R T : tunc E P A G S   CANON (CAPVT M *Cou.*)
XXIII tunc M *edd.* ‖ 1, 2 cetera : reliqua β *Bad.* ‖ 4 gestis T M ‖ 5
dictis T M ‖ 13 homines R P G S *edd.* ‖ 16 reddenda R P S²

a. Matth. 22, 15
b. Cf. Matth. 22, 17
c. Cf. Matth. 22, 18
d. Cf. Jn 2, 25
e. Cf. Matth. 22, 19
f. Cf. Matth. 22, 20
g. Cf. Matth. 22, 21

Chapitre 23

1. *Alors les Pharisiens s'en allèrent et tinrent conseil afin de le surprendre en parole*[a], etc. Souvent les Pharisiens sont ébranlés et ne peuvent trouver dans les faits passés une occasion de l'accuser faussement, car aucune tare ne pouvait atteindre ses actes ou ses paroles. Mais, poussés par un sentiment de méchanceté, ils déploient des efforts pour chercher par tous les moyens à découvrir un grief. Et de fait le Seigneur appelait tous les hommes à passer des vices du siècle et des superstitions religieuses humaines [1] à l'espérance du Royaume des cieux. Aussi pour savoir s'il porterait atteinte à la puissance du siècle, ils le sondent par la formule de la question posée, qui était de savoir s'il fallait payer le tribut à César[b]. Lui, connaissant les secrets intimes de leurs pensées[c], — car il n'est rien que Dieu ne scrute des choses qui sont cachées au cœur de l'homme[d] —, se fit apporter un denier[e] et demanda de qui était l'inscription et l'effigie. Les Pharisiens répondirent qu'elles étaient de César[f]. Il leur dit qu'il fallait rendre à César ce qui est à César et à Dieu ce qui est à Dieu[g].

2. Ô réponse pleinement miraculeuse et évidence absolue de la parole céleste ! Tout y est dosé [2] entre le mépris du siècle [3] et l'outrage d'une offense à César [4], en

---

1. Ce sont les deux causes de la servitude de l'âme, tournée cependant vers le ciel, dans la tradition apologétique : cf. TERT., *apol.*, 17, 5 : « Quae licet libidinibus et concupiscentiis euigorata, licet falsis deis exancillata... ad caelum respicit. »

2. Le commentaire du « Rendez à César... » s'inspire des traités parénétiques de Tertullien. L'idée générale de mesure est fondamentale dans l'attitude du chrétien reconnaissant le pouvoir impérial : cf. TERT., *Scap.*, 2, 7 : « Colimus ergo et imperatorem sic quomodo et nobis licet et ipsi expedit. »

3. Le « mépris du siècle » est une recommandation permanente de l'Évangile selon TERT., *patient.*, 7, 2.

4. Sur l'abstention de tout outrage envers César, cf. TERT., *apol.*, 33, 3 : « Non enim deum imperatorem dicam..., quia illum deridere non audeo ».

ut curis omnibus et officiis humanis deuotas Deo mentes
5 absolueret, cum Caesari quae eius essent redhibenda
decernit. Si enim nihil eius penes nos resederit, condicione reddendi ei quae sua sunt non tenebimur. Porro
autem si rebus illius incubamus, si iure potestatis suae
utimur et nos tamquam mercenarios alieni patrimonii
10 procurationi subicimus, extra querelam iniuriae est
Caesari redhibere quod Caesaris est, Deo autem quae eius
sunt propria reddere nos oportere, corpus, animam,
uoluntatem. Ab eo enim haec profecta atque aucta reti-
nemus, et proinde condignum est ut ei se totum red-
B dant cui debere se recolunt et originem et profectum.

3. *In illa die accesserunt ad eum Sadducaei, qui dicunt
non esse resurrectionem* [h], et reliqua. Sadducaei extra fidem
resurrectionis sunt. Et quia eam Dominus praedicaret,
calumniam diuinis rebus ex efficiendi uoluntate proponunt,
5 septem uidelicet fratrum eamdem coniugem, cuiusnam
eorum in resurrectione futuram esse respondeat [i].

REP (= α) A (ab XXI, 3,8 usque ad XXIII, 6,20) GSTM (= β)
2, 5 cum : et T M ‖ 6 decerneret T M ‖ 8 iure : iudicare A S ‖ 11
redhibere : -beri *edd.*   reddere T M ‖ 12 sunt *om.* R P ‖ 13 acta
A S M

---

h. Matth. 22, 23
i. Cf. Matth. 22, 25-28

---

5. Adaptation d'un *topos* classique : cf. Cic., *fin.*, 2, 46 : « cum
uacui curis etiam quid in caelo fiat scire auemus » ; cf. aussi *off.*,
1, 13.
6. C'est l'idéal recommandé par Cypr., *ad Donat.*, 14, à l'« homme
spirituel ».
7. Est-ce une allusion à la prière des chrétiens pour l'empereur
et les *res romanae*, selon la recommandation de Tert., *apol.*, 32, 1 ?
Incubo s'emploie en effet avec *orationibus* : cf. Ambr., *Abr.*, 2, 6,
22.
8. Sur cette formule, cf. *supra*, 14, n. 2.
9. Reprise du principe énoncé dans Tert., *apol.*, 36, 3 : « Nous
ne gérons de bien qu'en attendant d'être payés... par Dieu ».

sorte qu'en prononçant qu'il fallait restituer à César ce
qui lui appartenait il délivrait les esprits consacrés à Dieu
de tout souci et obligation d'ordre humain [5]. Si en effet
rien de ce qui est à César n'est demeuré entre nos mains [6],
nous ne serons pas liés par l'engagement de lui rendre ce
qui lui appartient ; mais si plutôt nous veillons aux
affaires qui sont les siennes [7], si nous disposons du
droit de notre puissance [8] en nous prêtant comme des
tenanciers [9] à la gestion d'un patrimoine qui n'est pas à
nous, ce n'est pas une injustice à déplorer de restituer à
César ce qui est à César et d'avoir à rendre à Dieu ce
qui lui revient, le corps, l'âme, la volonté [10]. C'est
Dieu en effet qui produit et accroît ces biens que nous
tenons [11] et, par conséquent, il n'y a que justice à restituer [12] tout ce que l'on est à celui auquel on se rappelle
devoir son origine et son développement.

   3. *Ce jour-là s'approchèrent de lui des Sadducéens qui*
disent qu'il n'y a pas de résurrection [h] et la suite. Les
Sadducéens n'ont pas foi en la Résurrection. Et parce que
le Seigneur l'enseignait, ils lui soumettent une question
calomnieuse pour les actions de Dieu en sondant sa volonté
de les réaliser [13], la question posée par sept frères ayant
la même femme, au sujet de laquelle il devait répondre de
qui elle serait la femme à la Résurrection [i].

---

   10. Cf. l'exégèse de *Matth.* 22, 21 dans Tert., *idol.*, 15, 3 : « *Red-*
dite quae sunt Dei Deo, id est imaginem Dei Deo quae in homine
est. » La triade corps-âme-volonté a déjà été rencontrée et com-
mentée *supra*, 10, 23.
   11. Points de vue hérités de l'anthropologie de Tertullien :
l'âme « descend » de Dieu (*apol.*, 17, 6) ; elle naît en même temps
que le corps (*anim.*, 36, 2) et ses facultés naturelles se développent
(*proficio*), comme le font les *semina* matériels (*anim.*, 20, 1-2).
   12. Raisonnement fondé sur la définition de la *restitutio* dans le
De resurrectione de Tertullien (57, 5) : « Quomodo uita confertur
a Deo, ita et refertur ; quales eum accipimus, tales et recipimus.
Naturae... *reddimur*. »
   13. La formule se comprend à la lumière de ce qu'on lit *supra*,
5, 8, en réplique à des calomnies concernant la résurrection :
« In dictis Dei ueritas est et rerum creandarum efficientia omnis in
uerbo est. »

4. Atque ita quidem publica opinio accipit de resurrectionis condicionibus nihil scripturis prophetalibus
contineri. Sed Dominus ait : *Erratis nescientes scripturas
neque uirtutem Dei* [j]. Ergo scriptum est et cessare debet
5 ambiguitas quam auctoritas tanta condemnat. Hanc
C enim eamdem calumniam adferre plures solent, in quam
formam muliebris sexus resurgat et an rursum cum ipsis
naturae suae et corporis officiis reformetur ? Nos quidem temere locum hunc a cunctis ferme praeteritum
10 contingimus, sed admonemus id tantum Domino fuisse
propositum, cuius uxor sit deputanda de septem, Dominum autem obiurgasse cur errarent nescientes Scripturas Deique uirtutem, quia *non nubunt neque nubentur* [k].
1046 A Et quidem suffecerat aduersus Sadducaeos ita sentientes
15 opinionem corporeae illecebrae recidisse et officiis cessantibus inania haec corporum gaudia sustulisse, sed adiecit :
Erunt similes angelis Dei [l]. Quia igitur eas angelis similes
sacramentum scripturarum et diuinae uirtutis potestas
futuras esse demonstrat, qualis in scripturis auctoritas
20 est de angelis opinandi, talem in resurrectione spei nostrae

---

REP (= α) A (ab XXI, 3,8 usque ad XXIII, 6,20) GSTM (= β)
4, 1-2 resurrectionis condicionibus : resurrectionibus A S ‖ 13
Deique uirtutem : Dei A S ‖ nubent β *Bad. Cou.* ‖ 14 Sadducaeos :
Pharisaeos R P A G S ‖ 15 illecebrae corporeae T M ‖ 16 gauoia
sustulisse : negasse R esse P ‖ 18 potestates A G S *Bad.* ‖ 19 de-
monstrant S ‖ 20 resurrectionem A G S

---

j. Matth. 22, 29
k. Matth. 22, 30
l. Matth. 22, 30

---

14. Hilaire se fonde sans doute sur une remarque de Tert.,
resurr., 19, 2 relative à certains esprits, très sensibles à la forme
allégorique du style prophétique, qui réduisent à des expressions
imagées la résurrection des morts que les Prophètes annoncent
de façon évidente.
15. Le *scriptum ambiguum* (Qvint., *inst.*, 7, 5, 6) est occasion
de « controverse » (cf. Rhet., *Her.*, 1, 12, 20). Il faut l'*auctoritas*
d'un juge pour les trancher (Gaius, *dig.*, 12, 2, 1).

4. Et certes l'opinion commune du moins admet que, sur les conditions de la Résurrection, les Écritures prophétiques ne contiennent rien [14]. Mais le Seigneur dit : *Vous êtes dans l'erreur en ignorant les Écritures et la puissance de Dieu* [j]. Ainsi c'est écrit et l'ambiguïté doit cesser [15], quand une telle autorité la condamne. Car cette calomnie encore plusieurs la formulent généralement en demandant sous quel aspect doit ressusciter le sexe féminin et s'il doit être restauré avec les fonctions exactes de sa nature et de son corps [16]. Pour nous, nous touchons ici sans l'approfondir à un sujet presque partout laissé de côté [17], mais nous rappelons que la question posée au Seigneur était seulement de savoir auquel des sept hommes la femme doit être assignée comme épouse et que le Seigneur a reproché aux Sadducéens de se tromper faute de connaître les Écritures et la puissance de Dieu, parce que *ni les femmes n'épousent ni elles ne seront épousées* [k]. Et pour combattre cette insinuation du moins des Sadducéens, c'était un argument suffisant que la suppression de la notion de plaisir physique et l'exclusion de ces joies du corps devenues sans objet, puisque ses fonctions cessaient [18]. Mais le Seigneur a ajouté : *Elles seront semblables aux anges de Dieu* [l]. Ainsi le mystère des Écritures et la puissance de la vertu divine montrant qu'elles seront semblables aux anges, il faut que notre espoir au sujet des femmes dans la Résurrection soit conçu conformément à l'opinion qui, sur les anges, fait autorité dans les Écri-

16. Échos d'interrogations d'hérétiques sur le sort des membres du corps lors de la Résurrection rapportées par Tert., *resurr.*, 60, 1. Ils partent de ce point de vue que les *officia corporis* disparaissant, il en va de même pour la *natura (corporis* ou *corpulentia* dans *resurr.*, 60, 1). Tertullien leur reproche d'attaquer sans pudeur les fonctions des organes.

17. Même mouvement dialectique que dans un autre *sermo de uxore* (*supra*, 19, 2) : on laissera ce sujet général sans l'aborder, mais en faisant remarquer que...

18. L'argument s'inspire de la réponse de Tert., *resurr.*, 61, 4 aux hérétiques : « non recogitantes... tunc uacaturas cibi famem et potus sitim et concubitus genituram et operationis uictum », les premiers termes de chaque membre correspondant aux *officia*, les seconds aux *gaudia* évoqués par Hilaire.

sensum oportet esse de feminis. Et haec quidem de resurrectionis condicionibus propositae reddidit quaestioni.

5. De ipsa uero resurrectione aduersum infidelitatem
eorum ita locutus est : *Non legistis quod dictum est uobis
a Deo dicente : Ego sum Deus Abrahae et Deus Isaac et*
B *Deus Iacob ; non est Deus mortuorum, sed uiuentium* [m].
5 Sermo enim hic ad Moysen sanctis istis patriarchis iam
pridem quiescentibus exstiterat ; erant ergo quorum
erat Deus. Nihil autem poterant habere, si non erant,
quia in natura rei est, ut esse id necesse sit cuius sit alterum. Atque ita Deum habere uiuentium est, cum Deus
10 aeternitas sit et non sit eorum quae mortua sunt habere
id quod aeternum est. Et quomodo esse illi futurique
semper negabuntur quorum se esse profiteatur aeternitas ?

6. *Pharisaei autem audientes quod silentium imposuis-
set Sadducaeis, congregati sunt aduersus eum, et interro-*
C *gauit eum unus ex his legis doctor* [n]. Succedunt Sadducaeis
temptantibus Pharisaei. Et illis quidem congruenter
5 fuerat de resurrectione responsum, ut in lege ipsa ex
qua erant profecti contineri sperandae resurrectionis
fidem conuincerentur. Pharisaei uero habere se scientiam legis gloriabantur, quae ad futurorum speciem
praelata imaginem consecuturae ueritatis continebat.
10 Quaerunt autem quod mandatum potissimum esset in
1047 A lege [o], non contuentes meditationem legis in Christo
fuisse perfectam. Et quidem insolentium ignorantiae

REP (= α) A (ab XXI, 3,8 usque ad XXIII, 6,20) GSTM (= β)
21-22 resurrectionis condicionibus : resurrectionibus A S ‖ **5**, 3
dicens A S ‖ et² *om. Cou.* ‖ 4 uiuorum β *Bad.* ‖ 6 *post* pridem *add.*
fuerat T M ‖ exstiterant A Sᵃᶜ T M ‖ erant *om.* R P β *edd.* ‖ 7 *post*
Deus *add.* hi Deum habebant *edd.* ‖ **6**, 1-2 imposuit A S ‖ 3 eis
T M ‖ *post* doctor *add.* et reliqua *Gil.*² ‖ 6 contineri : -nuo T M ‖
sperandae : -nda A S   desperandae T M ‖ 8 futuram R P ‖ 10 esset
potissimum *Gil.*²

m. Matth. 22, 31-32
n. Matth. 22, 34-35
o. Cf. Matth. 22, 36

tures. Voilà du moins comment le Seigneur a répondu
à la question posée concernant les conditions de la
Résurrection.

5. Au sujet de la Résurrection elle-même il a combattu
leur incroyance en ces termes : *Vous n'avez pas lu ce qui
vous a été dit par Dieu, lorsqu'il a dit : Je suis le Dieu
d'Abraham, le Dieu d'Isaac et le Dieu de Jacob ; il n'est pas
le Dieu des morts, mais des vivants* [m]. Ces paroles avaient
été adressées à Moïse, alors que ces saints patriarches
reposaient depuis longtemps. Ils existaient donc, eux
dont il était le Dieu. S'ils n'existaient pas, ils n'auraient
rien pu avoir, parce qu'il est dans la nature d'une
chose qu'elle existe nécessairement, si une autre lui appartient [19]. Et ainsi avoir Dieu est l'affaire de vivants,
puisque Dieu est éternel et qu'il n'appartient pas à ce qui
est mort d'avoir ce qui est éternel [20]. Et donc comment
ne dira-t-on pas qu'existent et existeront toujours ceux
auxquels l'éternité reconnaît appartenir ?

6. *Les Pharisiens apprenant qu'il avait imposé silence
aux Sadducéens se réunirent contre lui et l'un d'eux, docteur
de la loi, l'interrogea* [n]. Aux Sadducéens qui le mettaient
à l'épreuve succèdent les Pharisiens. Les premiers du
moins avaient reçu une réponse satisfaisante au sujet de
la Résurrection pour se convaincre que la Loi même d'où
ils étaient partis contenait la foi dans l'espérance
de la Résurrection. Les Pharisiens eux se glorifiaient
d'avoir la science de la Loi qui, en anticipant l'avenir, contenait l'image de la vérité qui viendrait ensuite.
Or ils demandent quel est le commandement privilégié
dans la Loi [o], sans voir que le projet de la Loi a été
accompli dans le Christ. Et, d'ailleurs, à l'arrogance de
ces ignorants il a été répondu par les mots mêmes de la

---

19. Argumentation empruntée à un raisonnement de TERT.,
carn., 11, 3, liant l'être et l'avoir : « Sed nec esse quidem potest
nihil habens per quod sit. Cum autem sit, habeat necesse est aliquid per quod est. »

20. Opposition classique : cf. CIC., *nat. deor.*, 3, 37 : « quod interire
possit id aeternum non esse natura ».

legis ipsius uerbis responsum est ; quae responsio omnem
in se ueritatis est complexa doctrinam. Proprium enim
15 Domini nostri Iesu Christi officium est cognitionem Dei
adferre et intelligentiam nominis eius potestatisque praestare. Missus enim uenerat et ex aeternitate deductus his
quae erant Deo placita perfungebatur. Respondit itaque
primum esse mandatum : *Diliges Dominum Deum tuum*
20 *in toto corde tuo et in tota anima tua et in tota mente tua* [p].
Non enim aliud ille efficiebat quam quod lex continebat,
quia praecepta legis eorum quae gesturus ipse erat formam complectebantur. Admonet igitur cognitionis eius
B quam habere se gloriabantur in lege Deum omnipo-
25 tentem omni adfectu mentis, cordis, animae diligen-
dum, ut admonitionem suam praemissa legis mandata
firmarent.

   7. Deinde adiecit : *Hoc est magnum et primum manda-*
tum [q]. *Secundum uero simile huic : Diliges proximum*
tuum sicut te ipsum [r]. Sed mandatum sequens et simile
significat idem esse et officii et meriti in utroque. Neque
5 enim aut Dei sine Christo aut Christi sine Deo potest
utilis esse dilectio. Alterum igitur sine altero nullum ad
salutem nostram adfert profectum. Et ideo *in his duo-*
bus mandatis tota lex pendet et prophetae [s], quia lex et
prophetia omnis Christi deputabatur aduentui et aduen-
C tus eius per supplementum eorum cognoscendi Dei intelligentiam praestabat. Nam de proximo frequenter admo-

---

REP (= α) A (ab XXI, 3,8 usque ad XXIII, 6,20) GSTM (= β)
24-25 omnipotentem *om.* R P ‖ **7,** 10 Deum T M

---

p. Matth. 22, 37
q. Matth. 22, 38
r. Matth. 22, 39
s. Matth. 22, 40

---

21. Paraphrase de *Jn* 14, 6-12.
22. *Deductus* est emprunté au vocabulaire christologique de

Loi, et cette réponse a embrassé en elle tout l'enseignement de la vérité, car c'est la mission propre à notre
Seigneur Jésus-Christ d'apporter la connaissance de Dieu
et de procurer l'intelligence de son nom et de sa puissance [21]. C'est comme envoyé en effet qu'il était venu et,
procédant de l'éternité [22], il accomplissait les volontés de
Dieu. Aussi leur répondit-il que le premier commmande-
ment était : *Tu aimeras le Seigneur ton Dieu de tout ton
cœur, de toute ton âme et de tout ton esprit* [p]. Il ne réalisait
pas autre chose que ce que la Loi contenait, parce que les
commandements de la Loi offraient en eux l'image de ce
qu'il allait lui-même accomplir. Il leur rappelle donc une
notion qu'ils se glorifiaient de posséder dans la Loi, l'obligation d'aimer Dieu tout-puissant de toute l'affection de
son esprit, de son cœur, de son âme, en sorte que son
rappel trouvait une confirmation dans les prescriptions
de la Loi données au préalable.

7. Ensuite il ajouta : *C'est là le grand et le premier
commandement* [q]. *Le suivant lui est semblable : Tu aimeras
le prochain comme toi-même* [r]. Mais « commandement
suivant et semblable » veut dire que dans les deux cas le
devoir et le mérite sont les mêmes. Car l'amour de Dieu
ne peut être efficace sans le Christ ni l'amour du Christ
sans Dieu. L'un sans l'autre n'est d'aucun profit pour notre
salut [23]. Et si *dans ces deux commandements tiennent toute
la Loi et les prophètes* [s], c'est parce que la Loi et la prophétie tout entières étaient portées au compte de l'avènement
du Christ et que, leur donnant leur pleine mesure [24], son
avènement procurait l'intelligence de la connaissance de
Dieu. Car, au sujet du prochain, nous avons souvent fait

l'*Aduersus Praxean* (4, 1) : « Ceterum qui Filium non aliunde deduco,
sed de substantia Patris... »

23. L'union du Fils avec le Père est la *dispensatio* définie dans
la *regula fidei*, qui est présentée comme la « loi qui sauve » par
Tert., *praescr.*, 14, 4 : « Fides in regula posita est, habet legem et
salutem de obseruatione legis. »

24. La formule est caractéristique de l'exégèse typologique
depuis Tertullien qui, dans un contexte analogue à celui que
nous avons ici, se sert de l'expression « per adimpletionem » (*adu.
Marc.*, 4, 33, 9).

nuimus non alium intelligendum esse quam Christum ;
cum enim patrem, matrem, filios caritati Dei praeponere
inhibeamur, quomodo dilectio proximi diligendi Dei
15 simile mandatum est — aut relinquetur aliquid quod
amori Dei possit aequari —, nisi quia similitudo praecepti parem caritatem diligendi Patrem et Filium
exigebat ?

8. Atque ut legis ipsius uerbis argui possent et de
proximo manifestior intelligentia panderetur, requirit
quid illis uideretur Christus, cuiusnam filius futurus
esset. Qui responderunt : *Dauid* [t]. Quibus ait quomodo
D in spiritu Dominus a Dauid nuncuparetur qui eius filius
futurus esset et quomodo ab eo dictum esset : *Dixit*
Dominus Domino meo : Sede a dextris meis, donec ponam
inimicos tuos scabellum pedum tuorum [u]. Erat quidem
uerum Christum ex Dauid semine procreandum, sed
10 similitudo nominis, qua Dominus Domino dicebat et
qua a dextris collocabat, donec omnes inimicos subderet
1048 A pedibus ipsius, significabat et de consortio nominis subs-
stantiae unitatem et de adsidendi inuitatione iudicium
et de uniuersorum subiectione uirtutem, ut meminissent
15 in eo qui ex Dauid oriebatur aeternae uirtutis et potestatis et originis substantiam contineri et Deum in homine
mansurum.

REP (= α) GRTM (= β)
14 diligendi : dilectioni E *om.* P ‖ Deum R T M *Gil.*[2] ‖ 15 relinquitur β *Bad.* ‖ 8, 5 a Dauid Dominus T M ‖ 11 qua a : qui(-a T) a
T M quia ad S ‖ 13 de *om.* α *Gil.*[2] ‖ 14 ut : et R P.

t. Cf. Matth. 22, 41
u. Matth. 22, 42

remarquer qu'il ne fallait l'entendre de nul autre que du Christ [25]. En effet, puisque nous sommes empêchés de préférer un père, une mère, des fils à l'amour de Dieu, comment y a-t-il similitude entre le commandement de l'amour du prochain et celui de l'amour de Dieu, — ou alors il subsistera encore quelque chose qui puisse être égalé à l'amour de Dieu [26] —, si la similitude du commandement n'exigeait pas l'égalité de l'amour égal pour le Père et pour le Fils ?

8. Et pour pouvoir les accuser avec les termes mêmes de la Loi et pour présenter au sujet du prochain une explication plus claire, il cherche à savoir ce qu'ils pensent du Christ, de qui il serait le Fils. Ils répondirent : *De David* [t]. Il leur demande comment il est appelé en esprit Seigneur par David, s'il devait être son fils et comment il se fait que David ait dit : *Le Seigneur a dit à mon Seigneur : Siège à ma droite, jusqu'à ce que je place tes ennemis comme escabeau de tes pieds* [u]. C'était du moins la vérité que le Christ dût être engendré de la descendance de David, mais la similitude de nom, selon laquelle le Seigneur parlait au Seigneur et le plaçait à sa droite, jusqu'à ce qu'il eût soumis à ses pieds tous ses ennemis, exprimait l'unité de substance d'après la communauté de noms [27], le pouvoir de juger d'après l'invitation à s'asseoir [28] et la puissance d'après l'assujettissement de l'univers, afin de rappeler qu'en celui qui sortait de David était contenue la substance de la vertu, de la puissance et de l'origine éternelles et qu'en un homme demeurerait Dieu.

---

25. Cf. *supra*, 19, 5.

26. Dieu est « le premier » à avoir aimé d'après *I Jn* 4, 19.

27. Regroupement de deux formules de l'*Adu. Praxean* de TERTULLIEN en 18, 1 et en 25, 1.

28. Si l'on se fonde sur l'usage de la langue du barreau : cf. CIC., *Verr.*, 3, 30 : « Quod esset *iudicium*, cum ex Verris... comitatu tres recuperatorum nomine *adsedissent* ? »

24

B **1.** *Tunc Iesus locutus est turbis et discipulis suis dicens :
Super cathedram Moysi sederunt scribae et Pharisaei* [a],
et cetera. Legis de se testantis gloriam praetulit, quae
imaginem in se futurae ueritatis expresserat. In omnibus
5 enim Christi meditabatur aduentum. Quidquid enim in
ea continebatur in profectum manifestandae eius cognitionis adsumptum est. Iubet igitur praeceptis Pharisaeorum obtemperari [b], quia in Moysi cathedra sederint,
iubet legis mandatis omnibus oboediri, sed a factis eorum
10 atque operibus abstineri, ut mores hominum atque infidelitas, non legis doctrina uitetur. Ipsi enim subdito sibi
C populo grauissima legis onera imponunt, ne digitum quidem suum contingendis ipsis admouentes [c], quin etiam
cum praecipiant Dominum ex toto corde diligi et proxi-
15 mum tamquam se amari [d], ipsi aduersum legis sibi latae
testimonium Deum in Christo passionibus persequentes,
uerborum quoque suorum gloriam tamquam philac-
teria dilatantes [e], quibus uitae aeternae auctor Deus
non sit intellectus in Christo seseque ex honore legis
20 emissos tamquam fimbrias ex ueste magnificent, qui
totius legis ignari neque opera neque uirtutem eius ipsius
legis agnouerint, amantes primos accubitus in conuiuiis [f],

REP (= α) GSTM (= β)
XXIV (XXIII P M) tunc R P T M : tunc E G S CANON
(CAPVT *Cou.*) XXIV tunc *edd.* || 1, 3 cetera : reliqua β *edd.* || 8 sede-
runt β *Bad.* || 13 *ante* contingendis *add.* in α || 14 cum *om.* R P G S
edd. || praecipiunt S β′ *edd.* || 16 Christi β *Bad.* || 21-29 neque opera—
legis ignari *om.* R P

---

a. Matth. 23, 1-2
b. Cf. Matth. 23, 3
c. Cf. Matth. 23, 4
d. Cf. Matth. 19, 19

Chapitre 24

1. *Alors Jésus parla aux foules et à ses disciples en disant : Sur la chaire de Moïse se sont assis les scribes et les Pharisiens* [a], etc. Il fit ressortir comment la gloire de la Loi rendait témoignage à sa personne en portant tracée en elle l'image de la vérité à venir. En tous points elle préparait la venue du Christ. Tout ce qui était contenu en elle, en effet, a été appliqué au progrès de la révélation de la connaissance du Christ. Il commande donc qu'on se conforme aux préceptes des Pharisiens [b], parce qu'ils se sont assis dans la chaire de Moïse, il commande d'obéir à toutes les prescriptions de la Loi, mais de se tenir à l'écart de leurs actes et de leurs œuvres, de façon à se garder non de l'enseignement de la Loi, mais des mœurs et de l'incroyance des hommes. Car d'eux-mêmes ils imposent les fardeaux les plus lourds au peuple qui leur est soumis, alors qu'ils ne remuent même pas le doigt pour les toucher [c] ; encore mieux, tandis qu'ils prescrivent d'aimer le Seigneur de tout son cœur et le prochain comme soi-même [d], eux, en ce qui les concerne, contre le témoignage de la Loi porté à leur intention, attaquent Dieu dans le Christ à cause de ses souffrances [1] ; ils enflent encore comme des phylactères [e] la gloire de leurs paroles, qui servent non à reconnaître dans le Christ Dieu auteur de la vie éternelle, mais à les célébrer eux-mêmes, parce que la gloire de la Loi les a mis en avant comme un vêtement le fait de ses franges, alors que ne connaissant pas toute la Loi ils n'ont reconnu ni les œuvres ni la puissance de la Loi même ; ils aiment les premières places dans les festins [f],

e. Cf. Matth. 23, 5
f. Cf. Matth. 23, 6

1. Thèse hérétique de la compassibilité du Père avec le Fils dans Tert., *adu. Prax.*, 29. C'est ainsi que serait entendu le « second commandement semblable au premier » (cf. *supra*, 23, 7).

qui igni aeterno, conuiuantibus potius cum Abraham gentibus, deputantur, et primas cathedras in synagogis, ipsi
D doctorem suum secundum legis et prophetarum testi-
monia nescientes, sed et salutationes in foro g, quibus
humilitas cordis et ministerium in omnes est impera-
tum. Vocari etiam ab hominibus magistri uolunt h
doctrinae legis ignari et magistrum salutis perpetuae
30 respuentes. Quae quia omnia profana atque peruersa
essent, factorum imitatione damnantur. Legis autem
audientia et dictorum oboedientia, quia Christum loquebantur, exigitur.

1049 A   2. Verum in contrarium discipulis iam se scientibus
totius humilitatis praecepta consummat, ut meminerint
omnes fratres esse se h', id est filios parentis unius i et
per nouae natiuitatis generationem terreni ortus exces-
5 sisse primordia et unum sibi esse omnibus caelestis doctrinae magistrum j et gloriam honoris aeterni humilitatis conscientia capessendam k, quia insolentiam Deus
humilem effecturus sit et humilitatem elaturus in gloriam l.

3. *Vae uobis scribae et Pharisaei hypocritae qui clu-
ditis regnum caelorum* m. Simulationem eorum poenae
significatione condemnat. Vae enim uox dolentis est.
B Cludere autem eos regnum caelorum ideo ait, quia in
5 lege meditationem eius quae in Christo est ueritatis
occultent et corporeum aduentum a prophetis praedi-

REP (= α) GSTM (= β)
25-26 testimonium E S *Bad.* ‖ 30 qua T M ‖ 2, 4 *post* generationem *add.* his T M ‖ 3, 1-2 clauditis E P *Cou.*

---

g. Cf. Matth. 23, 7
h. Cf. Matth. 23, 8
h'. Cf. Matth. 23, 8
i. Cf. Matth. 23, 9
j. Cf. Matth. 23, 10
k. Cf. Matth. 23, 11
l. Cf. Matth. 23, 12
m. Matth. 23, 13

eux qui sont voués au feu éternel, tandis que les païens sont préférés comme convives d'Abraham ; ils aiment les premiers sièges dans les synagogues, tout en ignorant celui qui est leur docteur selon les témoignages de la Loi et des prophètes, mais aussi les salutations sur la place publique ᵍ, alors que l'humilité de cœur et le service de l'intérêt général leur sont commandés. Ils veulent encore que les hommes les appellent maîtres ʰ, quand ils ignorent l'enseignement de la Loi et repoussent le maître du salut éternel. Tout cela qui n'était que sacrilège et perversion est condamné comme faux-semblant d'action, mais l'écoute de la Loi et l'obéissance à ses paroles, parce qu'elles exprimaient le Christ, sont exigées.

2. A l'opposé, à ceux qui se savent maintenant ses disciples, il donne les consignes de l'humilité totale qui consiste à se rappeler qu'ils sont tous frères ʰ', c'est-à-dire fils d'un père unique ⁱ, qu'engendrés par une nouvelle naissance, ils ont quitté l'état initial de leur génération terrestre ², qu'ils ont tous un maître unique de la doctrine céleste ʲ et qu'ils doivent recueillir la gloire de l'honneur éternel par la conscience de leur humilité ᵏ, parce que Dieu rendra humble l'arrogance et élèvera l'humilité jusqu'à la gloire ˡ.

3. *Malheur à vous, scribes et Pharisiens hypocrites, qui fermez le Royaume des cieux* ᵐ. Il condamne leur faux semblant en évoquant leur châtiment, puisque « malheur » est l'expression de la souffrance ³. S'il leur dit qu'ils ferment le Royaume des cieux, c'est parce qu'ils masquent dans la Loi la préparation de la vérité qui est dans le Christ, qu'ils dissimulent par un semblant d'enseignement son avènement corporel annoncé par les prophètes et que

---

2. Telle est l'idée directrice de la « conversion » de Cyprien dans *ad Donat.*, 4 : « Nam et ipse quam plurimis *uitae prioris* erroribus inplicatus tenebar, quibus *exui* me posse non crederem..., sed postquam... in nouum me hominem *natiuitas secunda* reparauit... » *Noua natiuitas* est la formule propre à Tertullien (*carn.*, 17, 3).

3. *Vae* est accompagné couramment de *misero, miserae, miseris* (Plavt., *Amph.*, 2, 2, 98 ; *Capt.*, 3, 4, 118).

catum doctrinae simulatione abscondant ipsique non
adeuntes uiam aeternitatis in Christo adire quoque ceteros non sinant.

4. *Vae uobis scribae et Pharisaei hypocritae qui come-
ditis domos uiduarum* [n]. Hinc illae sunt ueritatis inficiae,
hinc adeundae ceteris salutis inhibitio et regni caelestis
obseratio, ut in obeundis uiduarum domibus retineatur
5 ambitio, ut longae orationis dignatione spolientur [o], ut ab
his caelestis cognitio tamquam a thesauro repositae
opulentiae expetatur, ut legis dignitas gratiae silentio
perseueret. Et ideo accipient amplius iudicium, quia et
C poenam proprii peccati et reatum alienae ignorantiae
10 debebunt [p].

5. *Vae uobis scribae et Pharisaei hypocritae qui circuitis
mare et aridam* [q]. Maris et terrae peragratione significat
in totis orbis finibus eos esse Christi euangelio obtrecta-
turos et legis iugo contra iustificationem fidei aliquos
5 subdituros; proselyti enim sunt ex gentibus in Synagogam recepti. Quorum futurorum raritas in uno [r] indicatur; neque enim post Christi praedicationem doctrinae
eorum fides relicta est. Sed quisque fuerit acquisitus
ad plebem filius fit gehennae [s], poenae soboles et aeterni
10 iudicii hereditas, quia adoptio ex gentibus Abrahae
familiam factura sit. Ideo autem poenae duplicatae erit
D filius, quia neque remissionem peccatorum sit gentilium
consecutus et societatem eorum qui Christum persecuti
fuerant sit secutus [t].

REP (= α) GSTM (= β)
4, 7 expetatur : -tetur S[2]   exspectatur P G S[ac] -pectetur T M ||
8 accipiant β *Bad.* || 5, 8 quisquis T M *edd.* || 9 sobolis G S || 12
gentium α || 14 fuerant : sunt β *edd.*

n. Matth. 23, 14
o. Cf. Matth. 23, 14
p. Cf. Matth. 23, 14.
q. Matth. 23, 15
r. Cf. Matth. 23, 15
s. Cf. Matth. 23, 15

ne prenant pas eux-mêmes la voie de l'éternité, ils ne laissent pas non plus les autres la prendre.

4. *Malheur à vous, scribes et Pharisiens hypocrites, qui dévorez le patrimoine des veuves* [n]. De là viennent ces refus de la vérité, cette manière d'empêcher les autres d'accéder au salut, de fermer le Royaume des cieux en faisant du siège des maisons des veuves le but auquel s'arrêtent leurs manœuvres, qui consistent à les dépouiller en se faisant valoir par la longueur de leur prière [o], à convoiter la connaissance céleste en elles comme en un trésor de richesses accumulées [4], pour que le prestige de la Loi dure par le silence fait autour de la grâce. Et parce qu'ils devront expier leur péché personnel et payer la faute de l'ignorance d'autrui, ils aggraveront leur procès [p] [5].

5. *Malheur à vous, scribes et Pharisiens hypocrites, qui parcourez la mer et la terre ferme* [q]. Par leur circulation sur terre et sur mer ils sont représentés faisant toutes les parties du monde pour dénigrer l'Évangile du Christ [6] et soumettre quelques hommes au joug de la Loi contraire à la justification de la foi ; en effet des prosélytes sont passés des païens à la Synagogue pour y être reçus [7]. Le petit nombre qu'ils seront est indiqué par le chiffre un [r], car après la prédication de l'enseignement du Christ leur foi n'est pas demeurée. Mais celui qui se sera agrégé au peuple d'Israël devient fils de la géhenne [8], descendance du châtiment, héritage du jugement éternel, parce que l'adoption issue des païens constituera la famille d'Abraham. Et pour n'avoir pas obtenu la rémission des péchés comme les païens et pour avoir rallié le parti de ceux qui ont persécuté le Christ, il sera fils d'un double châtiment [t] [8].

---

t. Cf. Matth. 23, 15

4. La comparaison vient de *Col.* 2, 3 : « les trésors de la sagesse et de la connaissance ».
5. C'est le schéma juridique de la *poena dupli* définie dans Cic., *off.*, 3, 65, et sanctionnant un défaut sur lequel on fait le silence.
6. *Topos* de la polémique antijuive : cf. Tert., *apol.*, 21, 25 : les disciples du Christ à travers le monde eurent à souffrir des Juifs.
7. Cf. *supra*, 15 note 2.
8. Nouvelle application du schéma juridique de la *poena dupli* :

6. *Vae uobis caeci qui dicitis : Quicumque iurauerit in
templum, nihil est* [u]. Reuerentiam humanarum obseruatio-
num et contumeliam propheticae traditionis exprobrat,
quod inanibus honorem darent et detraherent honorandis.
5 Legem namque ipse dederat et lex non efficientiam
1050 A continebat, sed meditabatur effectus. Nam ornatus alta-
rii atque templi non dignitatem de cultu conciliabat, sed
futurorum speciem de decore fingebat. Nam aurum,
argentum, aes, aurichalcum, margaritae, crystallus pro-
10 priam significantiam pro natura uniuscuiusque metalli
complectitur. Igitur redarguit quod aurum templi et
dona altaris pro sacramentorum religione uenerarentur,
cum honor potior esset et altaris et templi [v], quia ad
futurorum speciem et aurum templo et donum dedi-
15 caretur altari ; et ideo adueniente Christo, inutilem esse
fiduciam legis, quia non in lege Christus, sed lex sancti-
ficaretur in Christo, in qua ueluti sedes thronusque sibi
positus sit [w]. Qui quia religiosus habeatur, religionem ab
B eo necesse est qui in illo considat acceperit atque ita
20 stulti caecique sint, sanctificante praeterito, sanctificata
uenerantes [x].

7. *Vae uobis scribae et Pharisaei hypocritae qui deci-
matis mentham et anethum* [y], et cetera. Mentis occulta et
obscuram uoluntatum iniquitatem redarguit, quod ea

REP (= α) GSTM (= β)

6, 2 templo P ‖ 5 efficacia P ‖ 10 significationem T M ‖ 11
complectuntur T M *edd*. ‖ 12 religionibus β *Bad*. ‖ 13 ad *om*. α ‖
19 considat : -sederat R P -sederit E ‖ accipiat T M ‖ 21 uene-
rantur T M ‖ 7, 2 *post* anethum *add*. et omne olus *Cou*. ‖ cetera :
reliqua β *edd*.

u. Matth. 23, 16
v. Cf. Matth. 23, 17-19
w. Cf. Matth. 23, 22
x. Cf. Matth. 23, 17-19
y. Matth. 23, 23

cf. M. Fuhrmann, *s. u. poena*, dans *P. W*., Supplt bd 9, 1962, c.
853-854, et Vlp., *dig*. 47, 2, 52, 26 ; 47, 8, 4, 7.

6. *Malheur à vous, chefs aveugles, qui dites : Si on a juré par le temple, cela n'est rien* [u]. Il blâme le respect des observances humaines et le mépris de l'enseignement des prophètes qui leur faisaient donner des marques d'honneur à des choses futiles et les refuser à des choses respectables. Car la Loi c'est lui qui l'avait donnée, et ce qu'elle contenait n'était pas la réalité, mais en préparait la réalisation. En effet, ce n'est pas du culte que la décoration de l'autel et du temple tiraient leur prestige, mais leur beauté servait à façonner l'image de l'avenir. Il y a en effet une idée contenue dans l'or, l'argent, le bronze, le cuivre, les perles, le cristal et elle est propre à la nature de chaque métal. L'accusation donc de vénérer l'or du temple et les dons faits à l'autel comme un culte rendu à des objets rituels [9], quand l'hommage dû à l'autel et au temple aurait mieux valu [v], s'explique parce que l'or n'était dédié au temple et le don ne l'était à l'autel que comme images de l'avenir, ce qui explique que le Christ venant, la confiance dans la Loi était inutile, car le Christ ne trouvait pas sa sainteté dans la Loi, mais la Loi la trouvait dans le Christ qui s'était fait dresser en elle comme un siège et un trône [w]. Comme ils sont regardés comme sacrés, il faut qu'ils aient reçu ce caractère de celui qui s'est assis dessus [10] et donc qu'on soit sot et aveugle pour vénérer des objets sanctifiés en négligeant celui qui les sanctifie [x] [11].

7. *Malheur à vous, scribes et Pharisiens, qui acquittez la dîme de la menthe et du fenouil* [y], etc. Il dénonce les pensées dissimulées de leur esprit et l'injustice cachée de leur volonté, qui leur font exécuter les prescriptions de

9. *Sacramentum* comme « signe rituel » est attesté déjà chez Tertullien : cf. D. Michaélidès, *Sacramentum chez Tertullien*, Paris 1970, p. 266-272.

10. Extension de la définition du *religiosus locus* appliquée à un tombeau dans Vlp., *dig.* 11, 7, 2, 5 : « Non totus qui sepulturae destinatus est locus religiosus fit, sed quatenus corpus humatum est. »

11. Antithèse inspirée de *Rom.* 1, 25 (*Vulg.*) : « seruierunt creaturae potius quam Creatori ».

quae in decimis menthae atque anethi lex praescribit
5 efficiant, ut implere legem ab hominibus existimentur ;
misericordiam uero atque iustitiam et fidem et omnem
beneuolentiae adfectum reliquerint z, quod proprium
hominis officium est. Quia decimatio illa oleris, quae in
praeformationem futurorum erat utilis, non debebat
10 omitti, effici autem hoc oportebat, ut fidei et iustitiae
C et misericordiae partibus functi non imitatione fingendae,
sed ueritate retinendae uoluntatis operibus placeremus,
et quia minus piaculi esset, decimationem oleris potius
quam beneuolentiae officium praeterire, irridet eorum in
15 colandis culicibus diligentiam, quorum in glutiendis
camelis esset incuria a, peccata uidelicet leuia uitantium
et grandia deuorantium. Par quoque in eos poenae
denuntiatio est, qui calices et parapsides extrinsecus
eluentes eorum interiora non mundent b et iactantiam
20 inutilis studii sequentes utilitatis perfectae ministerium derelinquant. Calicis namque usus interior
est ; qui si obsorduerit, quid proficiet lotus exterius ?
Atque ideo interioris conscientiae nitor est obtinendus,
D ut ea quae corporis sunt forinsecus lauentur c. Sepul-
25 cris quoque eos comparauit, quae humano opere cultuque
splendentia mortuorum ossibus et cadauerum immundi-
tiis d interius sordescant, praeferant scilicet inanibus

REP (= α) A (ab XXIV, 7,5 usque ad XXVI, 4,3) GSTM (= β)
7 beneuolentiam A G S ‖ 9 praeformatione R E ‖ 11 functio
RP ‖ 14 irridit A G S ‖ 17 grandia : grauia *edd.* ‖ 18 paropsides
Cou. ‖ 24 lauentur : eluantur T M *edd.* eluatur (-leuatur S) A S

z. Cf. Matth. 23, 23
a. Cf. Matth. 23, 24
b. Cf. Matth. 23, 25
c. Cf. Matth. 23, 26
d. Cf. Matth. 23, 27

12. Définition d'origine cicéronienne : cf. Cic., *off.*, 1, 155 :
« officia iustitiae quae pertinent ad hominum utilitatem qua nihil

la Loi relatives à la dîme de la menthe et du fenouil, pour
paraître aux yeux des hommes accomplir la Loi, mais
leur ont fait laisser de côté ce qui est le devoir propre
à l'homme [12], la miséricorde, la justice, la bonne foi et
toute espèce de sentiment de bienveillance [z]. Parce que
cette dîme d'herbe, qui était utile à la préfiguration
de l'avenir, ne devait pas être négligée et que, d'autre
part, nous devions faire en sorte que nous acquit-
tant de notre rôle d'hommes loyaux, justes et miséri-
cordieux, nous rendions notre conduite agréable non par
l'imitation fictive d'une volonté, mais par une manière
véridique de s'y tenir [13], et parce que ce serait une
faute moins grande de ne pas tenir compte de la dîme de
l'huile plutôt que du devoir de bienveillance, il raille le
soin mis à filtrer le contenu des coupes par ceux qui, avalant
un chameau, n'en ont cure [a], autrement dit par ceux qui
prennent garde aux péchés légers et en engloutissent de
gros. Il annonce encore dans les mêmes termes un châtiment
à l'égard de ceux qui, nettoyant l'extérieur de la coupe et
des plats, n'en purifient pas l'intérieur [b] et qui, poursuivant
la gloriole d'un zèle inutile, ne s'occupent pas de leur
fonction qui est d'être parfaitement utiles [14]. En effet, c'est
l'intérieur de la coupe qui sert : s'il est sali, quel intérêt y
aura-t-il à ce qu'elle soit propre à l'extérieur ? Et il faut
même que soit maintenu l'éclat d'une conscience intérieure,
pour qu'à l'extérieur les traits du corps soient nettoyés [c].
Ils ont encore été comparés à des sépulcres qui brillent
grâce au travail et au soin de l'homme en étant souillés
à l'intérieur par les ossements des hommes et la pourriture
des cadavres [d], ce qui veut dire qu'ils exhibent une

homini esse debet antiquius » ; *off.*, 2, 38 : « iustitia conficit et
beneuolentiam ; quod prodesse uult plurimis, et ob eandem causam fidem ».
    13. L'opposition entre *imitatio* et *ueritas* appartient à la rhéto-
rique classique : cf. Cic., *de orat.*, 3, 215 : « in omni re uincit imi-
tationem ueritas ».
    14. Le jeu verbal entre *inutile studium* et *utilitatis ministerium*
remonte aux antithèses cicéroniennes entre l'*otium studii* (*off.*, 3, 2)
et les *negotia forensia* (*off.*, 3, 1-2).

uerbis iustitiae speciositatem, habeant uero intra se
conscientiae suae mentisque foetorem [e].

   8. *Vae uobis scribae et Pharisaei hypocritae qui aedi-*
1051 A *ficatis sepulcra prophetarum* [f], et reliqua. Iudicii forma
in absoluto est et unicuique nostrum ex natura sensus
atque opinio aequitatis imponitur, ut minus ex eo ueniae
5 iniquitatis opus habeat, quo magis aequitas ignorata
non fuerit. Prophetas namque omnes legis populus occi-
dit. In odium enim eorum amaritudine obiurgationis
accensi sunt ; nam uoce publica furta, caedes, adulteria,
sacrilegia eius coarguebant. Et quia indignum eum cae-
10 lesti regno ob haec opera denuntiabant et heredes testamenti Dei gentes futuras praedicabant, uario poenarum
genere confecti sunt. Sed parentum facta posteritas ita
detestata est [g], ut prophetiae libros ueneretur, memorias
adornet, sepulcra restauret talique reuerentia extra cul-
15 pam se esse paterni sceleris testetur.

B   9. Qui ergo prophetas cum grauissimo piaculo occisos
fatentur, qua uenia Christum, qui prophetarum opus est,
condemnabunt, cum ea quae detestentur etiam multi-
plicato facinore perficiant ? Atque ideo et serpentes et
5 uiperina generatio sunt [h], quia mensuram paternae uoluntatis implebunt [i]. Et quomodo effugient iudicium, detes-
tantes caedem prophetarum et usque ad crucis mortem
Dominum persequentes ? A quibus propter apostolos,
qui de futurorum reuelatione prophetae sunt, de Christi

REP (= α) A (ab XXIV, 7,5 usque ad XXVI, 4-3) GSTM (= β)
29 foetoris (-es S²) A Sᵃᶜ ‖ **8**, 1 scribae *om.* R ‖ 4 atque *om.* T M
‖ 8 uoce : uero A S ‖ 13 ueneretur : uenetur P uenerentur β *Bad.*
‖ 14 adornent S T M *Bad.* ‖ restauret : -rent A S T M -rarent G
instaurent *Bad.* ‖ 15 testentur A² G S T M *Bad.* ‖ **9**, 3 cum *om.* A S ‖
7 et usque : eorumque R P *Cou.* ‖ 9 *post* sunt *add.* et β *Bad.*

e. Cf. Matth. 23, 28
f. Matth. 23, 29
g. Cf. Matth. 23, 30
h. Cf. Matth. 23, 33
i. Cf. Matth. 23, 32

parure de justice à l'aide de mots vides, tout en ayant en eux la puanteur de leur conscience et de leur esprit [e].

8. *Malheur à vous, scribes et Pharisiens hypocrites qui bâtissez les sépulcres des prophètes* [f], et la suite. La formulation du jugement est claire : l'idée et l'opinion de l'équité sont mises en chacun de nous par la nature [15], rendant l'œuvre d'iniquité d'autant moins pardonnable que l'équité a été plus méconnue. Le peuple de la Loi a en effet tué tous les prophètes : il s'est enflammé de haine contre eux à cause de l'âpreté de leur réprobation, puisqu'ils accusaient publiquement ses vols, ses meurtres, ses adultères, ses sacrilèges. Et parce qu'à cause de ces actes, ils le dénonçaient comme indigne du Royaume des cieux et qu'ils enseignaient que les païens seraient les héritiers du testament de Dieu [16], ils furent accablés de châtiments de diverses sortes. Mais les descendants ont maudit la conduite de leur pères [g], vénérant les livres de la prophétie, ornant leurs tombeaux, rebâtissant leurs sépulcres et attestant par cette forme de respect qu'ils ne sont pas coupables du crime de leurs pères.

9. Ceux qui reconnaissent que ce fut un sacrilège très grave de tuer les prophètes, quel pardon auront-ils donc pour avoir condamné le Christ, qui est la réalisation des prophéties, puisqu'ils redoublent leur crime encore en accomplissant ce qu'ils maudissent [17] ? Et parce qu'ils combleront la mesure de la volonté de leurs pères [i], ce sont des serpents et une descendance de vipères [h]. Et comment échapperont-ils au jugement en maudissant le massacre des prophètes et en persécutant le Seigneur jusqu'à la mort de la Croix ? Sur eux tout le sang des justes d'Abel à Zacharie a rejailli [k] à cause des apôtres qui, prophètes du fait de la révélation de l'avenir, sages du fait de la connaissance du Christ, scribes du fait

---

15. L'*aequitas* est *naturalis* (cf. VLP., *dig.*, 12, 4, 3, 7 ; 13, 5, 1) ; elle « dérive de la nature » (CIC., *fin.*, 2, 59).

16. D'après des textes comme *Lam.* 2, 2 (*Vulg.*) « polluit (Deus) regnum et principes eius » ; *Éz.* 36, 3 : « et facti in hereditatem reliquis gentibus ».

17. Sur le schéma juridique de la *poena dupli* cf. *supra*, n. 5 et 8.

10 agnitione sapientes, de legis intelligentia scribae, caesos,
lapidatos, crucifixos, a ciuitatibus in ciuitates fugatos [j],
omnis sanguis iustorum ab Abel usque ad Zachariam
C redundauit [k], ut quibus oboeditum si fuisset, propriorum
criminum esset uenia praestanda, ob hos eosdem inter-
15 emptos poena in eos qui peremerint paternorum quoque
facinorum congereretur.

10. *Hierusalem, Hierusalem, quae interficis prophetas
et lapidas eos qui ad te missi sunt* [1]. Inter multa obiurga-
tionum genera semper misericordiae suae protestatur
adfectum, cuius hinc omnis querela est, quod regredi in
5 salutem quam praestabat abnuerent. Occiderat enim
prophetas et ad se missos lapidauerat Hierusalem. In ciuitatis nuncupatione habitantium facinus ostenditur. Et
idcirco Abel sanguis et Zachariae in hanc eorum posteri-
1052 A tatem uenturus ostenditur [m], quia iam in his habitans
10 Christus et praedicans erat passus. Quod si creditum ei
fuisset, non solum extra poenam necis prophetarum
credentium fides foret, sed ipsam illam dominicae passionis sententiam esset uenia consecuta. At uero cum
nec post resurrectionem creditum ei fuerit, etiam ultio
15 ab his Abel et Zachariae sanguinis reposcetur.

11. Quamuis enim corporeus haec loquatur et opem
uniuersis homo repertus [n] exhibeat, frequenter tamen
congregare eos uoluit praedicationibus prophetarum.

REP (= α) A (ab XXIV, 7,5 usque ad XXVI, 4,3) GSTM (= β)
11 *post* crucifixos *add.* et β *edd.* || 13 ut quibus : et quibus E   ut
a quibus T M   quibus R   in quibus S || 14 esset *om.* R P || ob hos :
ob E   ab his A S *edd. plures* || 15 peremerant (-imerant R) R β
Gil.[2] || 16 congereretur : -geretur P A S   -geratur T M   cogere-
tur G || **10,** 2 *post* sunt *add.* et cetera A G S *edd.* || 12 fuerat R β
Bad. || 15 Abel : Abeli A -lis *edd.* || et *om.* A G Sᵃᶜ || **11,** 1 opera α

j. Cf. Matth. 23, 34
k. Cf. Matth. 23, 35
l. Matth. 23, 37
m. Cf. Matth. 23, 35

de l'intelligence de la Loi, ont été par eux tués, lapidés, crucifiés, chassés d'une cité dans une autre ʲ, en ce sens que, si en leur obéissant on eût obtenu le pardon de ses propres fautes, du jour où ils ont été tués, sur ceux qui les ont tués s'amoncelle en plus le châtiment des crimes commis par leurs pères [18].

10. *Jérusalem, Jérusalem, qui tues les prophètes et lapides ceux qui te sont envoyés* [1]. Au milieu des formes multiples de reproches, il témoigne toujours de la miséricorde de son âme, dont la lamentation vient tout entière de leur refus de revenir au salut qu'il leur offrait [19]. En effet, Jérusalem avait tué les prophètes et lapidé ceux qui lui avaient été envoyés. Sous le nom de la cité ce sont ses habitants criminels qui sont visés, et on voit que le sang d'Abel et de Zacharie doit venir jusqu'à leur descendants ᵐ, parce qu'en eux déjà avait souffert le Christ qui les habitait et enseignait [20]. Si on avait cru à lui, non seulement la foi des croyants eût échappé au châtiment du meurtre des prophètes, mais le pardon eût atteint même cette condamnation, cause de la Passion du Seigneur, mais, puisqu'on n'aura même pas cru à lui après la Résurrection, il leur a demandé réparation en outre du sang d'Abel et de Zacharie [21].

11. Bien qu'il tienne ses propos, alors qu'il a pris un corps et qu'il offre à tous son aide [22] dans le temps où il est trouvé homme ⁿ, le Seigneur a souvent voulu les rassembler par la prédication des prophètes. Mais

n. Cf. Phil. 2, 7

18. Effet de *gradatio* dont nous avons analysé le schéma dans notre *Hilaire de Poitiers...*, p. 348, n. 4.
19. C'est le *reditus* par la *confessio* des péchés dont Hilaire a parlé *supra*, 18, 10.
20. Formule hardie qui rappelle Tert., *praescr.*, 13, 2 : « Id uerbum filium eius appellatum... in prophetis semper auditum... » ; *adu. Iud.*, 13, 10-11 : « *In siti mea potauerunt me aceto* (*Ps.* 68, 22). Haec Dauid passus non est, ut de se merito dixisse uideatur, sed Christus qui crucifixus est. »
21. Même type de *gradatio* que *supra*, cf. n. 18.
22. Des miracles corporels du Christ, Tert., *apol.*, 21, 17 tire argument en faveur de l'universalité du salut.

Sed frustra hunc impendit adfectum et in cassum. Tam-
5 quam gallina congregans pullos suos o continere eos sub
B alis suis uoluit, terrena uidelicet nunc et domestica
auis factus, quodam corporis sui tamquam alarum ope-
rimento calorem ut pullis suis uitae immortalis indulgens
et in uolatum uelut noua generatione producens. Pullis
10 enim alia nascendi ratio est, alia uiuendi. Nam primum
ouorum testis tamquam claustro corporis continentur,
dehinc postea parentis sedulitate confoti exeunt in uolatum. Huius igitur familiaris ac paene terrenae auis more
congregare eos intra se uoluit, ut qui condicione nascendi
15 editi iam fuissent, nunc alterius generationis ortu et
calore confouentis renati in caeleste regnum tamquam
pennatis corporibus euolarent. Quod quia noluerunt,
domus eorum deserta et uacua relinquetur p, id est indigni
habitatione sancti Spiritus erunt q. Sua enim domus,
C non Dei esse coeperunt et in contumacia infidelitatis
manentes usque in id tempus eum non uidebunt, quo
in Domini nomine reuertentem r etiam inuitae infidelitatis confessione benedicent.

REP (= α) A (ab XXIV, 7,5 usque ad XXVI, 4,3) GSTM (= β)
10 uiuendi : uolandi T M *Cou.* ‖ 22 Domini : Dei R P T M *Bad.*

---

o. Cf. Matth. 23, 37
p. Cf. Matth. 23, 38
q. Cf. Rom. 8, 9 ; II Tim. 1, 14
r. Cf. Matth. 23, 39

---

23. Pour la chaleur comme fondement de la vie cf. Lact., *inst.*,
2, 9, 10 : « uita in calore est ».
24. Hilaire amalgame ici plusieurs thèmes traités ailleurs : la
nouvelle génération au baptême est celle de l'esprit (cf. *supra*, 10,
24) ; tout esprit est ailé (cf. Tert., *apol.*, 22, 8) et les hommes nés à
nouveau le sont pour s'envoler (cf. *supra*, 10, 18).

c'est en vain et pour rien qu'il a dispensé cette affection. Comme une poule qui rassemble ses petits [o] il a voulu les maintenir sous ses ailes, ce qui veut dire que, dans le temps présent devenu un oiseau terrestre et domestique, il procure, comme celui-ci à ses petits, au moyen d'ailes en quelque sorte qui sont son corps, une protection donnant la chaleur de la vie immortelle [23] et les amène à s'envoler dans une espèce de nouvelle naissance [24]. Chez les poussins, la façon de naître est différente de la façon de vivre [25], car ils sont d'abord enfermés dans la coquille des œufs qui évoque la barrière du corps [26] ; ensuite, réchauffés par les soins empressés de leur mère, ils sortent pour voler. C'est à la façon de cet oiseau domestique et quasi terrestre [27] qu'il a voulu les rassembler en lui, faisant que ceux qui avaient déjà été mis au jour selon la règle de la naissance, renaissant maintenant par une autre génération grâce à la chaleur de celui qui les ranime [28], s'envolent vers le Royaume des cieux comme sur des corps ailés. C'est parce qu'ils n'ont pas voulu de cela que leur demeure sera laissée déserte et vide [p], autrement dit qu'ils ne seront pas dignes de l'habitation du Saint-Esprit [q]. En effet, déjà c'est pour eux, non pour Dieu, qu'ils sont une demeure et ainsi restant dans l'obstination de l'incroyance ils ne le verront pas jusqu'au temps où ils béniront celui qui revient au nom du Seigneur [r], en confessant leur incroyance comme un refus même.

25. Ces deux étapes du développement d'un volatile sont un emprunt à CIC., *nat. deor.*, 2, 124, texte dont on retrouve ici un terme : *confoti*.

26. L'image, ainsi que celle de l'envol aux cieux, est empruntée à CIC., *rep.*, 6, 14 : « hi uiuunt qui e corporum uinculis tanquam e carcere euolauerunt » ; 3, 40 : « corpora in caelum elata » (cf. *supra*, 10, n. 32).

27. L'oiseau est fait pour voler (cf. QVINT., *inst.*, 1, 1, 1 et *supra* 10, n. 33), mais PLIN., *nat.*, 10, 38 (54), 111, remarque qu'il se déplace autant à terre que dans l'air.

28. Image analogue chez TERT., *anim.*, 11, 8 en relation avec la définition de l'esprit comme *flatus* : « Deum flantem in faciem hominis flatum uitae et hominem factum in animam uiuam. » Le *flatus* est chaleur : cf. *resurr.* 7, 3.

25

1. *Et egressus de templo ibat et accesserunt discipuli
eius, ut ostenderent ei structuram templi* ᵃ. Post commina-
1053 A tionem deserendae Hierusalem, tamquam commouendus
ambitione templi esset, magnificentia ei exstructionis
5 ostenditur. Qui ait destruenda omnia esse et dispersis
totius substructionis lapidibus diruenda ᵇ. Templum
enim aeternum ad habitationem sancti Spiritus conse-
crabatur, homo scilicet per agnitionem Filii et confessionem Patris et praeceptorum oboedientiam Deo fieri
10 dignus habitaculum.

2. Et cum secessisset in montem ᶜ, adeuntes eum
secreto discipuli interrogant quando haec fierent quodue
signum aduentus sui et consummationis saeculi nosce-
rent. Et quia tria haec in unum quaesita sunt, distinctis
5 et tempore et intelligentiae significationibus separan-
tur. Respondetur igitur primum de ciuitatis occasu ᵈ
B et confirmantur ueritate doctrinae, ne quis fallax ignorantibus posset obrepere ; uenturi enim etiam eorum
tempore, qui se Christum essent nuncupaturi ᵉ. Vt
10 igitur fides pestifero mendacio detrahi posset, admonitio

REP (= α) A (ab XXIV, 7,5 usque ad XXVI, 4,3) GLTM (= β)
XXV (XXIV P) Et egressus R P M : Et egressus E A G S
CANON (CAPVT T *Cou.*) XXV Et egressus T *edd.* ‖ **1**, 2-3 commi-
nationem : -monitionem T¹ M -motionem Tᵃᶜ ‖ 4 magnificentiae
A G S ‖ ei exstructionis : uel exstructionis S   ei structionis E   lex
structionis A G ‖ **2**, 3 *post* signum *add.* est A   et G   esset S ‖ 5
temporis P G S *edd.* ‖ et² *om.* A G S

---

a. Matth. 24, 1
b. Cf. Matth. 24, 2
c. Cf. Matth. 24, 3
d. Cf. Matth. 24, 4.
e. Cf. Matth. 24, 5

Chapitre 25

1. *Et il s'en allait du temple, quand ses disciples s'appro-*
chèrent de lui pour lui montrer la construction du temple [a].
Après qu'il eut menacé Jérusalem de se voir aban-
donnée, comme on pensait qu'il serait ébranlé par le
faste du temple, on lui montre la splendeur de l'édifice.
Mais il déclare que tout devait être détruit et ruiné sous
les décombres des pierres de l'ensemble de la construction [b]. Le temple éternel en effet, c'était celui qui était
consacré à l'habitation du Saint-Esprit [1], l'homme, qui,
par la connaissance du Fils, la confession du Père, l'obéissance aux commandements [2], était digne de devenir une
habitation pour Dieu.

2. Et comme il s'était retiré sur le mont [c], ses disciples
l'abordant lui demandent à part quand cela aurait lieu
et à quel signe ils reconnaîtraient son avènement et la fin
du monde. Et de fait, parce qu'il y a là trois questions
réunies en une seule, il les sépare en faisant des distinctions de chronologie et de sens. Ainsi c'est d'abord la
ruine de la cité qui est l'objet d'une réponse [d] : il les
confirme dans la vérité enseignée par une mise en garde
contre le risque d'être surpris [3], si on l'ignore, par un
imposteur, car, à l'époque des apôtres encore, devaient
venir des hommes qui se donneraient le nom de Christ [e].
Ainsi l'avertissement que la foi pouvait être arrachée

---

1. Souvenir de formules pauliniennes : *I Cor.* 6, 19 : « membra
uestra templum est spiritus sancti » ; *II Cor.* 6, 16 : « uos estis templum Dei uiui ».

2. Cette trilogie réunit les deux aspects de *scientia* et de *disciplina*
reconnus au christianisme par l'apologétique (cf. TERT., *apol.*, 46,
8), la « science » étant la doctrine sur Dieu (= ici les deux premiers
motifs), la « discipline » étant la pratique des vertus et correspondant ici au troisième motif.

3. Cette conception de l'*admonitio* comme mise en garde contre
l'imposture de l'Antéchrist est celle de CYPR., *epist.*, 57, 5, 2 ; 58,
1, 2.

praecessit. Venit enim Samaritanus Simon diabolicis
instructus et operibus et dictis pluresque factorum
miraculis deprauauit [f]. Et quia hoc in apostolorum tempora conueniret, ait : *Non est finis* [g]. Sed ne tunc qui-
15 dem, cum gentes aduersus se mutuo et regna concur-
rent [h] et fames ac terrae motus erunt, quia in his non
uniuersitatis huius dissolutio est, sed dolorum initia [i],
malis omnibus exinde coepturis. Confirmat igitur eos ad
tolerantiam passionum, fugae, uerberationis, interitus
20 et publicum in eos gentium odium propter nomen eius [j].
C Atque his quidem uexationibus multi turbabuntur et
tantis insurgentibus malis scandalizabuntur et usque in
mutuum odium excitabuntur [k]. Et falsi prophetae
erunt, ut Nicolaus unus ex septem diaconibus fuit [l],
25 multosque ementita ueritate peruertent [m] et abundante
nequitia, caritas frigescet [n]. Sed usque in finem per-
seuerantibus salus reseruata est [o] ac tum, per omnes orbis
partes uiris apostolicis dispersis, euangelii ueritas praedicabitur [p]. Et cum uniuersis fuerit cognitio sacramenti
30 caelestis inuecta, tum Hierusalem occasus et finis incumbet, ut praedicationis fidem et infidelium poena et metus
ciuitatis erutae consequatur. Haec igitur in eam, ut

REP (= α) A (ab XXIV, 7,5 usque ad XXVI, 4,3) GSTM (= β)
15 cum *om*. A S || 15-16 concurrerent A G S M || 18 *post* omnibus
add. significat T M || 23 pseudoprophetae A S || 24 *post* Nicolaus
add. qui E T M || 31 ut : et R P

---

f. Cf. Act. 8, 9
g. Cf. Matth. 24, 6
h. Cf. Matth. 24, 7
i. Cf. Matth. 24, 8
j. Cf. Matth. 24, 9
k. Cf. Matth. 24, 10
l. Cf. Act. 6, 5 ; Apoc. 2, 6 et 15
m. Cf. Matth. 24, 11
n. Cf. Matth. 24, 12
o. Cf. Matth. 24, 13
p. Cf. Matth. 24, 14

par un mensonge funeste a précédé l'événement. Il est
venu en effet un Samaritain, Simon, armé des œuvres
et des paroles du diable [4] et il en a détourné plus d'un
par les miracles qu'il faisait [f]. Et parce que cela concor-
dait avec le temps des apôtres, le Seigneur déclara :
La fin, ce n'est pas ce moment-là [g] ; la fin, ce n'est pas
non plus lorsque les nations et les royaumes s'affron-
teront mutuellement [h] et qu'il y aura des famines et
des tremblements de terre, parce que ces événements
signifient non la dislocation de l'univers [5], mais le commencement des douleurs [i], tous les malheurs devant
partir de là. Il les encourage donc à supporter les
souffrances, la fuite, la flagellation, la mort, la haine
officielle contre eux à cause de son nom [j]. Et assurément
par ces persécutions beaucoup seront troublés, seront
scandalisés en voyant surgir de tels maux et seront incités
même à se haïr mutuellement [k]. Et il y aura de faux prophètes comme fut Nicolas, un des sept diacres [l] ; ils en
détourneront beaucoup [m] en falsifiant la vérité, et l'a-
bondance du mal refroidira la charité [n]. Mais pour ceux
qui persévéreront jusqu'au bout il y a une réserve de
salut [o], et alors, les hommes apostoliques s'étant répandus
dans toutes les parties du monde [6], la vérité de l'Évangile
sera enseignée [p]. Et le jour où la connaissance du mystère
céleste aura été apportée à l'humanité entière, la chute
et la fin de Jérusalem s'abattront, en sorte que le châtiment des incroyants et la frayeur de la cité détruite soient
la conséquence de la foi issue de l'enseignement [7]. Cela

4. La magie est d'inspiration diabolique selon l'apologétique
chrétienne : cf. MIN. FEL., 26, 10 : « magi... quicquid miraculi
faciunt, per daemones ludunt ».

5. L'expression est à peu de chose près celle de TERT., *resurr.*, 41, 4 :
« de domicilio mundi potest intellegi, quo dissoluto... ». Faut-il de
Tertullien remonter jusqu'à Lucrèce qui fait grand usage de *dissoluo*
pour exprimer la dislocation des éléments (1, 558-559 ; 2, 953) ?

6. Sur les *uiri apostolici*, cf. *supra*, 22, n. 15.

7. Les Prophètes ont annoncé la destruction de Jérusalem —
non celle du monde — en liaison avec la venue du Christ, qui « a
pris possession de tout l'univers par la foi », comme il ressort des
chapitres 11 et 12 de l'*Aduersus Iudaeos* de TERTULLIEN.

fuerant praedicta, perfecta sunt et lapidatis, fugatis,
peremptis apostolis, fame, bello, captiuitate consumpta
D est. Ac tum fuit digna non esse, cum, eiectis praedica-
toribus Christi, indignam Dei praedicatione se praebuit.

1054 A   **3.** Sequitur deinde et indicium aduentus futuri, cum
abominationem desolationis stantem in loco sancto
uidebunt q, tunc claritatis reditum intelligendum. Et
de hoc quidem, beatissimo Daniele r et Paulo s praedi-
5 cantibus, superfluum uos puto habere sermonem : de
Antichristi enim temporibus haec locutus est. Abominatio ex eo dictus, quod aduersus Deum ueniens honorem sibi Dei uindicet ; desolationis autem abominatio,
quia bellis et caedibus terram cum piaculo desolaturus
10 sit. Atque ob id a Iudaeis susceptus loco sanctificationis
insistet ut, ubi sanctorum precibus Deus inuocabatur,
illic ab infidelibus receptus Dei honore uenerabilis sit.

   4. Et quia proprius iste Iudaeorum erit error, ut qui
B ueritatem respuerunt, suscipiant falsitatem, Iudaeam
deseri monet et transfugere in montes t, ne admixtione
plebis illius Antichristo crediturae uis aut contagio adfe-
5 ratur, sed omnibus qui tunc fideles erunt tutiora futura
sint deserta montium quam frequentata Iudaeae.

REP (= α) A (ab XXIV, 7,5 usque ad XXVI, 4,3) GSTM (= β)
33-34 fugatis peremptis *om.* T M ‖ 34 consummata α ‖ 36 praedi-
cationi T¹ M ‖ **3**, 4 Danielo R A G T ‖ 10 ob id *om.* A G S *Bad.* ‖ a
Iudaeis : aliud eis R alius eis P ‖ 11 instisterit T M ‖ **4**, 1 terror
A S ‖ 4 crediturae uis : creditura uis S   creditura uisa A G ‖ 6
post frequentata *add.* moenia E T M ‖ Iudaea R

---

q. Cf. Matth. 24, 15
r. Cf. Matth. 24, 15 et Dan. 9, 27
s. Cf. II Thess. 2, 4
t. Cf. Matth. 24, 16

---

8. Jérusalem indigne de recevoir la prédication des Apôtres
sera vouée à la malédiction en application du précepte énoncé
supra, 10, 10.
9. *Abominatio* évoque les idoles dans la langue des Prophètes :
cf. *Éz.* 8, 10 : *abominatio et uniuersa idola* ; 7, 20 : *imagines abomi-*

s'est donc accompli pour Jérusalem comme cela avait été
prédit et la lapidation, l'expulsion, le meurtre des apôtres
ont provoqué son anéantissement par la faim, la guerre
et la captivité ; et ce fut au moment où, ayant rejeté les
prédicateurs du Christ, elle se montra indigne de la prédication de Dieu, qu'elle ne fut plus digne d'exister [8].

3. Vient ensuite aussi le signe de son avènement futur :
quand ils verront l'abomination de la désolation installée
dans le saint lieu [q], qu'ils comprennent que c'est alors
son retour dans la gloire. Et à ce sujet, je pense qu'étant
donné l'enseignement des bienheureux Daniel [r] et Paul [s],
il est inutile de nous étendre : c'est de l'heure de l'Antéchrist qu'il est question ici ; il est appelé abomination
parce que, venant contre Dieu, il s'arroge l'honneur de
Dieu [9] ; quant à « abomination de la désolation », c'est
parce qu'il doit désoler la terre [10] par des guerres et des
massacres accompagnés d'un sacrilège. Et c'est pour le
commettre qu'il se fera accueillir des Juifs dans le lieu de
la sainteté où il s'installera, de façon que là où Dieu était
invoqué par les prières des saints, il soit reçu par les incroyants qui le vénèrent avec l'honneur dû à Dieu.

4. Et comme ce sera une erreur propre aux Juifs que
d'accueillir le mensonge après avoir repoussé la vérité [11],
il les exhorte à abandonner la Judée et à fuir dans les
montagnes [t], pour qu'aucun mélange avec ce peuple prêt à
croire à l'Antéchrist ni ne les violente ni ne les conta-
mine [12], mais pour que tous ceux qui auront alors la foi
trouvent plus de sécurité dans les déserts des montagnes
que dans les lieux fréquentés de Judée.

---

nationum. L'idole qui s'arroge l'honneur de Dieu est un *topos* de
la polémique antipaïenne : cf. *Rom.* 1, 23 ; Tert., *idol.* 1, 3.

10. *Desolari terram* est une *iunctura* des Prophètes : cf. *Éz.* 6,
14 ; *Is.* 34, 10 ; 62, 4 ; *Jér.* 12, 11.

11. Reprise d'un argument de la polémique antijuive : cf. Tert.,
adu. Iud., 1, 6 : « populus Iudaeorum... derelicto Deo idolis deser-
uiuit et diuinitate abrelicta simulacris fuit deditus ».

12. La terminologie de cette évasion (*fugio, admixtio, contagio*)
est celle de la fuite loin des passions du corps chez Cicéron (*Tusc.*,
1, 72 ; *Cato*, 80) comme dans le développement suivant : cf. *infra*,
n. 18.

5. Quod autem ait : *Et qui in tecto sunt non descendant
tollere aliquid de domo* [u], praeceptum istud secundum
humanam intelligentiam rationem dicti factique non
recipit. Qui enim in tecto est et Iudaeam sit relicturus
5 nisi descendens ex eo abire non poterit. Aut quae uti-
litas est consistere in tecto et non in domo manere ?
Sed frequenter admonuimus proprietates uerborum et
C locorum contuendas, ut momenta praeceptorum caelestium consequamur. Tectum est domus fastigium et
10 habitationis totius celsa perfectio. Domus enim nulla dici
poterit uel esse sine tecto. Qui igitur in consummatione
domus suae, id est in corporis sui perfectione consti-
terit, regeneratione nouus, spiritu celsus et diuini mune-
ris absolutione perfectus, non descendere in humiliora
15 rerum saecularium cupiditate debebit neque interioribus
corporis illecebris prouocatus de tecti sui sublimitate
decedere. *Et qui in agro erit non reuertatur tollere tunicam
suam* [v], scilicet positus in operatione praecepti non ad
curas pristinas reuertatur neque aliqua corporis indu-
20 menta desideret, ob quae reuersus ueterum exinde pec-
D caminum, quibus antea contegebatur, erit tunicam
relaturus.

REP (= α) A (ab XXIV, 7,5 usque ad XXVI, 4,3) GSTM (= β)
5, 11 uel *om.* R P ‖ 13 nouus spiritu : spiritus nouus T M   nouus
spiritus A   noui spiritus S ‖ 15 inferioribus T M *Cou.* ‖ 17 descendere α S²

---

u. Matth. 24, 17
v. Matth. 24, 18

---

13. L'intérêt exprime ce qui est naturel : cf. Cɪᴄ., *off.*, 3, 27 ; 3,
35.
14. Cf. *supra*, 10, 1.
15. Définition inspirée de celle des lexicographes : cf. Pᴀᴠʟ.
Fᴇsᴛ., éd. Lindsay p. 78 : « Le faîte est la partie la plus haute d'une
construction ».

5. Quant à cette affirmation : *Et que ceux qui sont sur le toit ne descendent pas prendre quelque chose dans leur maison* [u], c'est un précepte dont ni la formule ni l'exécution n'admettent d'explication selon le sens humain. En effet celui qui est sur un toit et doit quitter la Judée ne pourra en partir qu'en descendant. Ou encore quel intérêt y a-t-il à s'établir sur un toit [13] au lieu de rester dans la maison ? Mais comme nous l'avons souvent rappelé [14], il faut étudier les propriétés des termes et des lieux pour saisir l'importance des préceptes célestes. Le toit est le faîte de la maison, point culminant qui achève toute l'habitation [15]. D'une maison, en effet, on ne pourra même pas dire qu'elle existe, si elle est sans toit. Celui donc qui s'établira au couronnement de sa maison, c'est-à-dire dans l'état achevé de son corps [16], renouvelé qu'il est par la régénération, élevé par l'esprit, consommé par la perfection du don divin [17], ne devra pas descendre à un niveau plus bas par désir des biens du monde ni déchoir de la hauteur de son toit, entraîné par les séductions intestines du corps [18].

Et que celui qui sera dans son champ ne revienne pas enlever sa tunique [v], autrement dit que, s'il est occupé à exécuter un commandement, il ne revienne pas à ses soucis d'antan [19] ni ne regrette quelques vêtements pour son corps, si, à cause d'eux, il doit revenir et ramener la tunique des péchés, vieillis depuis lors, dont il était couvert auparavant [20].

16. La maison est une image classique du corps : cf. Cic., *Tusc.*, 1, 51 ; Sen., *epist.*, 120, 14 ; Tert., *anim.*, 38, 4.

17. Caractéristiques du corps spirituel (cf. *supra*, 10, 19 ; 10, 24), « habitation du Saint-Esprit » (cf. *supra*, 24, 11), que Tertullien (*resurr.*, 49, 6) appelle *fastigium ex gloria conse(cutum)*.

18. L'image de la « descente » dans les passions est cicéronienne (cf. *Consolatio*, fragm. 12 Müller) ; cicéronienne est aussi la distinction des « soucis du siècle » et des *illecebrae corporis* (cf. *Tusc*, 4, 6) comme cause de « chute » (cf. Cic., *Tusc.*, 1, 72).

19. Cf. le conseil de Paul dans *Éphés.* 4, 22 (*Vulg.*) : « deponere uos secundum pristinam conuersationem ueterem hominem qui corrumpitur secundum desideria erroris. »

20. L'image paulinienne du vieil homme pécheur est amalgamée à la métaphore classique du vêtement désignant le corps : cf. Sen., *epist.*, 92, 13 et Tert., *resurr.*, 27, 1.

6. *Vae praegnantibus et nutrientibus* [w]. Simpliciter
1055 A quidem istud propter moram fugae accipi potest, quia
uentris onere impeditas imminentem temporum ruinam
effugere sit molestum. Sed quid condicio sexus et gene-
5 rationis ordo commeruit ? Nisi forte aetas illa mulierum,
quae in illa tempora inciderint, proprie sit futura maledicta. Sed absit istud, ut quidquam sit quod homini nisi
sua culpa malum fiat. Non igitur de fetarum onere
Dominum admonuisse credendum est, cum dicit : *Vae*
10 *praegnantibus*, sed animarum peccatis repletarum osten-
disse grauitatem, quae neque in tecto positae neque in
agro manentes repositae irae tempestatem uitare possint. Dolor enim praegnantes ex natura consequitur et
partus sine totius corporis uexatione non funditur. Quae
15 ergo tales animae reperientur, in suo et onere et dolore
B continebuntur. Illis quoque uae erit quae nutrientur.
Est infantia lacte depulsa non minus ad fugam inutilis,
quam ea quae etiamnum lacte alitur. Et quomodo uae
illi quae nutriatur, cum nihil intersit aetatis ac tem-

REP (= α) A (ab XXIV, 7,5 usque ad XXVI, 4,3) GSTM (= β)
6, 9 Domino R P ‖ 13 praegnantis G T M ‖ 18 etiam E T M ‖
alatur (-antur G) R P A G Sᵃᶜ

w. Matth. 24, 19

21. Cette condamnation de la grossesse et de l'enfantement a été
le fait des gnostiques : cf. TERT., *carn.*, 4, 1-2.
22. Lieu commun de la morale classique : cf. CIC., *Tusc.*, 3, 34 :
« uidet malum nullum esse nisi culpam, culpam autem nullam esse,
cum id quod ab homine non potuerit praestari euenerit ».
23. D'après l'image de *II Tim.* 3, 6 (*Vulg.*) : « mulierculas onera-
tas peccatis ».
24. Thème de *I Thess.* 1, 10 (*Vulg.*) : « Iesum qui eripuit nos
ab ira uentura ».
25. A rapprocher des observations sur l'état de l'accouchée que
fait Favorinus dans GELL. 12, 5-8 : « ad dolores quos in enitendo
tulisset... ; ne de grauitate oneris et labore partus fatiscat ».
26. Hilaire interprète le lemme « uae nutrientibus » (*Matth.* 24,
19) au sens médio-passif, qui ressort de la paraphrase : « illis quoque

6. *Malheur aux femmes enceintes et aux nourrissons* W.
On peut expliquer simplement cette parole par le retard
mis à fuir, du fait qu'il est malaisé à des femmes gênées
par le poids de leur ventre d'échapper à l'écroulement
imminent des temps. Mais en quoi l'état tenant au sexe
et le système de la génération ont-ils mérité ce sort [21] ? A
moins de supposer que cette phase de la vie des femmes
qui tomberont sur ces temps critiques doive être spécialement maudite. Mais loin de nous cette idée qu'il y ait
quelque chose qui devienne un malheur pour l'homme
autrement que par sa faute [22]. Il faut donc croire que ce
n'est pas sur le poids des femmes enceintes que le Seigneur
a attiré notre attention, quand il a dit : *Malheur aux
femmes enceintes*, mais qu'il a voulu montrer la lourdeur
des âmes remplies de péchés [23], lourdeur qui les empêche
d'échapper à l'orage de la colère mise en réserve [24], qu'elles
soient placées sur un toit ou qu'elles restent au champ.
Il est naturel en effet que la douleur accompagne l'enfantement et l'on ne met pas au monde une progéniture sans
que tout le corps soit meurtri [25]. Ainsi les âmes qui seront
trouvées dans cet état seront retenues dans leur poids
de douleur.

« Malheur aussi à ceux qui seront nourrissons [26]. » L'en-
fance sevrée de lait n'est pas moins impropre à la fuite
que l'âge qui s'alimente encore avec du lait. Et si la
différence d'âge et de temps entre ceux qui se nourrissent
de lait et ceux qui en sont sevrés n'a pas d'importance [27],

uae erit quae nutrientur ». Entendait-il calquer le sens d'une leçon
dont la version latine des *Tomoi in Matthaeum* 43 d'Origène dite
Commentariorum series nous révèle l'existence (au temps d'Origène en grec ? au temps du traducteur en latin ?) : *uae sugentibus*
(*Matth.* 24, 19) ? Nous croyons plutôt, étant donné le parallélisme
établi dans le commentaire entre « celles qui enfantent » et « celles
qui se nourrissent », qu'Hilaire a subi l'influence de la paraphrase
du verset *Matth.* 24, 19 dans les *Euangelicae historiae* de Juvencus,
lequel déplore le sort non seulement des *matres*, mais encore des
fetus qu'elles allaitent : « Deflendae iam sunt uteri cum pondere
matres / et miseros fetus dulci quae lacte rigabunt » (4, 127-128).
    27. Dans la classification des âges (cf. *supra*, 19, n. 19) l'*infantia*
recouvre tout le premier âge.

20 poris nutriri lacte et decessisse de lacte ? Sed perinde
hic etiam infirmitatem animarum quae ad cognitionem
Dei tamquam lacte educabantur ostendit, quae perfecti
cibi uirtute indigentes tenui diuinae cognitionis infir-
moque gustatu imbuantur. Et idcirco uae ipsis erit, quia
25 et ad effugiendum Antichristum graues et ad sustinen-
dum imperitae nec peccata effugerint nec cibum ueri
panis acceperint.

7. Atque idcirco orare admonemur, ne uel hyeme fuga
C nostra uel sabbato sit ˣ, id est ne aut in peccatorum fri-
gore aut in otio bonorum operum reperiamur, quia grauis
uexatio incumbet et intolerabilis cunctis ʸ, nisi quod
5 causa electorum Dei diebus illis sit breuitas adferenda,
ut uim incumbentium malorum coarctatum degrassandi
tempus exsuperet ᶻ.

8. Et quia in magna uexatione positis pseudoprophetae
tamquam praesentem in Christo opem sint indicaturi,
multis in locis Christum esse atque haberi mentientur ᵃ,
ut in Antichristi famulatum depressos uexatosque
5 deducant, nunc in desertis esse dicentes ᵇ, ut errore
deprauent ᶜ, nunc in penetralibus adserentes ᵈ, ut domi-
D nantis potestate concludant ; sed se Dominus non loco
occulendum nec a singulis contuendum esse profitetur,
sed ubicumque et in conspectu omnium praesentem

REP (= α) A (ab XXIV, 7,5 usque ad XXVI, 4,3) GSTM (= β)
22 educabantur : (-cantur) T M adhuc alantur α *Cou.* || 25 et¹
om. T M || fugiendum A S || **7**, 2 peccatum *PL* || 6 digrassandi α
Gil.² || **8**, 1 positis : positi spiritus A S positi erunt T M || 2 prae-
sentem : -sentibus R -senti E -sentis P || 6-7 dominantes A G S
Bad. || 7 *ante* loco *add.* in T M || 8 prophetatur A S

x. Cf. Matth. 24, 20
y. Cf. Matth. 24, 21
z. Cf. Matth. 24, 22
a. Cf. Matth. 24, 23
b. Cf. Matth. 24, 26
c. Cf. Matth. 24, 24
d. Cf. Matth. 24, 26

comment admettre : « malheur à celui qui est nourrisson » ?
Mais encore ici pareillement ce qui est montré c'est la
faiblesse des âmes qui, en vue de la connaissance de
Dieu, s'élevaient comme au lait [28], en n'ayant de la
connaissance de Dieu qu'un avant-goût faible et fragile
en l'absence de la force de la nourriture parfaite. Malheur
donc pour les âmes elles-mêmes, parce que n'ayant
pas évité les péchés ou n'ayant pas reçu la nourriture du pain véritable, elles auront été trop lourdes
pour échapper à l'Antéchrist ou inexpérimentées pour
l'affronter.

7. Et puis nous sommes engagés à prier pour que notre
fuite n'ait lieu ni en hiver ni un jour de sabbat [x], c'est-à-
dire pour que nous ne soyons trouvés ni dans le froid des
péchés [29] ni dans l'absence d'activité pour le bien [30],
parce que la persécution s'abattra sur tous, lourde et
intolérable [y], à moins qu'en raison des élus de Dieu un
abrégement de ces jours ne doive intervenir, en sorte
que le raccourcissement de la durée de l'assaut l'emporte
sur la violence des maux qui s'abattent [z].

8. Et parce qu'à ceux qui seront plongés dans la grande
persécution, des pseudo-prophètes signaleront la présence
en quelque sorte d'une aide dans le Christ, ils diront
faussement que le Christ est et se tient en de nombreux
endroits [a], pour attirer au service de l'Antéchrist ceux
qui sont abattus et persécutés ; tantôt prétendant qu'il
est dans les déserts [b], pour les corrompre par l'erreur [31] [c],
tantôt affirmant qu'il est dans des repaires [d], pour les
enfermer sous le pouvoir du Dominateur. Mais le Seigneur
déclare qu'il ne doit se cacher nulle part ni être vu par
des hommes isolés, mais qu'il se présentera partout aux

---

28. Paraphrase de *I Cor.* 3, 2 : « Tanquam paruulis in Christo,
lac uobis potum dedi, non escam : nondum enim poteratis » (*Vulg.*).

29. Le froid est l'image de la mort (cf. Lact., *inst.*, 2, 9, 10) qui
vient par le péché (*Rom.* 5, 12).

30. Même lien entre *sabbatum* et *otium* pris dans un sens défa-
vorable *supra* 12, 4.

31. Le désert marque l'absence de l'Esprit-Saint (cf. *supra*, 2, 2),
condition favorable pour l'erreur (cf. Tert., *praescr.*, 7, 7).

10 futurum modo fulguris, quod ab oriente elatum lumen
1056 A suum usque ad occidentis plagas ᵉ spargit et unde-
cumque micans ubicumque cernetur. Ac ne uel loci
quidem eius, in quo futurus esset, essemus ignari, ait :
Vbicumque fuerit corpus, ibi congregabuntur aquilae ᶠ.
15 Sanctos de uolatu spiritalis corporis aquilas nuncupauit,
quorum, congregantibus angelis, conuentum futurum
in loco passionis ostendit. Et digne illic claritatis aduentus exspectabitur, ubi nobis gloriam aeternitatis passione corporeae humilitatis operatus est.

26

B   **1.** *Statim autem post tribulationem dierum illorum sol
obscurabitur* ᵃ, et reliqua. Gloriam aduentus sui et claritatis reditum indicat obscuritate solis, defectione lunae,
casu stellarum, uirtutum caelestium motu, ostensione
5 signi salutaris ᵇ, lamentatione gentium cognoscentium
filium hominis in Dei gloria et ad collectionem sanctorum destinatione angelorum cum tubae ᶜ, id est iam
publicae libertatis hortatu. Sic erit de grano sinapis arbor
ingens ᵈ, sic de lapide montis contrita imagine orbem
10 terrae mons occupans ᵉ, sic ciuitas omnibus contempla-

REP (= α) A (ab XXIV, 7,5 usque ad XXVI, 4,3) GSTM) (= β)
10 in modum T M ‖ 11 plagam β *Bad.* ‖ 12 cernetur : -atur E Sᵃᶜ
-itur S² T M *Cou.*
XXVI statim R T M : statim E P A G S CANON (CAPVT
Cou.) XXVI statim *edd.* ‖ **1,** 6 gloriam A S ‖ 7 destinationem R P S
‖ tuba R S

e. Cf. Matth. 24, 27
f. Matth. 24, 28
a. Matth. 24, 29
b. Cf. Matth. 24, 30
c. Matth. 24, 31
d. Cf. Matth. 13, 32
e. Cf. Dan. 2, 35

regards de tous à la façon de l'éclair qui jaillissant de l'orient répand sa lumière jusque sur les plages du couchant [32] e et ainsi, étincelant de toute part, sera visible partout. Et même, pour que nous n'ignorions pas le lieu où il serait, il dit : *Partout où il y a un cadavre, là s'assembleront les aigles* f. Aigles est le nom qu'il a donné aux saints en raison de l'envol de leur corps spirituel ; et il montre que, rassemblés par les anges, ils se réuniront au lieu de sa Passion. Et ainsi, comme il se doit, son avènement glorieux sera attendu au lieu où il a accompli pour nous l'œuvre de la gloire éternelle par la souffrance de son abaissement physique [33].

Chapitre 26

1. *Aussitôt après la détresse de ces jours-là, le soleil s'obscurcira* a, et la suite. Il indique la gloire de son avènement et son retour glorieux par l'obscurcissement du soleil, l'éclipse de la lune, la chute des étoiles, l'ébranlement des vertus des cieux, l'apparition du signe du salut b, la lamentation des peuples reconnaissant le Fils de l'homme dans la gloire de Dieu, la mission des anges chargés de rassembler les saints avec l'appel de la trompette c, c'est-à-dire de la libération maintenant générale [1]. Ainsi il y aura à partir du grain de sénevé un arbre immense d, à partir de la statue broyée par la pierre de la montagne un mont couvrant la terre e, ainsi il y aura une cité que tous pour-

---

32. L'image est poétique : Enn. apud Cic., *rep.*, fragm. incert. 6 : « plagas caelestum » ; Sen., *Phaedr.*, 931 : « Oceani plagas ».

33. Dans ce commentaire du verset 24, 28, plusieurs détails semblent provenir de la vision du *millenium* dans Tert., *adu. Marc.*, 3, 24 : le groupement des « saints » qui ressusciteront à la condition angélique se fera dans la cité de Jérusalem en vertu d'une convenance qui veut que là où les serviteurs ont souffert, là ils soient exaltés.

1. La « Jérusalem d'en haut est libre » (cf. *Gal.* 4, 26).

bilis ᶠ, sic lucens uniuersis lumen in ligno, sic ex humi-
C litate mortis Dei gloria. Quarum omnium rerum indicio
scire nos uoluit tempus nostrae redemptionis, quo ex
corruptione corporum in honorem spiritalis substantiae
15 transferemur.

2. Cognoscendi autem temporis signum in similitudine ficus arboris posuit ; cuius cum ramus tener
fuerit atque fronduerit, tum prope esse aestas intelligitur ᵍ. Sed longe alia natura et aestatis et aboris est.
5 In ueris enim initiis intumescit et non exiguum tempus
est medium inter id quod aestas ingruit et arboris
ramus tenerescit in frondes. Ex quo non de arbore hoc
dictum esse noscendum est. Et quidem iam superius de
arboris istius proprietate tractauimus. Huius etiam
D foliis Adam legimus indutum et pudorem conscientiae
texisse, id est tamquam peccati ueste sub lege circum-
datum. Ramus igitur ficus Antichristus esse intelligitur,
diaboli filius, peccati portio, legis adsertor. Qui cum
1057 A tenerescere coeperit atque frondescere, tunc proxima
15 esse aestas, id est dies iudicii sentietur. Frondescere
autem quadam peccatorum exsultantium uiriditate
noscetur ; erit enim tum flos criminosorum et honor faci-
norosorum et gratia profanorum, quibus tamen aestus,
id est calor aeterni ignis in proximo est ʰ.

REP (= α) A (ab XXIV, 7,5 usque ad XXVI, 4,3) (GSTM (= β)
12 Deus gloriae R β *Bad.* ‖ 2, 3-4 intellegetur A Sᵃᶜ ‖ 7 hac A Sᵃᶜ ‖
11 id est *om.* R S ‖ 13 filius : ficus A S ‖ 14-15 tunc — sentietur
om. A S ‖ 18 aestas T M *Cou.*

f. Cf. Matth. 5, 14-15
g. Cf. Matth. 24, 32
h. Cf. Matth. 24, 33

2. Ces *indicia* sont, dans la catéchèse testimoniale, des images
de l'Église céleste : la montagne, la cité (cf. Cypr., *testim.*, 2, 19),
l'arbre dont les branches couvrent le monde pour répandre la
lumière (Cypr., *eccl. unit.*, 5).
3. Plin., *nat.*, 18 (59), 222, chiffre ainsi cet intervalle : « Ab aequi-

ront contempler [f], une lumière qui sur le bois illuminera l'univers, ainsi de l'humilité de la mort sortira la gloire de Dieu. Par les repères de tous ces faits [2], il a voulu que nous sachions l'heure de notre rédemption, où nous serons transférés de la corruption du corps à l'honneur de la substance spirituelle.

2. Le signe qui permît de connaître cette heure, il l'a donné dans la comparaison du figuier. Quand sa branche est devenue souple et s'est couverte de feuilles, alors on comprend que l'été est proche [g]. Mais le caractère de l'été et celui de l'arbre sont bien différents. Au début du printemps, celui-ci se gonfle et il n'y a pas un petit intervalle de temps [3] entre le moment où l'été fait irruption et celui où la branche du figuier devient souple en vue de sa frondaison. Par là il faut comprendre que les détails donnés ici ne s'appliquent pas à cet arbre. Et d'ailleurs plus haut [4] nous avons exposé ce que cet arbre a de particulier. Nous avons lu aussi qu'avec ses feuilles Adam s'est couvert et a voilé la honte de sa conscience, c'est-à-dire sous la Loi s'est enveloppé en quelque sorte du vêtement du péché. Le rameau du figuier s'entend donc de l'Antéchrist, fils du diable, part du péché, défenseur de la Loi. Quand il commencera à devenir souple et à se couvrir de feuilles, alors on comprendra que l'été, c'est-à-dire le jour du jugement est tout proche. La frondaison se marquera à l'espèce de verdeur des pécheurs qui exultent [5] : il y aura alors en effet une floraison de criminels [6], un temps de gloire pour les scélérats et de grâce pour les sacrilèges. Pour eux cependant la canicule, c'est-à-dire la chaleur du feu éternel, est toute proche [h].

---

noctio uerno initium aestatis die XLVIII Vergiliarum exortus matutinus. »

4. Cf. *supra*, 21, 8-9.

5. Souvenir de formules scripturaires : « ils exultent dans la perversité » (*Prov.* 2, 14) ; « ils exultent dans le mal » (*Sir.* 11, 16).

6. Transposition sur le mode ironique d'une séquence de Cypr., *hab. uirg.*, 3 : « *flos* est ille ecclesiastici germinis, decus atque ornamentum *gratiae* spiritalis..., laudis et *honoris* opus integrum atque incorruptum ».

3. Atque ut fides certa esset futurorum, *amen* dicendo
professione ueritatis adiecit generationem nostram praeterire non posse, nisi uniuersa ista transcurrerent [i] eaque
quae firma existimantur, caelum et terram non futura [j],
5 uerba autem sua non posse non esse, quia illa ex condicione creationis suae, id est perfecta de nihilo habeant
in se necessitatis ut non sint, haec autem ex aeternitate
B deducta id in se contineant uirtutis ut maneant.

4. De fine autem temporum curam sollicitudinis
nostrae ademit diem illum dicens esse nemini cognitum
et non solum angelis, sed etiam sibi ignoratum [k]. O
diuinae bonitatis inaestimabilem misericordiam ! Num-
5 quid Deus pater cognitionem diei celandi Filium pro-
posito abnegauit, cum dictum ab eo sit : *Omnia mihi a
patre meo tradita sunt* [l] ? Ergo non omnia sunt, si est
aliquid quod negatur. Sed quia ad nos omnia a Patre
accepta deueheret [m] Deique Verbum non tam futuri in
10 se fidem contineat quam facti, ideo extra definitionem
dies posita est, ut largum licet Deus paenitentiae nobis
tempus indulgens incerti tamen metu semper nos solli-
C citos detineret et ipse nulli loquendo uoluntatem dandi

REP (= α) A (ab XXIV, 7,5 usque ad XXVI, 4,3) GSTM (= β)
3, 2 professionem A G S *Bad.* ‖ 4 *post* caelum *add.* uidelicet P
Cou. ‖ 5 non esse *om.* A S ‖ 6 profecta *edd.* ‖ de nihilo : nihil
E T M ‖ *post* habeant *add.* id *edd.* ‖ **4,** 4 inaestimabilis misericordia
T M ‖ 6-7 tradita sunt a patre meo T M ‖ 12 metus T M

---

i. Cf. Matth. 24, 34
j. Cf. Matth. 24, 35
k. Cf. Matth. 24, 36
l. Matth. 11, 27
m. Cf. Jn 15, 15

---

7. Cette explication de *amen* est-elle liée à l'emploi du mot dans
la liturgie, comme dans Tert., *spect.*, 25, 5 : « Ex ore quo *amen* in
sanctum protuleris, gladiatori testimonium reddere » ? Ou faut-il
supposer l'usage d'un glossaire, comme semble nous y inviter
l'explication d'Ambr., *myst.*, 9, 54 : « Amen, hoc est uerum est » ? On
lit en effet dans les *Glosae codicis Sangallensis* 912 (viiie s.), éd. Goetz,

3. Et pour qu'on soit assuré de la réalité des événements
à venir, en disant *amen* qui proclame la vérité [7], il ajouta
que notre génération ne saurait passer sans que se déroule
l'ensemble de ces événements [i] et que ce qui est tenu pour
solide, le ciel et la terre ne seraient plus [j], tandis que ses
paroles ne pouvaient pas ne pas être [8], parce que du fait
de leur condition de choses créées, c'est-à-dire réalisées
à partir de rien, le ciel et la terre comportent en eux la
nécessité de n'être plus [9], tandis que ses paroles, produites
de l'éternité, possèdent en elles le pouvoir de subsister.

4. Sur la fin des temps il a banni notre inquiétude
soucieuse en disant que ce jour n'était connu de personne
et ignoré non seulement des anges, mais de lui-même [k].
Ô miséricorde inestimable de la bonté divine ! Est-ce que
Dieu le Père a refusé à son Fils la connaissance de ce jour
dans le dessein de le lui cacher, alors que le Fils a dit :
Tout m'a été remis par mon Père [l] ? Ce n'est donc pas
tout, s'il existe quelque chose qui est refusé. Mais parce
que tout ce qu'il a reçu de son Père passait à nous [m] et
que le Verbe de Dieu possède en lui la garantie moins de
ce qui aura lieu que de ce qui a eu lieu [10], le jour a été
arrêté sans date fixée, pour que Dieu, tout en laissant un
temps important à notre repentir, nous maintienne toujours dans l'inquiétude due à la crainte de l'incertain [11]
et pour éviter qu'en disant à un autre sa volonté de fixer

t. 4, p. 206, 14 : « Amen fiat uel (uere ?) fideliter » (= Euch., *instr.*
2, 2).

8. Le raisonnement est apparenté aux observations de Tertullien sur *sermo* désignant le Christ dans *adu. Prax.*, 7, 6-7 : La
Parole de Dieu ne peut être quelque chose de vide et comme elle
procède d'une « substance » si élevée, elle ne peut pas ne pas être
une substance.

9. Même parallélisme chez Tert., *apol.*, 48, 5 : « Qui ergo nihil
fueras priusquam esses, idem nihil factus cum esse desieris. »

10. Juridiquement parlant, seule la formule *fides facti* est cohé-
rente : cf. Mod., *dig.*, 44, 7, 54 : « cum fides facti simulatur, non
intercedente ueritate ».

11. Thème parénétique stoïcien (Cic., *Tusc.* 5, 52) repris par
Tert., *anim.*, 33, 11 : « Deus itaque iudicabit plenius... in eum
diem quem solus Pater nouit ut pendula expectatione sollici-
tudo fidei probetur. »

huius diei nulla dicti sui definitione cohiberet, quia
15 secundum diluuii tempus in ipso uitae nostrae cursu
omnia agentibus ac patientibus magnus ille dies aderit [n].

5. Quin etiam in adsumendis fidelibus futurum esse
discrimen ostendit, cum, duobus in agro positis, adsu-
matur unus et alius relinquatur [o] et, duabus molentibus,
improbetur altera et altera eligatur [p] et ex duobus qui
5 in lecto erunt adhaereat unus et alius deseratur [q]. Infidelium enim et fidelium discrimen in relinquendis aliis
et aliis adsumendis docet. Dei enim ira ingrauescente,
D sancti, ut propheta ait [r], in promptuariis recondentur ;
perfidi uero ad caelestis ignis materiem relinquentur.
10 Duos igitur in agro, duos populos, fidelium et infidelium,
in saeculo tamquam in uitae huius opere dies Domini
1058 A deprehendet ; separabuntur tamen, relicto alio et alio
adsumpto. De molentibus quoque par ratio est. Mola
opus legis est. Sed quia pars Iudaeorum ut per apostolos
15 credidit, ita per Eliam est creditura et iustificanda per
fidem est, ideo una per eamdem fidem boni operis adpre-
hendetur, alia uero in infructuoso legis opere relinquetur,
molens in cassum et non factura caelestis cibi panem.
Duo autem sunt in lecto eamdem passionis dominicae
20 requiem praedicantes, circa quam et haereticorum et

REP (= α) GSTM (= β)
16 patientibus : paenitentibus β *Bad.* ‖ 5, 4 et[1] om. β *Bad.* ‖ 5
et alius : alius G T S   alter M *edd.* ‖ 9 relinquentur *om.* S β′ ‖ 16
est *om.* P G T M *Cou.*

n. Cf. Matth. 24, 37-39
o. Cf. Matth. 24, 40
p. Cf. Matth. 24, 41
q. Cf. Matth. 24, 41
r. Cf. Is. 26, 20

12. Hilaire fait allusion au verset 26, 20 d'*Isaïe* dans la version
que cite TERT., *resurr.*, 27, 4 en le commentant dans un sens eschatologique : « Nam et cum legimus : *Populus meus, introite in cellas
promas quantulum, donec ira mea praetereat,* sepulcra erant cellae

ce jour, il ne la restreigne par la précision de ses paroles,
car, comme au temps du déluge, ce sera dans le cours
même de notre vie, au milieu de tout ce que nous faisons
et subissons, qu'arrivera le grand jour [n].

5. Et encore il montre qu'il y aura un tri pour prendre
les croyants, puisque de deux hommes situés dans un
champ, l'un est pris, l'autre laissé [o], que de deux femmes
en train de moudre, l'une est rejetée, l'autre choisie [p], que
de deux hommes qui seront au lit, l'un se joint, l'autre
se sépare [q]. Il apprend que le tri entre croyants et incroyants consiste à laisser les uns et à prendre les autres.
La colère de Dieu s'aggravant, les saints, comme dit le
prophète [r], seront amassés dans les greniers [12] et les
hommes sans foi seront laissés pour alimenter le feu du
ciel. Ainsi deux hommes dans un champ — les deux peuples
des croyants et des incroyants — seront surpris dans le
monde par le jour du Seigneur pour ainsi dire dans l'activité même de leur vie ; néanmoins ils seront séparés,
l'un étant laissé, l'autre étant pris. Au sujet des femmes
qui sont en train de moudre, c'est la même chose. La
meule, c'est l'œuvre de la Loi. Mais parce qu'une partie
des Juifs doit croire par Élie [13] comme elle a cru par les
apôtres, et doit être justifiée par la foi, une partie sera
prise aussi grâce à la foi qui œuvre pour le bien, l'autre
sera laissée dans l'œuvre stérile de la Loi, moulant en
vain et non pour faire le pain de la nourriture céleste [14].
Ils sont deux d'autre part au lit, enseignant également
le repos de la passion du Seigneur [15], qui est l'objet d'une

promae, in quibus paulisper requiescere habebunt qui in finibus
saeculi sub ultima ira per antichristi uim excesserint. » *Cellae promae* devient chez Hilaire *promptuaria*, mot du Psalmiste (*Ps.* 143,
13) déjà employé *supra*, 4, 10 (cf. note *ad loc.*) Il n'y a pas lieu,
semble-t-il, de référer *promptuaria* à *IV Esdr.* 7, 32 : *promptuaria
animarum* qui sera cité par Ambr., *bon. mort.*, 10, 46, mais qui ne
se présente pas dans le même contexte.

13. Sur ce rôle d'Élie cf. *supra*, 17, 4 et note *ad loc.*

14. C'est la destination normale de la *mola* rurale : cf. Vitr.,
10, 5, 2 : « machina... subministrat molis frumentum ».

15. Il s'agit, d'après le contexte, du lit funèbre évoqué par
exemple dans Apvl., *met.*, 3, 9, 5.

catholicorum eadem atque una confessio est. Sed quia
unitatem Patris et Filii et communem eorum theotetam,
quam deitatem nuncupamus, catholicorum ueritas prae-
dicabit et eamdem rursum plurimis contumeliis haere-
25 ticorum falsitas impugnabit, idcirco ex duobus in lecto
alius relinquetur et alius adsumetur, quia fidem confes-
B sionis utriusque in uno adsumendo et alio relinquendo
diuini arbitrii iudicium comprobabit.

6. Atque ut ignorantiam illam diei omnibus taciti [s]
non sine utilis silentii ratione esse sciremus, uigilare nos
propter aduentum furis admonuit [t] et orationum adsi-
duitate detentos omnibus praeceptorum suorum operibus
5 inhaerere. Furem enim esse diabolum ostendit ad detra-
henda ex nobis spolia ¦peruigilem et corporum nostrorum domibus insidiantem ut ea, incuriosis nobis et somno
deditis, consiliorum suorum atque illecebrarum iaculis
perfodiat. Paratos igitur esse nos conuenit [u], quia diei
10 ignoratio intentam sollicitudinem suspensae exspecta-
tionis exagitet.

REP (= α) GSTM (= β)
23 nuncupamus : -pauimus R P   -pabimus G S   -pant T M ‖ 24
eadem R P ‖ 26 relinquitur β *Bad.* ‖ adsumitur β *Bad.* ‖ **6,** 5
ostendit diabolum β *edd.*

s. Cf. Matth. 24, 42
t. Cf. Matth. 24, 43
u. Cf. Matth. 24, 44

16. Les hérétiques adhèrent à la « règle de foi » qui enseigne
que le Christ est « mort et enseveli » : cf. Tert., *adu. Prax.,* 29, 3.

seule et unique profession de foi chez les hérétiques[16] et chez les catholiques[17]. Mais parce que la vérité catholique proclamera l'unité du Père et du Fils et leur commune divinité, que nous appelons *deitas*[18], et qu'en revanche le mensonge des hérétiques l'attaquera par une multitude d'outrages[19], des deux hommes dans un lit, l'un sera laissé, l'autre pris, parce qu'en prenant l'un et en laissant l'autre[20], le choix du jugement de Dieu fera valoir la foi que professent l'un et l'autre.

6. Et pour que nous sachions que cette ignorance du jour[s] tenu secret pour tous n'est pas sans s'expliquer par l'utilité du silence, il nous a engagés à veiller à cause de la venue du voleur[t] et à nous maintenir dans une prière persévérante en nous attachant à l'accomplissement total de ses commandements. En effet, il montre que le voleur est le diable, veillant jusqu'au bout pour nous arracher des dépouilles[21] et attaquant la maison de notre corps pour le percer des traits de ses desseins de luxure[22], tandis que, sans nous soucier de lui, nous nous livrons au sommeil. Il est donc logique que nous soyons prêts[u], parce que l'ignorance du jour éveille l'inquiétude tendue d'une attente en suspens.

---

17. *Catholicus* comme substantif se répand sans doute au IVe siècle à partir des documents conciliaires : cf. HIL., *Collectanea antiariana parisina app.* I, 2 (*CSEL* 65, p. 162).

18. Cf. *supra*, 16, 4 note *ad loc.*

19. Ainsi la thèse selon laquelle Dieu a été atteint par la souffrance : cf. TERT., *adu. Prax.*, 29, 1-2 et *infra*, 31, 2-3.

20. L'« hérétique » qui enseigne un « autre évangile » est anathème (cf. *Gal.* 1, 8). TERT., *praescr.*, 38, 2-3, insiste sur l'« altérité » que représente l'hérésie.

21. Reprise des images de *supra*, 12, 16 : cf. note *ad loc.*

22. L'image des *iacula diaboli* désignant les *illecebrae* charnelles se trouve déjà dans CYPR., *mort.*, 4 : « Ceterum quid aliud in mundo... quam aduersus *iacula* eius (diaboli) et tela conflictationibus adsiduis dimicatur ? Cum auaritia nobis..., cum *illecebris* saecularibus adsidua et molesta luctatio. »

27

C   **1.** *Quis nam est fidelis seruus et prudens quem constituit Dominus super familiam suam* [a] *?* et reliqua. Quamquam in commune nos ad indefessam uigilantiae curam adhortetur, specialem tamen populi principibus, id est epis-
5 copis in exspectatione aduentuque suo sollicitudinem mandat. Hunc enim seruum fidelem atque prudentem, praepositum familiae significat, commoda atque utili-
D tates commissi sibi populi curantem. Qui si dicto audiens et praeceptis oboediens erit, id est si doctrinae opportu-
10 nitate ac ueritate infirma confirmet, dirupta consolidet, deprauata conuertat et uerbum uitae in aeternitatis cibum alendae familiae dispendat atque haec agens
1059 A hisque immorans [b] deprehendetur gloriam a Domino tamquam dispensator fidelis et uillicus utilis conseque-
15 tur et super omnia bona constituetur [c], id est in Dei gloria collocabitur, quia nihil sit ultra quod melius sit.

    2. Quod si contuens longam Dei patientiam [d], quae in profectum humanae salutis extenditur, aduersum conseruos insolescet [e] et saeculi malis uitiisque se tradet, praesentium tantum curam in cultu uentris exercens,
5 desperata die Dominus adueniet [f] eumque a bonis quae

REP (= α) GSTM (= β)
XXVII quis R T M : quis E P A G S   CANON (CAPVT *Cou.*)
XXVII quis *edd.* ‖ **1,** 1 namque T M *Cou.* ‖ 2 reliqua : cetera β
edd. ‖ 8 dicta T M ‖ 9 praecepto T M ‖ 10 ac : et R P *edd.* ‖ 13
deprehendetur : -ditur G T M -datur S² *Cou.* ‖ **2,** 3 tradat S² T M ‖
5 dies E T M

---

a. Matth. 24, 45
b. Cf. Matth. 24, 46
c. Cf. Matth. 24, 47
d. Cf. Matth. 24, 48
e. Cf. Matth. 24, 49
f. Cf. Matth. 24, 50

Chapitre 27

1. *Quel est donc le serviteur fidèle et avisé que le Seigneur a placé à la tête de sa maison* [a] *?* et la suite. Bien qu'il nous exhorte d'une façon générale à avoir un souci inlassable de vigilance, il recommande aux chefs du peuple [1], c'est-à-dire aux évêques, une sollicitude particulière dans l'attente de son avènement. C'est ainsi qu'il représente le serviteur fidèle et avisé, placé à la tête de sa maison, veillant aux intérêts et aux besoins du peuple qui lui est confié. Si ce serviteur est docile à sa parole et obéissant à ses préceptes, c'est-à-dire si, par l'opportunité et la vérité de son enseignement, il fortifie ce qui est faible, consolide ce qui est brisé, redresse ce qui est déformé et dispense la parole de vie comme aliment d'éternité propre à nourrir sa maison [2], et s'il est pris en train d'accomplir ces tâches et de s'y arrêter [b], comme un économe fidèle et un intendant utile, il obtiendra du Seigneur la gloire et sera établi sur tous ses biens [c], autrement dit il sera placé dans la gloire de Dieu, parce qu'il n'y a aucun bien supérieur qui la dépasse.

2. Si observant la longue patience de Dieu [d] qui se déploie pour le progrès du salut de l'homme [3], il s'endurcit contre ses compagnons [e], se livre aux maux et aux vices du siècle, entretenant son souci exclusif des choses présentes par le culte du ventre, le Seigneur arrivera au jour qu'il n'escompte pas [f], le séparera des

---

1. Sans portée politique, *princeps* a ici le sens technique de *praepositus* qui se trouve plus loin (*praepositum familiae* : cf. CYPR., *epist.*, 63, 1 : « episcopos plurimos ecclesiis dominicis in toto mundo diuina dignatione praepositos »). Ce sens technique apparaît dans des textes d'économie comme VARRO, *rust.*, 1, 2, 14 : « Quocirca principes qui utrique rei praeponuntur, uocabulis quoque sunt diuersi, quod unus uocatur uillicus, alter magister pecoris. »
2. Ce portrait est inspiré par une page de CYPR., *epist.*, 74, 9, 1 avec référence aussi à la Parousie.
3. Le thème est traité avec ampleur par CYPR., *patient.*, 4.

spoponderat diuidet portionemque eius cum hypocritis
in poenae aeternitate constituet [g], quia aduentum
desperauerit, quia mandatis non obtemperauerit, quia
praesentibus studuerit, quia uita gentium uixerit, quia
B desperatione iudicii commissam sibi familiam fame,
siti, caede uexauerit.

3. *Tunc similabitur regnum caelorum decem uirginibus* [h], et reliqua. Ex dictis superioribus ratio quoque
huius sermonis intelligi potest. De die enim magno
Domini omnis est sermo, quo occulta humanarum cogi-
5 tationum diuini iudicii cognitione prodentur [i] et uera
exspectati Dei fides non ambiguae spei meritum consequetur. Absolute enim in quinque prudentibus et in
quinque fatuis [j] fidelium atque infidelium est constituta
diuisio, quo exemplo Moyses decem uerba duabus tabu-
10 lis conscripta acceperat [k]. Necesse enim erat omnia ea
in utraque conscribi et duplex pagina inter proprietatem
dexterae ac sinistrae diuisionem sub uno licet testa-
C mento bonorum malorumque signabat.

4. Sponsus atque sponsa Dominus noster est in corpore Deus. Nam ut Spiritus carni, ita Spiritui caro
sponsa est. Denique tuba excitante, sponso tantum
obuiam proditur ; erant enim iam ambo unum, quia in
5 gloriam spiritalem humilitas carnis excesserat. Primo

REP (= α) GSTM (= β)
7 in poenae : impia T M ‖ 7-8 quia — obtemperauerit *om.* S β′ ‖
3, 7 in[1] *om.* S β′ ‖ in[2] *om.* S β′ ‖ **4,** 4 proceditur T M

---

g. Cf. Matth. 24, 51
h. Matth. 25, 1
i. Cf. I Cor. 3, 13
j. Cf. Matth. 25, 2
k. Cf. Ex. 32, 15

---

4. L'interprétation semble s'être imposée depuis l'anonyme
De decem uirginibus qui a été attribué à Victorin de Poetovio par

biens dont il s'était porté garant et lui assignera son lot
avec les hypocrites dans l'éternité du châtiment [g], parce
qu'il n'aura pas compté sur sa venue, parce qu'il n'aura
pas obéi à ses commandements, parce qu'il se sera attaché
aux choses présentes, parce qu'il aura vécu de la vie des
païens, parce que, ne comptant pas sur le jugement, il
aura fait subir la faim, la soif, les coups meurtriers à la
maison qui lui était confiée.

3. *Alors le Royaume des cieux sera semblable à dix
vierges* [h], et la suite. C'est d'après les propos qui précèdent
qu'on peut comprendre aussi la raison d'être de ce mor-
ceau. Tout entier il porte sur le grand jour du Seigneur,
où les secrets des pensées des hommes seront révélés [1] par
l'enquête du jugement de Dieu et où la foi véridique dans
le Dieu qu'on attend obtiendra la satisfaction d'un espoir
qui n'est pas douteux. A l'évidence, en effet, dans l'opposition des cinq sages et des cinq folles [j] est définie la
division des croyants et incroyants [4], à l'exemple de laquelle Moïse avait reçu les dix commandements consignés
sur deux tables [k]. En effet, il fallait qu'ils fussent consignés
entièrement sur deux tables et la double page répartissant
entre la droite et la gauche ce qui leur appartenait en
propre marquait la division des bons et des méchants,
bien qu'ils fussent réunis sous un même testament [5].

4. L'époux et l'épouse, c'est notre Seigneur Dieu dans un
corps, car la chair est pour l'Esprit une épouse, comme l'Esprit un époux pour la chair [6]. Quand, à la fin, la trompette
sonne le réveil, on s'avance au-devant de l'époux seulement,
car les deux n'en faisaient plus qu'un, du fait que l'humilité de la chair avait abouti à la gloire spirituelle [7]. Mais

A. Wilmart (cf. *BALAC*, 1, 1911 ; p. 35-49 ; 88-102) et qui fait
état d'autres interprétations de la division en deux groupes.

5. Reprise d'une des thèses fondamentales de l'*Aduersus Mar-
cionem* de Tertullien : l'Ancienne et la Nouvelle Loi sont séparées
l'une de l'autre, mais restent unies : cf. *adu. Marc.*, 4, 1, 1, 3.

6. Suit Tert., *resurr.*, 63, 1 : « Iesum Christum qui et homini
Deum et hominem Deo reddet, carni spiritum et spiritui carnem,
qui utrumque iam in semetipso foederauit, sponsam sponso et
sponsum sponsae comparauit. » Texte déjà signalé *supra*, 22, n. 8

7. Selon le schéma analysé *supra*, 10, 24.

1060 A autem progressu uitae huius officiis occurrere in resurrectionem quae est a mortuis praeparamur. Lampades
igitur animarum splendentium lumen est, quae sacramento baptismi splenduerunt. Oleum [1] boni operis est
10 fructus. Vasa [m] humana sunt corpora, intra quorum
uiscera thesaurus bonae conscientiae recondendus est.
Vendentes [n] sunt hi qui misericordia fidelium indigentes
reddunt ex se petita commercia indigentiae suae scilicet
satietate boni operis nostri conscientiam ueneuntes.
15 Haec enim indefessi luminis copiosa materies est, quae
misericordiae fructibus et emenda est et recondenda.
Nuptiae [o] immortalitatis adsumptio est et inter corrup-
tionem atque incorruptionem ex noua societate coniunctio.
B Mora sponsi [p] paenitentiae tempus est. Exspectantium
20 somnus credentium quies est et in paenitentiae tempore mors temporaria uniuersorum. Nocte media clamor [q], cunctis ignorantibus, tubae uox est Domini
praecedentis aduentum [q'] et uniuersos ut obuiam sponso
exeant excitantis. Lampadum adsumptio [r] animarum
25 est reditus in corpora earumque lux conscientia boni
operis elucens, quae uasculis corporum continetur.

REP (= α) GSTM (= β)
20 requies T M

l. Cf. Matth. 25, 3
m. Cf. Matth. 25, 4
n. Cf. Matth. 25, 9
o. Cf. Matth. 25, 10
p. Cf. Matth. 25, 5
q. Cf. Matth. 25, 6
q'. Cf. I Thess. 4, 16
r. Cf. Matth. 25, 7

8. Tert., *resurr.*, 34, 11, explique que, lors de la « résurrection
du jugement », l'âme et le corps reçoivent la rétribution correspondant à leurs *officia*.
9. Selon Tert., *anim.*, 41, 4, l'âme « renouvelée par la nouvelle
naissance de l'eau et de la puissance d'en haut... découvre toute sa

lors d'une première étape, nous nous préparons en remplissant les devoirs de cette vie [8] à aller au-devant de la résurrection des morts. Les lampes, c'est ainsi la lumière des âmes resplendissantes que le sacrement du Baptême a fait briller [9]. L'huile [l], c'est le fruit de l'œuvre de bien [10]. Les fioles [m] sont les corps humains [11], dans les entrailles desquels doit être mis en réserve le trésor d'une conscience droite [12]. Les vendeurs [n] sont ceux qui, ayant besoin de la pitié des croyants, livrent en échange la marchandise qu'on leur a demandée, comprenons que las de leur misère, ils nous vendent la conscience d'une bonne action. C'est elle qui alimente à profusion une lumière inextinguible et qu'il faut acheter et mettre en réserve au moyen des fruits de la miséricorde. Les noces [o], c'est la réception de l'immortalité et la réunion de la corruption et de l'incorruptibilité selon une alliance inouïe [13]. Le retard de l'époux [p] est le temps du repentir. Le sommeil de celles qui attendent est le repos des croyants et la mort temporaire de tout le monde au temps de la pénitence [14]. Le cri au milieu de la nuit [q] est, au milieu de l'ignorance générale, la voix de la trompette qui précède la venue du Seigneur [q'] et qui réveille tout le monde, pour qu'on sorte au-devant de l'époux. Les lampes qu'on prend [r], c'est le retour des âmes dans les corps [15] et leur lumière est la conscience resplendissante d'une bonne action, conscience qui est enfermée dans les fioles des corps.

lumière ». De son côté, CYPRIEN, *ad Donat.*, 4, note que son cœur purifié par l'eau baptismale « fut inondé de lumière ».

10. Cf. *supra*, 5, 2.

11. Image traditionnelle : cf. SEN., *dial.*, 6, 11, 3 ; TERT., *anim.*, 40, 2 ; *resurr.*, 16, 4.

12. La métaphore du trésor acquis par les bonnes œuvres est développée dans CYPR., *eleem.*, 7.

13. Cf. *supra*, n. 6 et 22, n. 8.

14. L'explication s'inspire de l'eschatologie de TERTULLIEN dans le *De anima* : la *mors temporaria* correspond à la *dormitio nostra*, où « l'âme est aux enfers déposée », *de anim.*, 55, 4-5 ; la *mora paenitentiae* est éclairée par *anim.*, 58, 8 : « modicum quoque delictum mora resurrectionis illic (= apud inferos) luendum ».

15. L'expression est calquée sur TERT., *anim.*, 33, 11 : « in sua corpora reuertentibus animabus ».

5. Prudentes uirgines hae sunt quae opportunum in corporibus operandi tempus amplexae in primum se occursum aduentus dominici praeparauerint. Fatuae autem quae dissolutae ac negligentes praesentium tan-
5 tum sollicitudinem habuerint et immemores promisso-
C rum Dei in nullam se spem resurrectionis extenderint. Et quia prodire obuiam fatuae exstinctis lampadibus non possunt, deprecantur eas quae prudentes erant, ut oleum mutuentur [s]. Quibus responderunt non posse se
10 dare, quia non sit forte quod omnibus satis sit [t], alienis scilicet operibus ac meritis neminem adiuuandum, quia
1061 A unicuique lampadi suae emere oleum sit necesse. Quas hortantur ut redeant ad emendum, si uel sero praeceptis Dei obsequendo cum lampadum luce sponsi dignae
15 efficiantur occursu. Quibus morantibus, sponsus ingressus est atque una cum eo in nuptias sapientes, quae cum parato lampadum lumine operiebantur, introeunt [u], id est in caelestem gloriam sub ipso statim aduentu dominicae claritatis incedunt. Et quia iam paenitentiae
20 nullum est tempus, fatuae adcurrunt, aperiri sibi aditum rogant [v]. Quibus respondetur a sponso, quia *nescio vos* [w]. Non enim in officio aduenientis adfuerant neque ad uocem tubae excitantis occurrerant neque introeuntium comitatui adhaeserant, sed morantes et indignae intro
25 eundi ad nuptias tempus amiserant.

REP (= α) GSTM (= β)
5, 1 uirgines *om.* R P ‖ 3 occursum : -sui G   cursum R P ‖ 12 oleum emere R P ‖ 17 comparato P β *edd.*

---

s. Cf. Matth. 25, 8
t. Cf. Matth. 25, 9
u. Cf. Matth. 25, 10
v. Cf. Matth. 25, 11
w. Matth. 25, 12

---

16. Comme dans une scène d'*aduentus* impérial ; cf. *supra*, 21, n. 6, et CLAVD., *carm.* 28, v. 523-531.
17. Cette explication a choqué des commentateurs (cf. la notice

5. Les vierges sages sont des âmes qui, saisissant le moment favorable où elles sont dans des corps pour faire de bonnes œuvres, se sont préparées pour se présenter les premières lors de la venue du Seigneur [16]. Les folles sont des âmes qui, relâchées et négligentes, n'ont eu que le souci des choses présentes et qui, oublieuses des promesses de Dieu, n'ont pas poussé jusqu'à l'espoir de la Résurrection. Et parce que les vierges folles ne peuvent aller au-devant avec leurs lampes éteintes, elles demandent à celles qui étaient sages de leur emprunter de l'huile [s]. Mais celles-ci leur répondirent qu'elles ne pouvaient leur en donner, parce qu'il n'y en aurait peut-être pas assez pour toutes [t], ce qui veut dire que nul ne doit s'appuyer sur les œuvres et les mérites d'autrui, parce qu'il faut que chacun achète de l'huile pour sa propre lampe [17]. Les sages les invitent à retourner en acheter, pour le cas où, obéissant même tardivement aux prescriptions de Dieu, elles se rendraient dignes, avec leurs lampes allumées, de rencontrer l'époux. Mais tandis qu'elles s'attardaient, l'époux pénétra et, avec lui, ensemble, les sages voilées [18] et munies de leur lampe toute prête entrent aux noces [u], c'est-à-dire pénètrent dans la gloire céleste aussitôt l'avènement du Seigneur dans la splendeur. Et parce qu'elles n'ont plus de délai pour le repentir, les folles accourent, demandent qu'on leur ouvre la porte [v]. A quoi l'époux leur répond : *Je ne vous connais pas* [w]. Elles n'avaient pas été là en effet pour rendre leurs devoirs à celui qui arrivait, elles ne s'étaient pas présentées à l'appel du son de la trompette [w'], elles ne s'étaient pas agrégées au cortège de celles qui entraient, mais, par leur retard et leur comportement indigne, elles avaient laissé passer l'heure d'entrer aux noces.

de Coustant dans *PL* 9, col. 1060, note e). En fait elle doit être rapprochée du commentaire donné par TERT., *resurr.*, 48, 10 du verset *I Cor.* 15, 23 : « *Vnusquisque autem in suo ordine* scilicet quia et in suo corpore. Ordo enim meritorum nomine disponetur », car la *resurrectio generalis* requiert la *resurrectio specialis* (*resurr.*, 50, 2).
18. *Operiri* est appliqué dans TERT., *uirg. uel.*, 7, 2 à la *uelatio* recommandée aux vierges d'après *I Cor.* 11, 6.

Hilaire de Poitiers. II.   14

B   **6.** *Sicut enim homo peregre proficiscens uocauit seruos
suos et tradidit illis substantiam suam* [x], et reliqua. Diuisio
pecuniae inaequalis est [y], sed non ad diuidentem refe-
renda diuersitas est ; ait enim unumquemque secundum
5 uirtutem suam accepisse ; ergo in quantum quis capax
esset accepit et extra moderantis arbitrium est, quod
erat in iure sumentis. Patremfamilias se ipsum esse
significat. Peregrinationis tempus paenitentiae spatium
est, quo in caelis a dextris Dei adsidens potestatem
10 uniuerso generi humano fidei atque operationis euangelicae permisit [z]. Igitur unusquisque secundum fidei
suae mensuram [a] talentum, id est euangelii praedicationem a praedicante suscepit. Haec enim incorrupta
C substantia est, hoc Christi patrimonium aeternis haere-
15 dibus reseruatum.

      7. Sed seruus ille qui quinque talenta accepit populus
ex lege credentium est, ex qua profectus meritum ipsius
recte probeque perfunctae euangelicae fidei operatione
duplicauit [b]. In ratione autem ponenda [c] iudicii examen
5 est, quo caelestis uerbi usus et reditus dispensati talenti
postulatur. Igitur cui erant quinque commissa, Domino
reuerso, de quinque decem obtulit [d], talis scilicet in fide
1062 A repertus qualis in lege, qui decem uerborum quinque
libris Moysi praeceptorum oboedientiam per gratiam
10 euangelicae iustificationis expleuerit. Igitur iubetur in
gaudium Domini introire, id est in honorem gloriae
Christi recipitur.

REP (= α) A (ab XXVII, 6,1 usque ad XXXIII, 2,10) GSTM (= β)
6, 3 non : Domino A S ǀǀ 6 et *om.* A S ǀǀ **7,** 3 perfuncta P S *Cou.* ǀǀ
5 quo : quod A G S   quodque T M ǀǀ 6 *ante* Domino *add.* a T M ǀǀ **11**
honore A G S

---

x. Matth. 25, 14
y. Cf. Matth. 25, 15

6. *En effet, comme un homme partant pour l'étranger appela ses serviteurs, et leur remit son bien* x, et la suite. La répartition de la fortune est inégale y, mais la différence ne doit pas être imputée à celui qui répartit. Il dit en effet que chacun a reçu ce qui était conforme à son mérite [19], donc a reçu autant qu'il en était capable, et celui qui réglait les parts n'avait pas compétence pour ce qui dépendait du bénéficiaire. Le maître de maison, le Seigneur indique que c'est lui. La durée du voyage est le temps du repentir, pendant lequel, siégeant aux cieux à la droite de Dieu, il a accordé à tout le genre humain le pouvoir de croire et d'œuvrer selon l'Évangile z. Ainsi c'est à la mesure de sa foi a que chacun a reçu son talent, c'est-à-dire l'enseignement de l'Évangile, de celui qui l'enseignait. Tel est le bien incorruptible, le patrimoine du Christ mis de côté pour ses héritiers éternels.

7. Mais le serviteur qui a reçu cinq talents est le peuple des croyants issu de la Loi ; sorti de celle-ci, il en a doublé b le mérite en mettant en œuvre d'une façon honnête et droite l'accomplissement de la foi évangélique elle-même. Dans la présentation des comptes c, il y a l'examen du jugement où sont réclamés le profit tiré de la parole céleste et le revenu du talent distribué. Ainsi celui auquel ont été confiés cinq talents, au retour du Seigneur, en a présenté dix provenant de cinq d : comprenons qu'il fut trouvé dans la foi tel qu'il fut dans la Loi, lui qui a parfait par la grâce de la justification évangélique l'obéissance aux dix formules prescrites dans les cinq livres de Moïse. Ainsi il est invité à entrer dans la joie du Seigneur, c'est-à-dire est admis à l'honneur de la gloire du Christ.

z. Cf. Matth. 28, 19-20
a. Cf. Rom. 12, 3
b. Cf. Matth. 25, 16
c. Cf. Matth. 25, 19
d. Cf. Matth. 25, 20

19. Tert., *resurr.*, 50, 3, parle d'une *distinctio resurrectionis* fondée sur nos *merita*.

8. Ille uero seruus cui duo talenta commissa sunt
gentium populus est fide atque confessione et Filii iusti-
ficatus et Patris et Dominum nostrum Iesum Christum
Deum atque hominem et Spiritu et carne confessus.
5 Nam et corde fides et ore confessio est [e]. Haec ergo huic
sunt duo talenta commissa. Sed ut prior ille omne sacramentum in quinque talentis, id est in lege cognouerat
idque ipsum fide euangelii duplicauerat, ita iste incremento duum talentorum [f] atque operatione promeruit.
B Et in traditione ac reditu dissimili par tamen a Domino
munus amborum est, ut gentium fidem exaequatam credentium ex lege scientiae [g] nosceremus. Nam collau-
datione eadem iubetur in gaudium Domini introire.
Est autem duplicatio sumptae pecuniae operationem
15 fidei addidisse et quae opinione crediderant rebus fac-
tisque gessisse.

9. Qui uero unum talentum accepit et in terram recon-
didit [h] populus est in lege persistens totus carnalis et
stupidus et nihil spiritale intelligens et quem uirtus
praedicationis euangelicae non subeat, sed propter inui-
5 diam saluandarum gentium in terra acceptum talentum
absconderit neque ipse utens neque utendum aliis dispen-
set, sed sufficere sibi legem existimet ad salutem. Atque
C ideo cum ab eo ratio expostularetur, ita ait : *Timui te* [i],
tamquam per reuerentiam ac metum ueterum praecep-
10 torum usu euangelicae libertatis abstineat dicatque :

REP (= α) A (ab XXVII, 6,1 usque ad XXXIII, 3,10) GSTM (= β)
8. 4 et[1] *om.* β *Bad.* ‖ 9 talentorum : -tum R P   -tium A S -tuum
G ‖ atque : idque R P *edd.*   intellectum atque T M ‖ operationem
R P T M ‖ 10 et in traditione : ratione β *edd.* ‖ **9,** 1 accipit A G S ‖
terra S T M *Cou.* ‖ 1-2 recondit R P A G S ‖ 7 existimat A S

---

e. Cf. Rom. 10, 9
f. Cf. Matth. 25, 17
g. Cf. Rom. 3, 29-30
h. Cf. Matth. 25, 18
i. Matth. 25, 25

8. Quant à ce serviteur auquel on a confié deux talents, c'est le peuple des païens qui a été justifié par la foi et la confession du Père et du Fils, et qui a confessé notre Seigneur Jésus-Christ Dieu et homme par l'Esprit et la chair, car la foi est dans le cœur et la confession dans la bouche[e]. Ce sont donc là les deux talents qui lui ont été confiés. Mais, comme le premier connaissait tout le mystère dans les cinq talents, c'est-à-dire dans la Loi, et l'avait doublé même par la foi de l'Évangile, de même le second a eu le mérite d'accroître ses deux talents[f] et cela par les œuvres. Et malgré les différences de dépôt et de revenu, il y a de la part du Seigneur égalité de faveur pour les deux, afin qu'à la connaissance de ceux qui croient d'après la Loi[g] nous sachions que la foi des païens a été rendue égale, car c'est le même éloge qui invite le second à entrer dans la joie du Seigneur et s'il double la somme mise, c'est pour avoir ajouté à la foi les œuvres[20] et avoir accompli dans les faits et les actes ce à quoi ils avaient cru en pensée.

9. Celui qui a reçu un talent et l'a enfoui dans la terre[h] est le peuple qui s'arrête à la Loi, tout entier charnel et sans réflexion ni intelligence spirituelle[21], ce qui fait que la vertu de l'enseignement évangélique ne le pénétrant pas, il a enfoui, jaloux du salut à venir des païens, le talent reçu et sans l'utiliser lui-même, il ne le remet pas à d'autres pour qu'ils l'utilisent, mais considère que la Loi est suffisante pour son salut. Et comme on lui demandait une explication, s'il répondit : *J'ai eu peur de toi*[i], donnant l'impression que, par un respect craintif des commandements anciens, il s'abstenait d'user de la liberté évangélique[22] et qu'il disait : *Voici ce qui est à*

---

20. Cf. *Gal.* 6, 6 : « fides quae per caritatem operatur ».
21. Le grief vient de la polémique antijuive : cf. Tert., *apol.*, 21, 16 : « Ipsi (Iudaei) legunt ita scriptum multatos se sapientia et intelligentia et oculorum et aurium fruge ».
22. Explication inspirée par *Gal.* 5, 1 (*Vulg.*) : « Qua libertate Christus nos liberauit, state et nolite iterum iugo seruitutis contineri. »

Ecce quod tuum est [j], uelut in his quae a Domino praecepta
sunt fuerit immoratus.

10. In terram uero abscondere hoc est nouae praedicationis gloriam sub obtrectatione corporeae passionis
occulere. Qui cum Christum Dominum ad salutem gentium missum fuisse non possit abnuere — nam et aduen-
5 tus et passio eius ex lege est —, obtemperare tamen
1063 A euangeliis ipse noluerit, ait enim : *Scio quia homo durus
es, metis ubi non seminasti et colligis ubi non sparsisti* [k].
Rerum praesentium natura non fert messem esse sine
semine et colligi quae sparsa non fuerint, sed totus spi-
10 ritalis hic sermo est. Diximus enim hunc populum esse
de lege non ignorantem Domini aduentum et gentium
salutem, sed infidelem, quippe cum sciat metendos illic
iustitiae fructus ubi lex sata non sit et colligendos ex
gentibus, qui non ex Abrahae sint stirpe dispersi ; et
15 idcirco durus hic homo sit, scilicet sine lege iustificaturus,
sine dispersione collecturus et sine satione messurus.

11. Atque ideo hoc magis sine uenia erit, cur praedicationem occuluerit et commissum sibi talentum suf-
B foderit, cum sciret messurum esse sine semine et collec-
turum esse quae non sparsisset, sed potius oportuisse
5 eum nummulariis dare [l], id est uniuerso generi hominum,
quod saeculi negotiis occupetur, usum crediti sibi talenti
communicare, Domino reditus eius a singulis postula-
turo. Ob quam culpam talentum ab eo non tam euangelii quod suffoderat quam legis aufertur [m] eique qui

---

REP (= α) A (ab XXVII, 6,1 usque ad XXXIII, 3,10) GSTM (= β)
10, 1 terra E S *Cou.* || *post* uero *add.* talentum G T M *Cou.* || 4
abnuere : abstinere (-nuere A) A S || 11, 2 occultauerit α || 3 scire
PL || 4 sparsit β || 6 creditis ubi A S || 8 tam : iam R P A G S

---

j. Matth. 25, 25
k. Matth. 25, 24
l. Cf. Matth. 25, 27
m. Cf. Matth. 25, 28

toi [j], c'est parce qu'il en était resté à ce qui a été prescrit par le Seigneur.

10. Cacher le talent dans la terre, c'est masquer la gloire de la prédication nouvelle sous le procès de la Passion corporelle [23]. En homme qui, tout en ne pouvant nier que le Seigneur, dont l'avènement et la Passion proviennent de la Loi, a été envoyé pour le salut des païens, n'a pas voulu obéir lui-même aux Évangiles, il dit : *Je sais que tu es un homme dur ; tu moissonnes où tu n'as pas semé et tu ramasses là où tu n'as pas répandu* [k]. La nature du monde actuel n'admet pas qu'il y ait une moisson sans semence [24] ni que soit ramassé ce qui n'a pas été répandu. Mais ce développement est tout entier spirituel. Nous avons dit qu'il s'agit ici du peuple issu de la Loi qui n'ignore pas l'avènement du Seigneur ni le salut des païens, mais qui est infidèle, du moment qu'il sait que les fruits de justice doivent être moissonnés là où la Loi n'a pas été semée et doivent être recueillis chez les païens qui n'ont pas essaimé à partir de la descendance d'Abraham ; c'est pour cette raison que l'homme était dur, lui qui allait justifier sans la Loi, recueillir sans avoir rien répandu, moissonner sans avoir rien semé.

11. Et il sera d'autant plus impardonnable d'avoir dissimulé l'enseignement et enfoui le talent qui lui était confié qu'il savait que l'homme moissonnerait sans avoir semé et récolterait ce qu'il n'aurait pas répandu, et qu'il aurait fallu plutôt donner à des banquiers [l], c'est-à-dire faire partager à tout le genre humain, pris par les affaires du siècle, l'utilisation du talent confié à ses soins, puisque le Seigneur demanderait à chacun en particulier son revenu. C'est pour cette faute qu'on lui enlève le talent [m] qui est moins celui de l'Évangile enfoui par lui

---

23. *Topos* de la polémique antijuive : cf. TERT., *apol.*, 21, 17 : « De son abaissement ils avaient donc conclu que ce n'était qu'un homme » (trad. J.-P. Waltzing).

24. Semences et moissons sont associées les unes aux autres dans ces vers de VERG., *georg.*, 1, 161 : « arma... sine quis nec potuere seri nec surgere messes » ; *ecl.*, 8, 99 : « satas alio uidi traducere messes ».

10 quinque duplicauerit datur, Domino dicente : *Omni enim
habenti dabitur et abundabit ; qui autem non habet, etiam
quod habet auferetur ab eo* [n]. Potest quidem habens abun-
dare, quia facile est per incrementum uel munificentiae
uel laboris opulentum posse ditescere, sed quomodo non
15 habens habebit ad damnum ? Hoc ideo, quia haben-
C tibus usum euangeliorum etiam legis honor redditur,
non habenti autem fidem Christi etiam quod ex lege
habere sibi uidebatur honoris aufertur.

28

1. *Cum autem uenerit filius hominis in maiestate sua
et omnes angeli cum eo* [a], et reliqua. Omnem ipse sermonis
huius rationem absoluit. De iudicii enim tempore aduentuque commemorat, quo fideles ab infidelibus separabit [b]
5 atque ab infructuosis fructuosa discernet, haedos uidelicet
ab agnis et in dextera ac sinistra collocans unumquemque [c] digna aut bonitatis aut malitiae suae sede
D constituet indicans se in minimis suis, id est his qui sibi
cum humilitatis suae exspectatione famulentur et esu-
10 rientibus ali et sitientibus potari et peregrinantibus
confoueri [d] et nudis contegi et infirmis uisitari et solli-
1064 A citis consolari [e]. Ita enim in uniuersorum fidelium corpo-

REP (= α) A (ab XXVII, 6,1 usque ad XXXIII, 3,10) GSTM (= β)
10 duplicauerat R P || *ante* Domino *add.* a A S
XXVIII cum R M : cum E P A G S   CANON (CAPVT T *Cou.*)
XXVIII (XXVIIII T) cum T *edd.* || 1, 2 sermonem A S || 4 sepa-
rauit A G S || 8 indignans A S || iis T M *edd.* || 11 infirmis : -mibus G
-mantibus A S

n. Matth. 25, 29
a. Matth. 25, 31
b. Cf. Matth. 25, 32
c. Cf. Matth. 25, 33
d. Cf. Matth. 25, 35

que celui de la Loi et qu'il est remis à celui qui aura
doublé ses cinq talents, le Seigneur déclarant : *A tout
homme qui a l'on donnera et il aura en abondance ; mais
à celui qui n'a pas on enlèvera même ce qu'il a* [n]. Celui qui
a peut avoir en abondance, parce qu'à celui qui a des
moyens il est facile d'être un riche par un accroissement
de la générosité ou de l'effort [25]. Mais comment celui qui
n'a pas aura-t-il de quoi subir un préjudice ? C'est parce
que, à ceux qui ont l'usage des Évangiles on donne
encore en récompense l'honneur de la Loi, mais à celui
qui n'a pas la foi au Christ on enlève même la part
d'honneur qu'il croyait tenir de la Loi [26].

Chapitre 28

1. *Quand le Fils de l'homme sera venu dans sa majesté
et tous ses anges avec lui* [a], et la suite. Lui-même a rendu
évidente toute l'explication de ce développement. Il évoque
le temps du jugement et l'avènement où il séparera les
croyants des incroyants [b], distinguant ceux qui portent du
fruit et ceux qui n'en portent pas, les boucs des agneaux
et, plaçant chacun à sa droite ou à sa gauche [c], les établira
sur le siège que mérite soit leur bonté soit leur méchanceté,
révélant que dans les plus petits des siens, c'est-à-dire
dans ceux qui le servent en aspirant à leur abaissement
il est nourri avec ceux qui ont faim, abreuvé avec ceux
qui ont soif, réconforté avec ceux qui sont en voyage [d],
couvert avec ceux qui sont nus, visité avec ceux qui
sont malades, consolé avec ceux qui sont soucieux [e]. En
effet, il se fond tellement avec le corps et le cœur des

e. Cf. Matth. 25, 36

25. La distinction calque une alliance de mots qu'on trouve par
exemple chez Sall., *Iug.*, 7, 7 : *munificentia animi* avec *ingenii
sollertia* pour expliquer une réussite.
26. Même effet de *gradatio* que *supra*, 13, 2 ; 17, 8 : avec application du schéma de la *poena dupli*, cf. *supra*, 24, n. 5 et 8.

ribus mentibusque transfunditur, ut haec humanitatis officia aut gratiam impensa mereantur [f] aut offen-
15 sam negata commoueant [g].

2. Post quem sermonem, quo se uenturum in reditu
claritatis ostenderat, nunc passurum esse se admonet [h],
ut sacramentum crucis admixtum esse gloriae aeternitatis agnoscerent. Sumitur inter haec perimendi eius a
5 Iudaeis consilium et, congregatis principibus sacerdotum, occasio tanti facinoris exspectatur [i].

29

B   1. *Cum autem esset Iesus in Bethania in domo Simonis
leprosi, accessit ad eum mulier habens alabastrum unguenti
pretiosi* [a], et reliqua. Sub ipso tempore passionis non ex
nihilo est, ut mulier unguentum pretiosum recumbentis
5 Domini capiti infuderit, dehinc ut discipuli irascEren-
tur [b] et dicerent uendi istud potius in usum pauperum
debuisse [c], tum ut Dominus et mulieris factum compro-
baret [d] et aeternam cum praedicatione euangelii operis
huius esse memoriam sponderet [e], postremo ut post id
10 Iudas ad uendendam salutem eius erumperet.

2. Mulier haec in praefiguratione gentium plebis est,
C   quae in passione Christi gloriam Deo reddidit. Caput enim

---

REP (= α (A (ab XXVII, 6,1 usque ad XXXIII, 3,10) GSTM (= β)
13 transfundetur R P ‖ 13-14 unanimitatis T M ‖ 2, 2 se *om.* A S
XXVIIII cum R M : cum E P A G S   CANON (CAPVT T *Cou.*)
XXVIIII (XXX T) cum T *edd.* ‖ 1, 6 istum R P ‖ 9 id *om.* A S

---

f. Cf. Matth. 25, 40
g. Cf. Matth. 25, 41
h. Cf. Matth. 26, 1-2
i. Cf. Matth. 26, 3-4

a. Matth. 26, 6-7
b. Cf. Matth. 26, 8

croyants [1] en passant en eux, que l'empressement mis à
accomplir ces devoirs d'humanité mérite sa grâce [f], tandis
que leur refus lui cause une offense [g].

2. Après ce discours, où il avait montré qu'il viendrait
dans un retour glorieux, il avertit ses disciples qu'il va
maintenant souffrir [h], pour qu'ils reconnaissent que le
mystère de la Croix est associé à la gloire de l'éternité.
Sur ces entrefaites, les Juifs prennent la décision de le
faire périr et, les princes des prêtres se réunissant, on
attend l'occasion d'un si grand crime [i].

Chapitre 29

1. *Comme Jésus était à Béthanie dans la maison de
Simon le lépreux, une femme s'approcha de lui qui tenait
un vase de parfum précieux* [a], *et la suite*. Au moment même
de la Passion ce n'est pas pour rien qu'une femme a
versé sur la tête du Seigneur qui était à table un parfum
précieux, que ses disciples là-dessus s'irritent [b] disant
qu'il aurait mieux valu vendre ce parfum au profit des
pauvres [c] ; qu'ensuite le Seigneur approuve le geste de
la femme [d] et promette que le souvenir de cette action
accompagnerait éternellement la prédication de l'Évangile [e], enfin qu'après cela Judas se précipite pour vendre
son salut.

2. Cette femme a d'avance la figure du peuple des
gentils qui a rendu gloire à Dieu dans la passion du Christ.

c. Cf. Matth. 26, 9
d. Cf. Matth. 26, 10
e. Cf. Matth. 26, 13

---

1. Thème de la *transfusio* de Dieu en nous, déjà rencontré *supra*,
10, 27 note 48, où nous l'avons référé à une phrase de Tert.,
carn., 17, 3 qui évoque la réciprocité soulignée ici. Il est possible
aussi que les sentiments prêtés ici au Christ (grâce ou défaveur)
traduisent l'influence de la théorie classique de l'amitié : communion
des esprits dans la bonté (cf. Cic., *Lae.*, 20) ou au contraire leur
désunion en cas d'*offensio* (*Lae.*, 85).

eius perunxit (caput autem Christi Deus est) [f]. Nam
unguentum boni operis est fructus. Et propter corporis
5 curam mulierum sexui maxime gratum est. Igitur omnem
curam corporis sui et totum pretiosae mentis adfectum
in honorem Dei laudemque transfudit. Sed discipuli
fauore saluandi Israelis ut saepe numero commouentur :
uendi hoc in suum pauperum debuisse. Sed neque mulier
10 haec uenale unguentum circumferebat et pauperes
fidei indigos instinctu prophetico nuncupauerunt. Atque
hanc gentium fidem emi potius ad salutem egeni huius
populi debuisse. Quibus Dominus ait plurimum esse temporis, quo habere curam pauperum possent ; ceterum non
15 nisi ex praecepto suo salutem gentibus posse praestari
D quae secum infuso mulieris huius unguento sint conse-
pultae, quia regeneratio non nisi commortuis in baptismi
professione [g] redhibetur. Et idcirco ubi praedicabitur hoc
euangelium, narrabitur opus eius, quia, cessante Israel,
20 euangelii gloria fide gentium praedicatur. Qua aemula-
1065 A tione in Iudae persona Israel profanus accensus omni
odio ad exstinguendum nomen Domini incitatur.

30

1. *Prima autem die azymorum accesserunt discipuli*
ad Iesum dicentes : Vbi uis paremus tibi pascha mandu-

REP (= α) A (ab XXVII, 6,1 usque ad XXXIII, 3,10) GSTM (= β)
2, 3-4 nam unguentum *om.* A S ‖ **9** *ante* uendi *add.* dicunt E T M
‖ **11** indignos α ‖ nuncupant T M ‖ **14** pauperes A G S[1] ‖ **16** *post*
mulieris *add.* eius A G S[1] ‖ **17** generatio A S ‖ **20** fide gentium :
infidelium A   infidelibus S ‖ praedicabitur A S
   XXX (XXXI T) prima R T M : prima E P A G S   CANON
(**CAPVT** *Cou.*) **XXX** prima *edd.* ‖ **1,** 2 dicentes *om.* R P

f. Cf. I Cor. 11, 3
g. Cf. Rom. 6, 4 ; Col. 2, 12

Elle a oint sa tête — or la tête du Christ est Dieu [f].
Le parfum est le fruit d'une bonne action [1] et,
pour le soin du corps, il est très goûté du sexe féminin [2].
Elle répandit donc pour l'honneur et la gloire de Dieu
tout ce qui soigne son corps et tout ce qu'il y a de précieux
dans les sentiments de son cœur. Mais, comme souvent,
les disciples sont mus par leur attachement au salut
d'Israël : on aurait dû vendre ce parfum à l'usage des
pauvres. Mais cette femme ne répandait pas un parfum
qui était à vendre ; et pauvres, dans l'inspiration prophétique, est le nom de ceux qui manquent de foi [3]. Et alors,
pour le salut de ce peuple indigent, c'est la foi des païens
qu'il aurait fallu plutôt acheter. Aussi le Seigneur leur
dit qu'ils auraient un temps très long pour pouvoir avoir
soin des pauvres, mais que c'est seulement par l'instruc-
tion qu'il leur donne que le salut peut être offert aux
païens qui ont été ensevelis avec lui dans le parfum que
cette femme a répandu, parce que la régénération n'est
accordée qu'en échange d'une mort avec lui dans
la profession de foi baptismale [g]. Et là où sera proclamé cet Évangile, on racontera son action, parce qu'Israël faisant défaut, la gloire de l'Évangile est proclamée
par la foi des païens. C'est à cause de cela qu'Israël,
représenté par Judas, s'enflamme d'une jalousie sacrilège
et se laisse entraîner par toute sa haine à anéantir le
nom du Seigneur.

Chapitre 30

1. *Le premier jour des Azymes, les disciples s'approchèrent de Jésus et lui dirent : Où veux-tu que nous te pré-*

----

1. Cf. *supra*, 5, 2.
2. Comme l'observe PLAUTE, témoin des mœurs romaines, dans
Most., 272-278.
3. *Egenus et pauper sum* est une formule du Psalmiste (69, 6 ;
110, 22). L'*inopia fidei* est caractéristique de l'homme de la Loi :
cf. *supra*, 13, 2 ; 17, 7.

care [a] ? et reliqua. Discipuli ire ad quemdam hominem
iubentur et ei dicere quod cum eo Dominus pascha cum
5 discipulis facere uellet [b]. Qui praeceptis obtemperauerunt
et pascha parauerunt [c]; sed oportuerat eos scire quo
pergerent et de hominis nomine edoceri. Alioquin incerti
B ad quem mitterentur, quomodo missi quae praecepta
fuerant exsequerentur ? Verum sermo prophetiae rerum
10 praesentium effectibus admiscetur. Hominem enim, cum
quo pascha celebraturus esset, non nominat (nondum
enim christiani nominis honor credentibus erat praestitus,
qui uere sunt Deum mentis ac fidei oculis contuentes),
ut cum eo pascha Domini apostolos praeparare sciremus,
15 cui in tempore Domini nouum nomen esset addendum.

2. Post quae Iudas proditor indicatur [d], sine quo
pascha accepto calice et fracto pane conficitur [e]; dignus
enim aeternorum sacramentorum communione non
fuerat. Nam discessisse statim hinc intelligitur, quod
5 cum turbis reuersus ostenditur [f]. Neque sane bibere
C cum Domino poterat, qui non erat bibiturus in regno,
cum uniuersos tunc bibentes ex uitis istius fructu bibituros secum postea polliceretur [g]. *Hymnoque dicto, in
montem reuersi sunt* [h], consummatis scilicet uniuersis
10 diuinorum mysteriorum uirtutibus, gaudio et exsulta-
tione communi in caelestem gloriam efferuntur.

REP (= α) A (ab XXVII, 6,1 usque ad XXXIII, 3,10) GSTM (= β)
9 exsequebantur β *Bad.* ‖ 2, 6 tum β *Bad.*

a. Matth. 26, 17
b. Cf. Matth. 26, 18
c. Cf. Matth. 26, 19
d. Cf. Matth. 26, 15, 16, 21, 24
e. Cf. Matth. 26, 26-28
f. Cf. Matth. 26, 47
g. Cf. Matth. 26, 29
h. Matth. 26, 30

1. *Missi* tel est le sens du nom *apostoli.* Cf. Tert., *praescr.*, 20, 4.

parions de quoi manger la Pâque [a] ? et la suite. Les disciples
sont priés d'aller trouver un certain homme et de lui dire
que le Seigneur, en compagnie de ses disciples, voulait
faire la Pâque avec lui [b]. Ils obéirent à ses ordres et
préparèrent la Pâque [c]. Mais il fallait qu'ils sachent où
se diriger et qu'ils soient instruits du nom de l'homme.
Sinon, ne sachant pas à qui ils étaient envoyés, comment
exécuteraient-ils les ordres pour lesquels ils étaient
envoyés [1] ? Mais il y a dans ces propos une prophétie qui
est mêlée à l'accomplissement des faits présents. Il ne
nomme pas l'homme avec lequel il devait célébrer la
Pâque — l'honneur du nom chrétien en effet n'était pas
encore accordé aux croyants [2], ceux qui vraiment voient
Dieu avec les yeux de l'esprit et de la foi [3] — ; c'était
pour que nous sachions que les apôtres préparent la Pâque
du Seigneur avec l'homme, auquel au temps du Seigneur
devait être attribué un nom nouveau [4].

2. Après cela, Judas est présenté comme un traître [d],
sans lequel la Pâque s'accomplit par la réception du
calice et la fraction du pain [e], car il n'avait pas mérité
en effet de communier aux mystères éternels. On déduit
qu'il s'est esquivé aussitôt du fait qu'il est présenté
comme revenant avec une foule de gens [f]. Et il lui était
absolument impossible de boire avec le Seigneur, lui qui
ne devait pas boire avec lui dans le Royaume, puisque
le Seigneur promettait à ceux qui buvaient ici-bas de ce
fruit de la vigne qu'ils en boiraient tous avec lui plus
tard [g]. *Et ayant récité l'hymne, ils revinrent au mont* [h],
comprenons qu'une fois consommée toute la puissance
des mystères divins [5], ils sont emportés vers la gloire
céleste dans une joie et une allégresse communes.

2. Le nom de chrétien est l'objet d'une profession de foi (Tert.,
apol., 2, 3 ; 2, 10).
3. Saint Paul, *Éphés.* 1, 18 parle des « yeux du cœur », lequel
est le siège de la foi (*ibid.* 3, 17).
4. L'expression se trouve dans Cypr., *testim.*, 1, 22 : « christia-
norum nouum nomen ».
5. Il s'agit du mystère de la résurrection exprimé en termes
pauliniens : cf. *I Cor.* 15, 46 : « surgit in *uirtute* » ; *ibid.* 15, 51 :
« Ecce *mysterium* uobis dico : *Omnes* quidem resurgemus... »

3. Futurae quoque eos infirmitatis admonuit et
nocte eadem omnes metu atque infidelitate turbandos.
Cuius rei fides etiam auctoritate prophetiae ueteris continebatur, percusso pastore oues esse spargendas [i], se
5 tamen resurgentem in Galilaeam praecessurum esse [j],
ut infirmitatem eorum sponsione reditus sui consola-
retur. Sed Petrus pro fidei suae calore respondit, ceteris
D licet scandalizantibus, numquam se scandalizaturum [k].
In tantum enim et adfectu et caritate Christi efferebatur,
10 ut et imbecillitatem carnis suae et fidem uerborum
Domini non contueretur, quasi uero dicta eius efficienda
non essent. Cui ait : *Priusquam gallus cantet, ter me*
1066 A *negabis* [l]. Sed tam ille quam ceteri ne mortis quidem
metu decessuros se de confessione nominis sui polli-
15 centur [m] ; ad omnem enim se ministerii constantiam
intrepida fidei uoluntate firmauerant.

31

1. *Tunc uenit cum illis Iesus in agrum, qui dicitur
Gethsemani, et dicit discipulis suis : Sedete hic donec eam
illuc orare* [a], et reliqua. Fidem discipulorum et constan-
B tiam deuotae sibi uoluntatis acceperat, sed et turbandos
5 et diffisuros sciebat. Quos considere in loco iubet, dum
progrederetur orare. Et adsumit Petrum, Iacobum et

REP (= α) A (ab XXVII, 6,1 usque ad XXXIII, 3,10) GSTM (= β)
3, 3 ueteris : ueritatis A S ‖ 8 scilicet R P ‖ 12 priusquam : antequam β *Bad.* ‖ 14 se de : sed et A S
XXXI (XXXII T) tunc R T M : tunc E P A G S CANON
(CAPVT *Cou.*) XXXI tunc *edd.* ‖ **1,** 5 considere P A S *edd.* ‖ 6
adsumpsit β *edd.* ‖ et[2] *om.* β

---

i. Cf. Matth. 26, 31
j. Cf. Matth. 26, 32
k. Cf. Matth. 26, 33

3. Il les avertit également de leur faiblesse à venir :
cette même nuit ils auraient tous à être troublés par la
crainte et le manque de foi. La vérité de cet événement
était en outre garantie par une ancienne prophétie disant
que le pasteur frappé, les brebis devaient être dispersées [i],
mais qu'en ressuscitant, il les précéderait en Galilée [j], pour
que leur faiblesse soit soutenue par la promesse de son
retour. Mais Pierre répondit à la mesure de la chaleur de
sa foi que, quand bien même les autres se scandaliseraient,
lui ne se scandaliserait jamais [k]. Il était transporté d'une
telle affection et d'un tel amour pour le Christ qu'il ne
voyait pas la faiblesse de sa chair et la véracité des paroles
du Seigneur, comme si véritablement ses déclarations ne
devaient pas se réaliser. Or le Seigneur lui dit : *Avant
que le coq chante, tu me renieras trois fois* [1]. Mais lui comme
eux promettent que, même auraient-ils peur de la mort,
ils ne renonceraient pas à confesser son nom [m], car pour
être parfaitement fermes dans leur ministère, ils s'étaient
fortifiés par une volonté intrépide de foi [6].

Chapitre 31

1. *Alors Jésus vient au domaine appelé Gethsémani et
dit à ses disciples : Asseyez-vous ici, tandis que je vais prier
là-bas* [a], et la suite. Il connaissait la foi de ses disciples et
la fermeté de leur dévouement à sa personne, mais il
savait qu'ils seraient troublés et perdraient confiance.
Il leur dit de s'asseoir sur place, pendant qu'il s'avancerait
pour prier. Et il prend Pierre, Jacques et Jean, fils de

l. Matth. 26, 34
m. Cf. Matth. 26, 35
a. Matth. 26, 36

---

6. CYPRIEN, *epist.*, 12, 1 distingue deux étapes dans le martyre :
la « volonté de confesser le Christ » et la confession elle-même :
cf. *supra*, 16, n. 20.

Ioannem Zebedaei filios [b]. Quibus adsumptis, tristis esse maestusque coepit et ait tristem animam suam usque ad mortem esse.

2. Aliquorum ea opinio est, quod cadere propter se maestitudo in Deum potuerit eumque futurae passionis metus fregerit, quia dixerit : *Tristis est anima mea usque ad mortem* [c] et illud : *Pater, si possibile est, transeat a*
5 *me calix iste* [d] et rursum : *Spiritus quidem promptus est, caro autem infirma* [e] et ad postremum bis idipsum :
C *Pater, si non potest hic calix transire, nisi illum bibam, fiat uoluntas tua* [f]. Volunt enim ex infirmitate corporis aerumnam Spiritui adhaerere ac si uirtutem illam
10 incorruptae substantiae imbecillitatis suae sorte adsumptio carnis infecerit et aeternitas naturam fragilitatis acceperit. Quae si ad metum tristis est, si ad dolorem infirma, si ad mortem trepida, iam et corruptioni subdita erit et incidet in eam totius infirmitatis adfectio.
15 Erit ergo quod non erat, de angore maesta, de timore sollicita, de dolore perterrita, ac sic aeternitas demutata in metum, si potest esse quod non erat, potuit perinde hoc quod in ea est aliquando non esse. Deus autem sine mensura temporum semper est et qualis est, talis
20 aeternus est. Aeternitas autem in infinito manens, ut in

REP (= α) A (ab XXVII, 6,1 usque ad XXXIII, 3,10) GSTM (= β)
2, 5 est *om.* R P ‖ **6** bis : sibi A S ‖ **7** bibam illum A S T M ‖ **9** si *om.* A G S ‖ **18** in ea : in eo A S   *om. Bad.*

b. Cf. Matth. 26, 37
c. Matth. 26, 38
d. Matth. 26, 39
e. Matth. 26, 41
f. Matth. 26, 42

1. D'après ATHAN., *Oratio c. arianos*, 3, 26, ces versets servaient à Arius à montrer l'infériorité du Fils par rapport au Père. Le commentaire d'Hilaire semble plutôt inspiré par la réfutation de la compassibilité du Père dans TERT., *adu. Prax.*, 29 : cf. notre *Hilaire de Poitiers...*, p. 374-375.
2. Les images qui évoquent la corruption de l'éternité ne sau-

Zébédée [b] ; ayant pris ces hommes, il se mit à être triste et affligé, et dit que son âme était triste jusqu'à la mort. **2.** C'est l'opinion de certains que l'affliction éprouvée à son sujet a pu atteindre sa divinité et que la crainte de sa mort prochaine l'a brisé [1], parce qu'il a dit : *Mon âme est triste jusqu'à la mort* [c] et encore : *Père, s'il est possible, que ce calice s'éloigne de moi* [d], et derechef : *L'esprit est prompt et la chair est faible* [e], et enfin pour la seconde fois : *Père, si ce calice ne peut passer sans que je le boive, que ta volonté soit faite* [f]. Ils veulent que par suite de la faiblesse de la chair le chagrin s'attache à l'Esprit, comme si l'Incarnation avait souillé par la condition de sa faiblesse la puissance de cette substance incorruptible et que l'éternité eût pris la nature de la fragilité. Si elle est triste jusqu'à la crainte, faible jusqu'à la douleur, tremblante jusqu'à la mort, l'éternité sera soumise désormais à la corruption, et sur elle tombera une faiblesse qui l'affecte entièrement [2]. Elle sera donc ce qu'elle n'était pas, affligée d'angoisse, tourmentée de crainte, effrayée de douleur, et ainsi l'éternité passée à la crainte, si elle peut être ce qu'elle n'était pas, aurait pu en conséquence ne pas être une fois ce qu'elle est en elle-même [3]. Or Dieu existe toujours sans mesure temporelle [4] : tel qu'il est, il est éternellement. L'éternité demeurant dans son infini [5] s'étend dans ce

---

raient résumer un éventuel document théologique : *adhaereo* se dit dans *Deut.* 28, 60 des *adflictiones* et dans *IV Rois.* 5, 27 de la peste ; *inficio* s'applique aux *uitia* dans Cic., *leg.*, 3, 30 ; *incido* + *in* s'emploie à propos de la peste dans Liv., 27, 23, 6. Le thème de la corruption de l'éternité par la souffrance est exprimé également par une comparaison dans Tert., *adu. Prax.*, 29, 6 : « Nam et fluuius si aliqua turbulentia contaminatur, quamquam una substantia de fonte decurrat nec secernatur a fonte, tamen fluuii iniuria non pertinebit ad fontem. »

3. Cette réfutation d'une *aeternitas demutata* suit Tert., *adu. Herm.*, 12, 4.

4. L'éternité est définie par rapport aux *tempora* dans Cic., *nat. deor.*, 1, 21 : « (aeternitas) quam nulla circumscriptio temporum metiebatur ».

5. Cf. *infinitam aeternitatem* dans Tert., *apol.*, 48, 11 et J. M. Mc Dermott, « Hilary of Poitiers : the Infinite Nature of God », dans *VChr* 27, 1973, p. 172-202.

D his quae fuerunt, ita in illis quae consequentur exten-
ditur, semper integra, incorrupta, perfecta, praeter
quam nihil quod esse possit extrinsecus sit relictum. Non
ipsa in aliquo, sed intra eam cuncta potens ita largiri
25 nobis ipsa quod suum est, ut sibi nihil de eo quod sit
largita decedat.

1067 A   **3.** Sed eorum omnis hic sensus est, ut opinentur metum
mortis in Dei filium incidisse qui adserunt non de aeternitate esse prolatum neque de infinitate paternae subs-
stantiae exstitisse, sed ex nullo per eum qui omnia
5 creauit [g] effectum, ut adsumptus ex nihilo sit et coeptus
ex opere et confirmatus ex tempore. Et ideo in eo doloris anxietas, ideo Spiritus passio cum corporis passione,
ideo metus mortis, ut qui mortem timere potuit et
mori possit, qui uero mori potuit, licet in futurum erit,
10 non tamen per eum qui se genuit ex praeterito sit aeternus. Quod si per fidem uitaeque probitatem capaces
euangeliorum esse potuissent, scirent Verbum in principio Deum et hoc a principio apud Deum [h] et natum
esse ex eo qui erat et hoc in eo esse qui natus est quod
B is ipse est penes quem erat ante quam nasceretur, eam-

REP (= α) A (ab XXVII, 6,1 usque ad XXXIII, 3,10) GSTM (= β)
21 fuerant *edd.* ‖ **3,** 3 esse *om.* β *Bad.* ‖ ploratum A S ‖ 4 quia
A S ‖ omnia : eum α ‖ 9 mori[2] *om.* A S ‖ 11 quod : qui P *Cou.* ‖
‖ 13 hoc — Deum *om.* A S ‖ 15 nascitur A G S

g. Cf. Col. 1, 16
h. Cf. Jn 1, 1-2

6. Pastiche de certaines formules du *De Trinitate* de Novatien
(2, 11 ; 4, 24).
7. Remarque semblable chez Tert., *apol.*, 21, 12 commentant
l'exemple du rayon de soleil pour illustrer la génération du Fils.
8. M. Simonetti a eu raison de nous rappeler (compte rendu de
notre *Hilaire de Poitiers...*, dans *RSLR* 9, 1973, p. 95) que ces
formules étaient ariennes. On en retrouve la teneur dans le sommaire arien cité par Hilaire dans les *Collectanea antiariana* antérieurs à 356 (*CSEL* 65, p. 149) : « Patrem deum instituendi orbis
causa genuisse filium et pro potestate sui ex nihilo in substantiam
nouam atque alteram Deum nouum alterumque fecisse. » D'ail-

qui fut comme dans ce qui suivra, toujours intangible, incorruptible, parfaite ; en dehors d'elle rien de ce qui peut être ne lui est resté extérieur. Elle n'est pas elle-même quelque part, mais tout est en elle [6], elle peut nous accorder ce qui est à elle, sans que rien de ce qu'elle a donné lui fasse défaut [7].

3. Mais toute cette conception qui représente la crainte de la mort atteignant le Fils de Dieu est le fait d'hommes qui prétendent qu'il n'a pas procédé de l'éternité et qu'il ne tient pas son être de l'infini de la substance paternelle, mais qu'il a été fait à partir du néant par celui qui a tout créé [g], en sorte qu'il a été tiré du néant, qu'il a pris naissance dans une œuvre et qu'il a été confirmé par le temps [8]. Et c'est ainsi qu'il y a en lui l'angoisse de la douleur, la souffrance de l'esprit accompagnant celle du corps, la crainte de la mort, en sorte que celui qui a pu craindre la mort serait capable aussi de mourir et que celui qui a pu mourir, même s'il existe dans l'avenir, ne devrait pas à celui qui l'a engendré d'être éternel dans le passé. Mais si ces hommes, grâce à la foi et à la droiture de leur vie, avaient pu être capables de saisir les Évangiles [9], ils sauraient que le Verbe est au commencement Dieu, que dès le commencement il est auprès de Dieu [h], qu'il est né de celui qu'il était [10] et qu'il est, dans celui qui est né, celui-là même qu'il est auprès de qui il était avant de naître [11],

leurs certaines locutions d'Hilaire commentant ce document arien (*CSEL* 65, p. 152) sont déjà celles qu'on trouve ici : « *coepit a tempore* » (cf. *in Matth.* 31, 3, 5 : « coeptus ex opere et confirmatus ex tempore ») ; *ordo in eo conexae et congenitae creationis* (cf. *in Matth.* 31, 3, 4 « ex nullo per eum qui omnia creauit effectum »).

9. *Topos* hérité de la diatribe de Tertullien contre les hérétiques : ils dénaturent la bonne foi des textes scripturaires ; leur vie est incohérente (*praescr.*, 38, 4-10).

10. Dans la christologie latine, les trois premiers versets du Prologue de Jean sont la référence scripturaire fondamentale de l'unité de substance du Père et du Fils : cf. *adu. Prax.*, 7, 8 ; 8, 4 ; 12, 6 ; 13, 3 ; 16, 1 ; 19, 6 ; 21, 1.

11. Cette conception d'un état antérieur à la naissance du Fils n'est pas conforme au credo de Nicée qu'Hilaire ne connaît sans doute pas encore : cf. notre *Hilaire de Poitiers...*, p. 166-167, P. Smulders, *La doctrine trinitaire de S. Hilaire de Poitiers*, p. 79,

dem scilicet aeternitatem esse et gignentis et geniti.
Mori igitur nihil in Deo potuit neque ex se metus Deo
ullus est. In Christo enim Deus erat mundum recon-
cilians sibi [i].

4. Sed introspiciendus omnis hic sermo est, ut, quia
maestum fuisse Dominum legimus, causas maestitudinis
reperiamus. Admonuerat superius omnes scandaliza-
turos. Petrus de se confidens responderat, etiamsi ceteri
5 perturbarentur, se non commouendum [j], quem Dominus
etiam ter negaturum esse respondit [k]. Sed et ille et ceteri
omnes discipuli, ne si in ipsa quidem morte positi sint [l],
pollicentur sese negaturos. Et procedens iussit disci-
C pulos suos consedere dum oraret [m]. Adsumptisque Petro
10 et Iacobo et Ioanne coepit tristis esse [n]. Ergo non ante
tristis est quam adsumit et omnis metus illi esse coepit
adsumptis ; atque ita non de se orta est, sed de his quos
adsumpserat maestitudo. Et quidem recordandum est
non alios hic adsumptos fuisse quam ipsos illos, quibus
15 uenturus in regno suo filius hominis ostensus est, tum
cum, adsistentibus in monte Moyse et Elia, toto aeternae gloriae suae honore circumdatus est. Sed quae tunc
adsumendorum eorum, eadem et nunc fuit causa.

1068 A   5. Denique ait : *Tristis est anima mea usque ad mortem* [o].
Numquid ait : Tristis est anima mea propter mortem ?
Certe non ita. Nam si de morte erat metus, ad eam utique
referri per quam erat debuit. Sed aliud est usque in id,
5 aliud ob id metuere. Et causam non facit quidquid in

REP (= α) A (ab XXVII, 6,1 usque ad XXXIII, 3,10) GSTM (= β)
4, 7 ne si : nisi A S ‖ 11 illis β *edd.* ‖ 12 eis T M ‖ quos : quod A S ‖
17 tum β *Bad.*

i. Cf. II Cor. 5, 19
j. Cf. Matth. 26, 33
k. Cf. Matth. 26, 34
l. Cf. Matth. 26, 35
m. Cf. Matth. 26, 36
n. Cf. Matth. 26, 37
o. Matth. 26, 38

c'est-à-dire que l'engendrant et l'engendré ont la même éternité. En Dieu donc rien n'a pu mourir et Dieu n'a pas de crainte venant de lui. Car dans le Christ, Dieu se réconciliait le monde [1].

4. Mais il nous faut examiner tout ce texte où nous lisons que le Seigneur fut affligé, pour trouver les causes de son affliction. Précédemment il avait averti que tous seraient scandalisés. Pierre, qui avait confiance en lui-même, avait répondu que même si tous les autres étaient troublés, lui ne serait pas ébranlé [j], à quoi le Seigneur répliqua qu'il le renierait, trois fois même [k]. Mais lui et tous les autres disciples promettent de ne pas le renier, dussent-ils être exposés à la mort elle-même [l]. Puis s'avançant, il ordonna à ses disciples de s'asseoir, pendant qu'il prierait [m], et prenant Pierre, Jacques et Jean, il se mit à être triste [n]. Il n'est donc pas triste avant de les prendre avec lui et toute sa crainte a débuté quand il les eut pris avec lui, et ainsi son affliction est née non à son sujet, mais au sujet de ceux qu'il avait pris [12]. Et d'ailleurs il faut se rappeler qu'il n'a pas pris alors d'autres disciples que ceux-là mêmes auxquels le Fils de l'homme se montra tel qu'il viendrait dans son royaume, lorsque, sur la montagne en présence de Moïse et d'Élie, il fut enveloppé de tout l'éclat de sa gloire éternelle. Mais le motif qu'il a eu de les prendre a été le même maintenant et alors.

5. En effet il dit : *Mon âme est triste jusqu'à la mort* [o]. Est-ce qu'il dit : « Mon âme est triste à cause de la mort » ? Non certes. Car si c'est au sujet de la mort qu'il était dans la crainte, celle-ci aurait dû se rapporter à tout le moins à la mort qui la causait. Or ce n'est pas la même chose de craindre « jusqu'à » et de craindre « à cause de » [13] ; et une

retrouve dans cette conception l'influence de TERT., *adu. Prax.*, 6, 3 et de NOVATIEN, *trin.*, 31, 186.

12. Cette distinction des objets de la crainte est conforme à l'analyse de CIC., *Tusc.*, 1, 30, sur les causes de l'affliction : « on ne s'afflige pas de son malheur personnel, mais du malheur de ceux que nous aimons. »

13. Cette *differentia uerborum* se rattache à la nomenclature des causes dans la dialectique : cf. SEN., *epist.*, 65, 8 : « Quinque causae sunt, ut Plato dicit, ... id ad quod, id propter quod. »

fine est, quia usque in id quod ab altero coeptum sit diffe-
ratur. Superius igitur dixerat : *Scandalum patiemini in
me in ista nocte* [p]. Sciebat exterrendos, fugandos, negaturos, sed quia Spiritus blasphemia nec hic nec in aeter-
10 num remittitur [q], metuebat ne se Deum abnegarent,
quem caesum et consputum et crucifixum essent contem-
platuri. Quae ratio in Petro seruata est, qui cum nega-
turus esset, ita negauit : *Non noui hominem* [r], quia dic-
B tum aliquid in filium hominis remittetur. Tristis ergo est
15 usque ad mortem. Non itaque mors, sed tempus mortis
in metu est, quia post eam resurrectionis uirtute fides
esset firmanda credentium.

6. Sequitur illud : *Sustinete et uigilate mecum. Et
progressus procidit in faciem suam orans* [s]. Manere
secum peruigiles admonet. Sciebat enim, ingrauante
diabolo, fidem eorum consopiendam et parem secum
5 uigilantiam imperat, quibus eadem passio immineat.

7. Deinde orat : *Pater meus, si possibile est, transeat a
me calix iste, sed tamen non sicut ego uolo, sed sicut tu uis* [t].
Transire a se calicem rogat. Numquid ait : Transeat me
C calix iste ? Haec enim futura erat pro se timentis oratio.
5 Sed aliud est ut se transeat, aliud ut a se transeat depre-
cari. In eo enim quod se transit, ipse ille a molestia

REP (= α) A (ab XXVII, 6, 1 usque ad XXXIII, 3,10) GSTM (= β)
5, 10 metuit β *Bad.* ‖ abnegent β *Bad.* ‖ 12 seruata in Petro est
β *edd.* ‖ **6,** 4 eorum *om.* A S ‖ 5 imminebat A G S *Bad.* ‖ **7,** 5 aliud
est ut se transeat : aliud est ut transeat A S *Bad.*   *om.* G ‖ aliud ut
a se transeat *om.* A S T M *Bad.* ‖ 6 se : a se G   *om.* A S

---

p. Matth. 26, 31
q. Cf. Matth. 12, 31
r. Matth. 26, 72
s. Matth. 26, 38-39
t. Matth. 26, 39

---

14. *Differentia*, elle aussi, issue de la dialectique : cf. CASSIOD.,
art. 3, *PL* 70, c. 1183 a : « Est... efficiens causa quae mouet atque
operatur, ut aliquid explicetur... ; finis propter quod fit. »

chose qui est à la fin ne produit pas la cause [14], parce qu'elle est remise jusqu'au terme d'une chose qui a commencé à partir d'une autre [15]. Il avait donc dit précédemment : *Vous serez scandalisés cette nuit à cause de moi* [p]. Il savait que ses disciples seraient effrayés, mis en fuite et qu'ils le renieraient. Mais parce que le blasphème contre l'Esprit n'est remis ni en ce monde ni dans l'éternité [q], il craignait qu'ils ne le renient comme Dieu, quand ils le dévisageraient battu, couvert de crachats, conspué et crucifié [16]. C'est pour cette raison encore que Pierre qui devait renier le Christ le fit en ces termes : *Je ne connais pas l'homme* [r], parce qu'une parole contre le Fils de l'homme sera remise. Ainsi il est « triste jusqu'à la mort ». Ce n'est donc pas la mort, mais le moment de la mort qui est objet de crainte, parce qu'après elle, la foi des croyants devait être confirmée par la vertu de la Résurrection.

6. Viennent ensuite ces mots : *Tenez bon et veillez avec moi. Et s'avançant, il tomba la face contre terre en priant* [s]. Il les invite à rester avec lui pour veiller. Il savait que, sous le poids du diable, leur foi s'assoupirait et il leur commande d'avoir une vigilance égale à la sienne, puisque la même passion les menace.

7. Ensuite il fait cette prière : *Mon Père, s'il est possible, que ce calice passe à partir de moi, mais cependant non comme je veux, mais comme tu veux* [t]. Il demande que le calice passe à partir de lui. Est-ce qu'il dit : Que ce calice passe au-delà de moi ? C'eût été la prière de quelqu'un qui craint pour lui. Mais ce n'est pas la même chose de prier qu'une chose passe au-delà de soi et qu'une chose passe à partir de soi, car, dans le cas d'une chose qui passe au-delà de soi [17], on se met personnellement à l'écart du

15. Cette dernière expression caractérise la cause dans la logique stoïcienne : cf. SEN., *epist.*, 65, 2 : « a quo fiat, hoc causa est ».
16. Telle fut, selon TERT., *adu. Marc.*, 3, 7, 7-18, la réaction des Juifs devant l'avènement du Christ dans la bassesse.
17. *Transeo*, au sens de « passer outre », s'emploie souvent avec pour objet une chose désagréable ; cf. CIC., *fam.*, 9, 1, 2 : « Videor sperare debere, si te uiderim et ea quae premant et ea quae impendeant, me facile transiturum » : cf. aussi TAC., *hist.*, 2, 59.

transeuntis excipitur ; qui autem ut a se transeat rogat,
non ut ipse praetereatur orat, sed ut in alterum id quod
a se transit excedat. Numquid possibile erat non pati
10 Christum ? Atquin iam a constitutione mundi sacramentum hoc in eo erat nostrae salutis ostensum [u].
Numquid pati ipse nolebat ? Atquin superius fundendum
in remissionem peccatorum corporis sui sanguinem conse-
crauerat [v]. Quomodo ergo : *Pater, si possibile est ?* et
15 quomodo : *Non sicut ego uolo, sed sicut tu uis ?* Totus
1069 A igitur super his qui passuri erant metus est, atque ideo
quia non est possibile se non pati, pro his rogat qui passuri
post se erant dicens : *Transeat calix a me*, id est quomodo a me bibitur, ita ab his bibatur, sine spei diffiden-
20 tia, sine sensu doloris, sine metu mortis.

8. Ideo autem *si possibile est*, quia et carni et sanguini
horum grauis terror est et difficile est eorum acerbitate
corpora humana non uinci. Quod autem ait : *Non sicut
ego uolo, sed sicut tu uis*, uellet quidem eos non pati, ne
5 forte in passione diffidant, sed cohereditatis suae gloriam
sine passionis difficultate mereantur. Non ergo ut non
patiantur rogat dicens : *Non ut ego uolo*, sed ut, ait : quod
Pater uult, bibendi calicis in eos ex se transeat firmi-
B tudo, quia ex uoluntate eius non tam per Christum uinci
10 diabolum quam etiam per eius discipulos oportebat.

REP (= α) A (ab XXVII, 6,1 usque ad XXXIII, 3,10) GSTM (= β)
9 impossibile E A G S ‖ erat *om.* T₁M ‖ 14 *post* ergo *add.* ait
Cou. ‖ **8**, 1 et¹ *om.* A G S ‖ 6 *post* ergo *add.* non' A G S ‖ 7 patiatur
R P

---

u. Cf. Éphés. 1, 9 ; 3, 9
v. Cf. Matth. 26, 28

---

18. *Transeo* intransitif indiquant un transfert de *res* implique
en effet des indications de lieu : cf. Pavl., *dig.*, 38, 10, 11 : « a proximo
in proximum transire ».
19. L'expression est calquée sur Tert., *adu. Marc.*, 4, 40, 6 :
« Ita et nunc sanguinem suum in uino consecrauit. »
20. *Trikolon* d'inspiration stoïcienne : *sine sensu doloris* rappelle
des définitions du sage comme Sen., *dial.*, 2, 10, 3 : « molestias,

désagrément de la chose qui passe au-delà. Quand on demande qu'une chose passe à partir de soi, on prie, non pas d'être personnellement évité, mais de faire que ce qui passe à partir de soi aboutisse à un autre [18]. Était-il possible que le Christ ne souffrît pas ? Pourtant, dès la fondation du monde, ce mystère de notre salut avait été révélé en lui [u]. Est-ce qu'il ne voulait pas souffrir lui-même ? Pourtant, précédemment, il avait consacré le sang de son corps [v] [19] qu'il allait verser pour la rémission des péchés. Comment donc expliquer le : *Père, s'il est possible* et le : *Non comme je veux, mais comme tu veux ?* Toute sa crainte porte donc sur ceux qui devaient souffrir et, parce qu'il n'est pas possible qu'il ne souffre pas, il fait une demande pour ceux qui allaient souffrir après lui en disant : *Que ce calice passe à partir de moi*, entendons qu'il soit bu par eux, comme il l'est par moi, sans défiance dans l'espérance, sans sentiment de la douleur, sans crainte de la mort [20].

8. Le *s'il est possible* s'explique parce qu'à la chair et au sang ces événements causent un effroi pénible et que les corps humains ont beaucoup de peine à ne pas succomber à leur dureté. En disant : *Non comme je veux, mais comme tu veux*, il voudrait que ses disciples ne souffrent pas, pour qu'ils ne risquent pas en souffrant de perdre la foi, mais pour qu'ils méritent la gloire de son héritage sans la difficulté de la souffrance. Il demande donc, non pas qu'ils ne souffrent pas, en disant : *Non comme je veux*, mais que la force de boire le calice, « ce que le Père veut », comme il dit, passe de lui à eux [21], parce que, selon la volonté du Père, il fallait que le diable fût vaincu moins par le Christ que par ses disciples désormais.

dixerim non uincit, sed ne sentit quidem ». Les deux autres *cola* semblent développer cette définition de CIC., *Tusc.*, 4, 80 : « metus quoque est diffidentia expectati et inpendentis mali ».
21. La relation entre la tentation du Christ et la nôtre est un thème du *De patientia* de TERTULLIEN (3, 2-3) qui inspire le commentaire de la Tentation au désert : cf. *supra*, 3, 4 et notre article : « L'argumentation d'Hilaire de Poitiers dans l'*exemplum* de la Tentation de Jésus (*In Matth.* 3, 1-5) », dans *VChr* 29, 1975, p. 296-308.

9. Post quae ad discipulos redit et dormientes depre-
hendit [w] et Petrum coarguit cur secum una saltim hora
non uigilet [x]. Petrum ideo ex tribus, quia prae ceteris
non se scandalizaturum fuerat gloriatus. Superioris
5 autem metus sui indicat causae dicens : *Orate ne intretis
in temptationem* [y]. Hoc erat igitur quod uolebat (et ideo
in oratione tradiderat : *Non inducas nos in temptationem*) [z],
ne quid in nos infirmitati carnis liceret. Cur autem
ne in temptationem uenirent orare eos admonuisset,
10 ostendit dicens : *Spiritus quidem promptus, caro autem
infirma* [a], non utique de se ; ad eos enim hic sermo
C conuersus est. Aut quomodo nunc de se spiritus promptus, si superius tristis est anima usque ad mortem ? Sed
uigilari praecipit et orari ne in temptationem incidant,
15 ne infirmitati corporis succumbant, et idcirco, si possibile
est, ut a se transeat calix orat, quia bibendi eius caro
omnis infirma sit.

10. Rursum uero discedens orauit dicens : *Pater,
non potest transire calix iste nisi illum bibam ? Fiat
uoluntas tua* [b]. Passuris discipulis per fidei iustificationem, omnem in se corporis nostri infirmitatem adsumpsit,
5 crucique secum uniuersa ea quibus infirmabamur adfixit.
Ideo peccata nostra portat et pro nobis dolet [c], quia,
fidei in nobis calore feruente, cum aduersum diabolum
passionis bello sit decertandum, omnes imbecillitatum

REP (= α) A (ab XXVII, 6,1 usque ad XXXIII, 3,10) GSTM (= β)
9, 2 saltem E *edd.* ‖ 3 uigilent R P A G S ‖ ceteros R P A S¹ ‖
8 ne *om.* β ‖ 14 uigilare... orare R A S *edd. plures* ‖ praecipit
A G S ‖ **10,** 1 *post* Pater *add.* si E A S T M *Bad.* ‖ 5 infirmabamur : -mamur T M -mabimur P -mabatur R

---

w. Cf. Matth. 26, 40
x. Cf. Matth. 26, 40
y. Matth. 26, 41
z. Matth. 6, 13
a. Matth. 26, 41

9. Après quoi, il revient vers ses disciples et les surprend en train de dormir [w]. Il reproche à Pierre de ne pas veiller avec lui au moins une heure [x], à Pierre parmi les trois, parce qu'il s'était vanté de ne pas se scandaliser à la différence des autres. Il indique les motifs de la crainte dont il a parlé plus haut en disant : *Priez pour ne pas entrer en tentation* [y]. Ce qu'il voulait donc — c'est la raison pour laquelle il avait enseigné dans la prière : *Ne nous induis pas en tentation* [z] —, c'est que la faiblesse de la chair n'ait aucun droit sur nous [22]. D'ailleurs, la raison pour laquelle il les a engagés à prier de ne pas en arriver à la tentation est indiquée par ces mots : *L'esprit est prompt et la chair est faible* [a]. Ce n'est pas de lui assurément qu'il s'agissait, puisque c'est aux apôtres que ces paroles ont été adressées. Et comment l'esprit prompt s'appliquerait-il ici à lui, s'il est vrai que précédemment son âme est triste jusqu'à la mort ? Mais s'il recommande de veiller et de prier, c'est pour qu'on ne soit pas exposé à la tentation, qu'on ne succombe pas à la faiblesse charnelle et s'il prie que le calice passe à partir de lui, si possible, c'est parce qu'aucune chair n'a la force de le boire.

10. De nouveau s'écartant il pria en disant : *Père, ce calice ne peut-il passer sans que je le boive ? Que ta volonté soit faite* [b]. Ses disciples devant souffrir en raison de la justification de la foi, il a pris sur lui toutes les faiblesses de notre corps et il a cloué à la Croix avec lui tout ce qui nous rendait faibles. Il porte nos péchés et souffre pour nous [c], parce que l'ardeur de la foi brûlant en nous, tandis que nous avons à lutter contre le diable dans le combat du martyre [23], toutes les douleurs de nos infirmités

b. Matth. 26 42
c. Cf. Is. 53, 4

22. Rapprocher le commentaire de la sixième demande du Pater dans CYPR., *domin. orat.*, 26 : « Quando autem rogamus ne in temptationem ueniamus admonemur infirmitatis et inbecillitatis nostrae dum sic rogamus, ne quis se insolenter extollat. »
23. Raccourci en une phrase de la thématique du premier chapitre de l'*Ad martyras* de Tertullien.

nostrarum dolores cum corpore eius et passione moriun-
10 tur. Et ideo transire ab eo calix non potest, nisi illum
1070 A bibat, quia pati nisi ex eius passione non possumus.

11. Verum quod iterum reuersus reperit dormientes ^d
ostendit absentiae suae tempore plures quodam fidei
somno detinendos. Sed rursum orauit idem repetens ^e
reuersusque qui uigilare iusserat, qui consopitos obiur-
5 gauerat, ait : *Dormite iam et requiescite* ^f. Post orationem
frequentem, post discursus recursusque multiplices,
metum demit, securitatem reddit, in requiem adhor-
tatur, uoluntatem Patris iam de nobis securus exspectat dicens : *Fiat uoluntas tua*, quia transiturum in nos
10 calicem bibens infirmitatem corporis nostri et timoris
B sollicitudinem et ipsum dolorem mortis absorberet.
Quod autem ad eos reuertens dormientesque reperiens
primum reuersus obiurgat, secundo silet, tertio quies-
cere iubet, ratio ista est, quod primum post resurrec-
15 tionem dispersos eos et diffidentes ac trepidos reprehen-
dit ^g ; secundo, misso Spiritu paracleto, grauatis ad
contuendam euangelii libertatem oculis, uisitauit. Nam
aliquandiu legis amore detenti quodam fidei somno
occupati sunt. Tertio uero, id est claritatis suae reditu
20 securitati eos quietique restituet.

REP (= α) A (ab XXVII, 6,1 usque ad XXXIII, 3,10) GSTM (= β)
11, 1 quod *om.* R β || 6 recursusque *om.* A S || 7 reddidit A G S ||
15 ac : et α || 15-16 reprehendit : -det P *Cou.* de- β *Bad.* || 17
uisitabit P *Cou.* || 20 restituit R

---

d. Matth. 26, 43
e. Cf. Matth. 26, 44
f. Matth. 26, 45
g. Cf. Mc 16, 14

meurent avec son corps et sa passion ; et si le calice ne peut passer à partir de lui sans qu'il le boive, c'est que nous ne pouvons souffrir que de sa passion.

11. Le fait pourtant que revenant de nouveau il les trouve endormis [d] prouve que, durant son absence, une sorte de sommeil de la foi doit en retenir plus d'un. Mais il pria à nouveau, redemandant la même chose [e], et revenant, lui qui leur avait commandé de veiller, qui leur avait reproché d'être endormis, leur dit : *Maintenant dormez et reposez-vous* [f]. Après une prière assidue, après des allées et venues multiples, il enlève la crainte, rend la paix, invite au repos, et maintenant qu'il est tranquille à notre sujet, il attend la volonté du Père en disant : *Que ta volonté soit faite*, parce qu'en buvant le calice qui passerait à nous il absorberait la faiblesse de notre corps, l'inquiétude de la peur et jusqu'à la souffrance de la mort. Si revenant à eux et les trouvant endormis, il les blâme, quand il revient pour la première fois, se tait la seconde fois, leur commande de se reposer la troisième fois, cela vient de ce qu'une première fois, après la Résurrection, il les a repris pour leur débandade incrédule et effrayée [g], une seconde fois, lors de l'envoi de l'Esprit consolateur, il les a visités, alors que leurs yeux étaient trop appesantis pour regarder la liberté de l'Évangile [24] ; en effet, retenus quelque temps par l'amour de la Loi, ils ont été envahis par une sorte de sommeil de la foi. La troisième fois, c'est lorsque à son retour glorieux il les rendra à la paix et au repos.

24. Commentaire suivi de *Act.* 1, 6-11.

32

C   **1.** *Et adhuc eo loquente, ecce Iudas unus de duodecim
uenit et cum eo plurima turba* [a]. In his omnibus passionis
est ordo. Sed in osculo Iudae [b] haec fuit ratio, ut docere-
mur inimicos omnes eosque quos sciremus desaeuituros
5 in nos esse diligere. Osculum enim eius Dominus non
respuit. Quod autem ait Iudae : *Fac quod facis* [c] traditionis suae potestatem sub uerbi huius condicione per-
mittit. Nam qui iuris sui habebat aduersum traditores
aduocare duodecim milia legiones angelorum [d], longe
10 facilius unius hominis et consiliis et artibus potuisset
occurrere. Denique Pilato ait : *Non haberes in me potestatem, nisi data tibi esset* [e]. Dat igitur in se potestatem
dicendo : *Fac quod facis*, scilicet quia uoluntatis crimen
pro facti pensatur inuidia, re perageret quod uoluntate
15 iam faceret.

1071 A   **2.** *Vnus autem ex his qui erant cum eo gladium exserens
seruo principis sacerdotum aurem abscidit eique Dominus
ait : Conuerte gladium tuum in locum suum. Omnes enim
qui gladio utuntur gladio peribunt* [f]. Ergo hic ipse iam
5 iudicatus est, quia gladio utens gladio interibit. Sed
non omnibus gladio utentibus mors solet esse per gladium. Nam plures aut febris aut alius accidens casus

REP (= α) A (ab XXVII, 6,1 usque ad XXXIII, 3,10) GSTM (= β)
XXXII (XXXIII T) et T M : et R E P A G S   CANON
(CAPVT *Cou.*) XXXII et *edd.* ‖ **1,** 9 milia *om.* E T M *Bad.* ‖
legionum *Cou.* ‖ 13 uoluntati A S ‖ 13-14 crimen pro facti *om.* A S ‖
14 re *om.* A S ‖ **2,** 5 interibit : peribit T M ‖ 7 accedens R P *Gil.*

a. Matth. 26, 47
b. Cf. Matth. 26, 49
c. Jn 13, 27
d. Cf. Matth. 26, 53
e. Jn 19, 11
f. Matth. 26, 51-52

Chapitre 32

1. *Et comme il parlait encore, voici que Judas, l'un des douze survint et avec lui, une troupe nombreuse* [a]. Tous ces détails constituent le déroulement de la Passion. Mais dans le baiser de Judas [b], il y a cette idée que nous apprenions à aimer tous nos ennemis et ceux dont nous savons qu'ils exerceront leur violence contre nous. Son baiser en effet n'est pas repoussé par le Seigneur. Le mot adressé à Judas : *Fais ce que tu as à faire* [c] est une clause de style [1] qui lui laisse le pouvoir de le livrer. Car celui qui était dans son droit en convoquant douze mille anges [d] contre ceux qui le trahissaient aurait pu beaucoup plus aisément faire obstacle aux desseins et aux manœuvres d'un seul homme. En effet il dit à Pilate : *Tu n'aurais pas de pouvoir sur moi, s'il ne t'avait été donné* [e]. Il donne donc pouvoir sur lui, quand il dit : *Fais ce que tu as à faire*, c'est-à-dire que, comme le délit d'intention se mesure à la méchanceté de l'acte, il devait accomplir dans les faits ce qu'il faisait déjà en intention [2].

2. *Un de ceux qui étaient avec lui, tirant son glaive, coupa l'oreille du serviteur du prince des prêtres et le Seigneur lui dit : Remets ton épée à sa place, car tous ceux qui se servent du glaive périront par le glaive* [1]. Ainsi cet homme a déjà été personnellement jugé, puisque se servant du glaive il périra par le glaive. Mais la mort par le glaive n'est pas le sort habituel de tous ceux qui se servent du glaive, car la fièvre ou un autre accident du hasard en fait périr beaucoup [3] qui se sont servi du glaive soit pour

---

1. La *uerbi condicio* s'entend du caractère gnomique de la formule, qui se présente généralement sous la forme : *fac si facis* (Mart., 1, 46, 1 ; Sen., *benef.*, 2, 5, 2).
2. La liaison entre la volonté et l'action est un *topos* classique : cf. Sen., *epist.* 95, 57.
3. Lieu commun livresque ; cf. Liv., 23, 22, 3 : « cum... sui quemque *casus... absumpsissent* » ; 37, 46, 10 : « aliis belli *casibus*, aliis morbo absumptis ».

absumit, qui gladio aut iudicii officio aut resistendi
latronibus necessitate sint usi. Igitur ab apostolo serui
10 principis sacerdotum auricula desecatur, populo uidelicet sacerdotio seruienti per Christi discipulum inoboediens auditus exciditur et ad capacitatem ueritatis
hoc quod erat inaudiens amputatur. Turba autem omnis
aduersus Dominum gladiis armata processerat ; recon-
15 di gladium praecepit, quia eos non humano, sed oris sui
gladio esset perempturus. Ceterum si secundum sententiam eius omnis gladio utens gladio perimeretur, recte
ad necem eorum gladius exserebatur, qui eodem utebantur
ad facinus.

B   **3.** Reliqua uero gestorum ordinem habent : falsi
testes conquisiti [g], sacerdos eius ipsius in qua gloriabatur legis ignarus, etiam sacramento an ipse esset Christus
fidem quaerens, quasi occulte de eo lex et prophetae
5 loquerentur. Quin etiam is ipse est Christum confessus
inuitus, Domino dicente : *Tu dixisti* [h]. Cuius maiestate
audita, uestem sibi discidit, ipsum [i] uidelicet quo contegebatur uelamentum legis abrumpens. In palmis uero
atque sputis [j] ad consummandam hominis humilitatem
10 uniuersa in eum contumeliarum genera exercebantur.

4. Diligenter autem contuendum est qua condicione
Petrus negauerit, quamquam de hoc superius tractatum
sit. Nam primum ait non se intelligere quid diceret [k],
sequenti non se ei adhaesisse [l], tertio uero se hominem

REP (= α) A (ab XXVII, 6,1 usque ad XXXIII, 3,10) GSTM (= β)
9 sint usi : sit usus P   situs R ‖ seruo β *edd.* ‖ 10 sacerdotis
A G S ‖ 14 aduersum R P ‖ 18 eodem : horum A S ‖ **3**, 3 Christus
esset β *edd.* ‖ 4 prophetaeque β *edd.* ‖ 7 quo *om.* A S² ‖ 10 genere A S
‖ **4**, 3 est β *edd.* ‖ primo P β *edd.*

g. Cf. Matth. 26, 59
h. Matth. 26, 64
i. Cf. Matth. 26, 65
j. Cf. Matth. 26, 67
k. Cf. Matth. 26, 70
l. Cf. Matth. 26, 72

exécuter un jugement [4] soit dans la nécessité de résister
à des brigands [5]. Ainsi l'oreille du serviteur du prince des
prêtres coupée cela veut dire que le peuple soumis au
sacerdoce a son ouïe désobéissante coupée par le disciple
du Christ et est amputé de l'organe qui n'entendait pas,
pour pouvoir recevoir la vérité [6]. Toute la troupe armée
de glaives s'était avancée contre le Seigneur : il fit ren-
gainer le glaive, parce qu'il devait les faire périr non d'un
glaive humain, mais du glaive de sa bouche [7]. Autrement,
si, conformément à la maxime du Seigneur, tout homme
qui se servirait du glaive périrait par le glaive, celui-ci
méritait d'être dégainé pour abattre ceux qui s'en servaient en vue du crime.

3. Le reste suit l'ordre des faits : les faux témoins
que l'on recherche [g], le grand prêtre qui, ignorant même
la Loi dont il se glorifiait, demande en jurant s'il est
sûrement le Christ, comme si la Loi et les prophètes
parlaient de lui secrètement. Or ce qu'il y a de mieux,
lui-même, sans le vouloir, a confessé le Christ, puisque le
Seigneur lui dit : *Tu l'as dit* [h]. Mais entendant parler de
sa gloire, il déchira son propre vêtement [i], autrement dit
il arracha le voile de la Loi dont il se couvrait. Avec les
gifles et les crachats [j], ce sont tous les genres d'outrages
qui s'exerçaient contre lui pour consommer l'humiliation
de son humanité [8].

4. Il faut étudier selon quel schéma eut lieu le reniement de Pierre, bien qu'on en ait traité précédemment [9].
D'abord il dit qu'il ne comprenait pas ce qu'on lui disait [k] ;
la fois suivante, il dit qu'il n'était pas à ses côtés [l], la

---

4. C'est le *ius gladii* ; cf. Vlp. *dig.* 1, 18, 6, 8.
5. Le *latro* est par définition armé ; cf. Varro, *ling.* 7, 52 : « Latrones dicti ab latere qui circum latera erant regi atque ad latera
habebant ferrum. »
6. Variations sur l'expression paulinienne : *fides ex auditu*
(*Rom.* 10, 17).
7. *Gladius oris* (*Job* 5, 15) ; cf. *supra*, 10, 23 : « Dei igitur uerbum
nuncupatum meminerimus in gladio. »
8. Rappel de l'étymologie *homo ex humo* ; cf. *supra*, 4, n. 2.
9. Cf. *supra*, 31, 5.

5 non nosse [m]. Et uere prope iam sine piaculo hominem
negabat, quem Dei filium primus agnouerat, tamen quia
C ex infirmitate carnis uel ambiguus exstitisset, amaris-
sime fleuit [n] recolens trepidationis istius culpam se nec
admonitum potuisse uitare.

5. Traditur deinde Pilato [o] gentium iudici. Non enim
iudicari reus poterat ex lege ipse sine dolo atque peccato.
Tunc uidens Iudas qui eum tradidit, quoniam dam-
natus est [p]. Iudas agens paenitentiam pretium sanguinis
5 Christi reddidit sacerdotibus ut licet ipse uenditi sanguinis
iusti auctor esset, tamen ementium infidelitatem ipsa
professio uendentis argueret. Qui responderunt : *Quid*
ad nos ? Tu uideris [q]. Professio audax atque caeca est.
Emisse se iusti sanguinem audiunt et extra iudicii rea-
10 tum futuros esse se credunt, cum tamen dicendo : *Tu*
uideris, facinus ipsum in uendente constituant, contra
autem uendentis testimonio scelus ementium confirme-
tur. Secedens itaque suspendit se [r] damnato Christo
Ita mortis Iudae tempus est comparatum ut sub passione
D Domini commotis infernis supernisque omnibus et
reuulsis et in obliuionem officii sui uniuersorum elemen-
1072 A torum procuratione stupefacta, nec inter mortuos
uisitaretur nec inter uiuos post resurrectionem haberet
paenitentiae facultatem.

REP (= α) A (ab XXVII, 6,1 usque ad XXXIII, 3,10) GSTM (= β)
5 iam : tam R P ‖ **5,** 4 *post* est *add. et cetera* T M *edd.* ‖ 11
constituat R P A G S ‖ 16 officii sui : officiis A S

m. Cf. Matth. 26, 74
n. Cf. Matth. 26, 75
o. Cf. Matth. 27, 2
p. Matth. 27, 3
q. Matth. 27, 4
r. Cf. Matth. 27, 5

10. Exemple du genre de causes appelé ἀντικατηγορία « où les
plaideurs se reprochent mutuellement le même crime » (QVINT.,
inst., 3, 10, 4).

troisième fois qu'il ne connaissait pas l'homme [m]. Et, à dire vrai, ce n'était presque pas un sacrilège de nier son humanité, dès lors qu'il avait été le premier à le reconnaître comme Fils de Dieu ; cependant, parce qu'à cause de la faiblesse de la chair, il s'était montré tant soit peu hésitant, il pleura très amèrement [n], se disant après coup que, même après avoir été mis en garde, il n'avait pu éviter la faute de cette peur tremblante.

5. Ensuite il est livré à Pilate [o], le juge des païens. Car il ne pouvait être jugé comme accusé par la Loi, étant personnellement sans faute ni péché. *Alors Judas qui l'a livré voyant qu'il est condamné* [p], etc. Judas se repentant restitua aux prêtres le prix du sang du Christ, en sorte que tout en étant lui-même responsable de la vente du sang d'un juste, il accusait les acheteurs de la déloyauté qu'il se reconnaissait lui-même en tant que vendeur. Ils lui répliquèrent : *Que nous importe ? A toi de voir* [q]. L'aveu est impudent et aveugle. Ils apprennent qu'ils ont acheté le sang d'un juste et croient qu'ils échapperont à l'accusation d'un jugement, et pourtant, alors que par ces mots : *A toi de voir*, ils établissent la faute chez le vendeur, c'est au contraire le péché des acheteurs qui est prouvé par le témoignage du vendeur [10]. Se retirant donc, il se pendit [r] pour avoir condamné le Christ. Ainsi l'heure de la mort de Judas est située de manière qu'au moment où la passion du Seigneur entraînait l'ébranlement et la destruction des choses d'en haut et d'en bas ainsi que la paralysie de l'organisation de tous les éléments bouleversés jusqu'à négliger leur office [11], Judas ni ne serait visité chez les morts [12] ni n'aurait, après la Résurrection, la faculté de se repentir parmi les vivants [13].

11. *Elementorum officia* est une locution de Tert., *nat.*, 2, 5, 14, qui correspond à l'idée stoïcienne d'un *ordo* et d'une *constantia* des astres (cf. Cic., *nat. deor.*, 2, 43).

12. Le Christ est descendu aux enfers (*I Pierre* 3, 19), où « toute âme est déposée jusqu'au jour du Seigneur » (Tert., *anim.*, 55, 5).

13. Observation inspirée par l'analyse de l'*interim* chez Tert., *test. anim.*, 4, 1 : l'âme retrouve le corps, pour que le feu purificateur exerce son œuvre : cf. H. Fine, « Die Terminologie der Jenseitsvorstellungen bei Tertullian » (*Theophaneia* 12), Bonn 1958, p. 76.

6. De argenteis uero redditis, quia pretium sanguinis
esset neque in corbanan, id est in oblationum pecunia
admisceri liceret [s], consilio inito, emitur ager figuli et in
sepulturam peregrinorum deputatur [t]. Magnum hoc
5 prophetiae sacramentum [u] et in factis iniquitatis miraculi plena meditatio. Figuli opus est de luto uasa formare, cuius in manu sit ex luto eodem uas aut idipsum
aut pulchrius reformare. Agrum autem saeculum nuncu-
pari ipsis Domini nostri uerbis continetur [v]. Christi
10 ergo pretio saeculum emitur, id est uniuersitas eius
acquiritur et in sepulturam peregrinorum atque inopum
deputatur. Nihil hinc pertinet ad Israel et totus hic
saeculi empti usus alienis est, his uidelicet qui in pretio
Christi sanguinis sepelientur, quo uniuersa sunt empta [w].
B Omnia enim a Patre accepit quae in caelis et in terra
sunt [x], et ideo hic ager figuli est, quia Dei omnia sunt,
cuius in manu sit nos ut uelit tamquam figulus reformare. In hoc igitur agro Christo commortui et consepulti
huius peregrinationis nostrae aeternam requiem sortie-
20 mur. In cuius rei fidem Ieremiae prophetia subditur [y],
ut in facti istius opere tanto ante diuinae uocis auctoritas ostenderetur.

7. Interrogante autem Pilato an ipse esset rex Iudaeorum, respondit : *Tu dicis* [z]. Sed quam diuersus sermo est,
qui fuerat ad sacerdotem ! Illi enim quaerenti an ipse

REP (= α) A (ob XXVII, 6,1 usque ad XXXIII, 3,10) GSTM (= β)
6, 4 *ante* hoc *add.* in *edd.* ‖ 7 aut idipsum : ut ad ipsum A G Sᵃᶜ M ‖
12 *ante* hinc (hoc S) *add.* in A G Sᵃᶜ ‖ 15 *post* et *add.* quae T M *edd.*
‖ 17 figulus *om.* R P ‖ 7, 1 interroganti *edd.* ‖ 2 *post* respondit *add.*
iudici A S

s. Cf. Matth. 27, 6
t. Cf. Matth. 27, 7
u. Cf. Matth. 27, 9
v. Cf. Matth. 13, 38
w. Cf. Act. 20, 28
x. Cf. Matth. 28, 18
y. Cf. Matth. 27, 9-10
z. Matth. 27, 11

6. Avec les pièces d'argent restituées, qui étaient le prix du sang et qui ne pouvaient être mélangées au trésor [s], c'est-à-dire à l'argent des offrandes [14], on achète, après délibération, le champ d'un potier et on l'assigne à la sépulture des étrangers [t]. C'est là un grand mystère prophétique [u] et il y a dans les actes d'impiété une préparation pleine d'une vertu extraordinaire. L'œuvre du potier est de façonner des vases avec de l'argile [15] et il est en son pouvoir de disposer de l'argile soit pour faire à proprement parler un vase soit pour en façonner un plus beau. Champ est le nom du siècle, nom contenu dans les paroles mêmes de notre Seigneur [v]. Avec le prix payé pour le Christ, on achète le siècle, c'est-à-dire on acquiert tout son bien et on l'assigne à la sépulture des étrangers indigents. Rien de cela ne concerne Israël et tout ce profit de l'achat du siècle est destiné à ceux d'ailleurs, ceux qui seront ensevelis au prix du sang du Christ, sang qui sert à acheter toutes choses [w]. Il a en effet reçu du Père tout ce qui est au ciel et sur la terre [x], et si ce monde est le champ d'un potier, c'est parce que tout appartient à Dieu qui a le pouvoir de nous façonner de nouveau à son gré comme un potier [16]. Dans ce champ ainsi morts et ensevelis avec le Christ, nous obtiendrons le repos éternel de notre voyage d'ici-bas [17]. Pour nous l'assurer est insérée la prophétie de Jérémie [y], de manière que l'autorité d'une voix divine d'autrefois se manifeste dans l'accomplissement de ce menu fait.

7. Comme Pilate lui demandait s'il était le roi des Juifs en personne, il répondit : *Tu le dis* [z]. Mais combien la formule est différente de celle qui avait été adressée au grand prêtre. A ce dernier qui lui demandait s'il était

14. Explication tirée de l'étymologie du mot dans *Marc* 7, 11 : « Corban quod est donum. »

15. Définition empruntée à *Rom.* 9, 21. La comparaison de Dieu avec le potier qui fait les vases qu'il veut sera reprise plus loin (l. 17).

16. Tert., *resurr.*, 7, 4 applique ce détail à la réfection glorieuse des corps lors de la résurrection.

17. Image tirée de *II Cor.* 5, 6 (*Vulg.*) : « Dum sumus in corpore, peregrinamur a Domino. »

Christus esset dixerat : *Tu dixisti* [a]. Hoc ideo, quia lex
5 omnis uenturum Christum praedicauerat, respondetur
tamquam de praeteritis sacerdoti, quia semper uenturum Christum ex lege ipse dixisset. Huic uero legis ignaro
C interroganti an ipse esset rex Iudaeorum dicitur : *Tu
dicis*, quia per fidem praesentis confessionis salus gen-
10 tium est et quod hoc de se ille qui antea ignorabat
loquatur, quod hi negent qui antea loquebantur.

33

1. *Sedente autem Pilato pro tribunali, misit ad illum uxor
sua dicens : Nihil sit tibi et iusto illi* [a]. Species in ea gentium plebis est quae iam fidelis eum cum quo conuersabatur incredulum populum ad Christi fidem aduocat.
5 Quae quia ipsa multum sit passa pro Christo [b], in eamdem gloriam futurae spei illum cum quo conuersabatur
inuitat. Denique Pilatus et manus lauit et populo Iudaico
innocentem se a Domini sanguine esse testatus est [c],
D quia Iudaeis suscipientibus in se ac filios suos fusi domi-
10 nici sanguinis crimen cotidie in confessionem fidei ablutus
gentium populus demigrat.
1073 A   2. Offerenti uero Pilato ut secundum solemnis diei
priuilegium, quo unum ex reis poscentibus dimitti oportebat, Iesum absolueret, Barabban potius hortantibus

---

REP (= α) A (ab XXVII, 6,1 usque ad XXXIII. 3,10) GSTM (= β)
10 qui : quia A S
XXXIII (XXXIIII T) sedente T M : sedente A G S   CANON
(CAPVT *Cou.*) XXXIII sedente *edd.* ‖ **1**, 2 sit tibi : tibit sit A G S
edd.   tibi E T M ‖ isti β *edd.* ‖ 8 testatus est : testatus A S T   testa-
tur G M *Bad.* ‖ **2**, 2-3 *post* oportebat *add.* ut A G S *Bad.*

---

a. Matth. 26, 64
a. Matth. 27, 19
b. Cf. Matth. 27, 19

personnellement le Christ, il avait répondu : *Tu l'as dit* ᵃ.
C'est parce que toute la Loi avait proclamé que le Christ
viendrait que le grand prêtre s'entend répondre comme
au passé qu'il avait lui-même toujours dit que le Christ
viendrait en vertu de la Loi. Quant à celui qui ignorait
la Loi et lui demandait s'il était le roi des Juifs en personne, il reçoit comme réponse : *Tu le dis*, parce que le salut
des païens est dans la foi d'une confession actuelle et
que celui qui était auparavant dans l'ignorance dit de
son propre chef une chose que nient ceux qui la disaient
auparavant.

Chapitre 33

1. *Tandis que Pilate siégeait au tribunal, son épouse
lui fit dire : Qu'il n'y ait rien entre toi et ce juste* ᵃ. Dans cette
femme il y a l'image de la foule païenne, qui étant déjà
croyante appelle à la foi du Christ le peuple incroyant
avec lequel elle vivait. Comme elle a personnellement
beaucoup souffert pour le Christ ᵇ, elle invite celui avec
lequel elle vivait à la même gloire de l'espérance future.
Effectivement Pilate se lava les mains et prit à témoin le
peuple juif qu'il était innocent du sang du Seigneur ᶜ,
parce que chaque jour, tandis que les Juifs prennent sur
eux et sur leurs fils la responsabilité d'avoir versé le sang
du Seigneur, le peuple païen purifié passe à la confession
de la foi ¹.

2. A Pilate qui, en vertu du privilège de la solennité
obligeant à délivrer celui des accusés qu'on réclamait,
offrait de libérer Jésus, le peuple préféra désigner Barab-

c. Cf. Matth. 27, 24

---

1. L'ablution de Pilate a suggéré à Tᴇʀᴛᴜʟʟɪᴇɴ (cf. *orat*, 13,
2-14) un commentaire qui a pu inspirer celui d'Hilaire : les Juifs
se lavent tous les jours les mains, nous nous sommes lavés tout
entiers dans le Christ par le baptême, lequel « tous les jours maintenant sauve les peuples » (*bapt.*, 5, 6).

sacerdotibus populus elegit [d] ; interpretatio autem nomi-
5 nis Barabbae est patris filius. Iam itaque arcanum futurae infidelitatis ostenditur, Christo patris filium praefe-
rendo, Antichristum scilicet hominem peccati et diaboli
filium [e] potiusque, adhortantibus principibus suis, eli-
gunt damnationi reseruatum quam salutis auctorem.

3. Caeso deinde Domino imponitur chlamys coccinea
et uestis purpurea et corona spinea et arundo dexterae et
genu posito adoratus illuditur [f]. Susceptis uidelicet omnibus corporis nostri infirmitatibus, omnium deinde mar-
5 tyrum quibus regnum secum erat debitum sanguine in
cocci colore perfunditur pretiosoque prophetarum ac
B patriarcharum in purpura honore uestitur. Spinis quoque,
id est compungentium quondam peccatis gentium coro-
natur, ut ex rebus perniciosis atque inutilibus, quae
10 capiti eius, id est Deo circumdata moliuntur, gloria quae-
reretur. Peccatorum enim est aculeus in spinis, ex quibus
Christo uictoriae corona contexitur. In calamo uero
earumdem gentium infirmitas atque inanitas manu
comprehensa firmatur. Quin etiam capiti eius illiditur :
15 capiti, ut opinor, de ictu calami non grandis iniuria est,
sed typica in eo ratio seruatur, ut infirmitas gentilium
corporum manu Christi antea comprehensa etiam in

REP (= α) A (ab XXVII, 6,1 usque ad XXXIII, 3,10) GSTM (= β)
5 Barabba G S T *Bad.* ‖ 6 Christum A S ‖ patri R P ‖ **3**, 3 adoratur β *Bad.* ‖ 11 enim est : est enim G S *edd.*   est autem T M ‖ 14
illiditur : illuditur G *edd. plures*   inditur R P ‖ 17 antea *om.* β *Bad.*

d. Cf. Matth. 27, 21
e. Cf. II Thess. 2, 3
f. Cf. Matth. 27, 28-29

2. Comme pour *Osanna* (cf. *supra*, 21, n. 7), cette étymologie
provient d'un *Onomasticon* : cf. Hier., *Liber de nominibus hebraicis,
De euangelio Ioannis ; in psalm. 108*, et Ambr., *in Luc.*, 10, 102.
3. *Coccus* est une métaphore classique du sang : cf. *Ciris* 30 :
« sanguineo cocco ».

bas ᵈ, comme les prêtres l'y invitaient. Le sens du nom
de Barabbas est fils du père². Ainsi se révèle déjà le mystère
de l'incroyance future, où au Christ est préféré le fils du
père, c'est-à-dire l'Antéchrist, homme de péché et fils du
diable ᵉ, et, comme l'y engagent leurs chefs, ils désignent
celui qui est réservé à la damnation plutôt que l'auteur
du salut.

3. Ensuite on met au Seigneur, après l'avoir frappé,
une chlamyde écarlate, un manteau de pourpre, une
couronne d'épines, un roseau dans la main droite et on se
moque de lui en l'adorant le genou fléchi ᶠ. Comprenons
que comme il a pris toutes les faiblesses de notre corps,
la couleur écarlate ³ signifie qu'il est couvert ensuite du
sang de tous les martyrs auxquels était dû le Royaume
des cieux avec lui ⁴, et la pourpre signifie qu'il se revêt de
l'honneur précieux des prophètes et des patriarches ⁵. En
outre, il est couronné avec des épines, entendez celles des
païens qui le blessaient naguère par leurs péchés, pour tirer
gloire des objets nuisibles et inutiles disposés autour de
sa tête ⁶ qui est Dieu. C'est en effet l'aiguillon des péchés
qui est signifié par les épines servant à tresser une couronne de victoire au Christ ⁷. Le roseau tenu à la main, c'est
la solidité donnée à la faiblesse et à l'inconsistance des
mêmes païens ⁸. En plus, on le frappe à la tête. Un coup
de roseau ne cause pas, à ce que je crois, un grave dommage à la tête, mais une raison typologique est observée
qui veut que la faiblesse des corps des païens saisie d'a-
bord par la main du Christ trouve ensuite un repos en

4. D'après le commentaire de *Apoc.* 6, 9 donné dans Tᴇʀᴛ., *anim.*,
55, 4 : « Et quomodo Iohanni in spiritu paradisi regio reuelata,
quae subicitur altari, nullas alias animas apud se praeter martyrum ostendit ... qui in Christo decesserint ? »
5. Ils ont en commun avec les magistrats un *officium* (cf. Tᴇʀᴛ.,
apol., 18, 5), donc aussi la pourpre.
6. Explication empruntée à Tᴇʀᴛ., *coron.*, 14, 3 ; rapprocher Hɪʟ.,
in psalm. 2, 6.
7. Séquence inspirée de *I Cor.* 15, 54-55 : « Absorpta est mors in
uictoria. Vbi est, mors, uictoria tua ? Vbi est, mors, stimulus
tuus ? »
8. Sur l'exégèse du roseau, cf. *supra*, 11, n. 5.

Deum patrem, quod caput eius est ꜰ', acquiescat. In his
autem omnibus Christus, dum illuditur, adoratur

4. Procedentes autem homini cuidam Cyrenensi lignum
passionis imponunt ᵍ. Indignus enim Iudaeus erat Christi
crucem ferre, quia fidei gentium erat relictum et crucem accipere et compati. Locus deinde crucis talis est,
ut positus in medio terrae et tamquam in uertice huius
uniuersitatis insistens ad capessendam Dei cognitionem
uniuersis gentibus esset aequalis. Oblatum quoque
uinum felli admixtum bibere recusauit ʰ ; non enim
aeternae gloriae incorruptioni peccatorum amaritudo
miscetur. Vestis uero eius sorte potius diuisa ⁱ quam
scissa mansuram incorruptionem corporis indicabat.

5. Atque ita in ligno uitae cunctorum salus et uita
suspenditur, cui duo latrones laeuae ac dexterae adfiguntur ʲ omnem humani generis uniuersitatem uocari ad
sacramentum passionis Domini ostendentes. Sed quia
per diuersitatem fidelium atque infidelium fit omnium
secundum dexteram sinistramque diuisio, unus ex
duobus ad dexteram situs fidei iustificatione saluatur.
Additur etiam illud opprobrium, quo se ipse Israel infidelitatis argueret, cum dicitur : *Hic est qui destruebat
templum Dei et in triduum illud reaedificabat* ᵏ, et reliqua.

REP (= α) GSTM (= β)
4, 3 reliquum β ‖ 5 uerticem G S ‖ 9 incorruptio R P ‖ 5, 2-3
post adfiguntur *add.* et ideo cum (*om.* E) eo ut (ut in eo E) intelligi
posset mors hominum a morte Vnigeniti discrepare (discicere E) ;
ille enim reddidit spiritum sponte cum uoluit, istis crura sunt
comminuta α *Gil.*² ‖ 10 *post* reliqua (cetera E) *add.* non erat difficile de cruce descendere, sed sacramentum erat paternae uoluntatis
explendum, sed maiora opera in cruce positus agebat totius commo-
tione (communione E) naturae α *Gil.*²

f'. Cf. I Cor. 11, 3
g. Cf. Matth. 27, 32
h. Cf. Matth. 27, 34
i. Cf. Matth. 27, 35 ; Jn 19, 24
j. Cf. Matth. 27, 38
k. Matth. 27, 40

Dieu le Père, qui est sa tête [f]. Dans toutes ces situations, le Christ, tout en étant raillé, est adoré.

4. En avançant, ils placent le bois de la croix sur les épaules d'un homme de Cyrène [g]. Un Juif n'était pas digne de porter la croix du Christ, parce qu'il revenait à la foi des païens de prendre sa croix et de souffrir avec lui. Le lieu de la Croix ensuite est tel que, placé au centre de la terre et dressé comme au sommet de cet univers, il offre également à l'ensemble des païens le moyen d'embrasser la connaissance de Dieu [9]. Comme on lui offrait aussi du vin mélangé de fiel, il refusa de le boire [h], car l'amertume des péchés [10] ne se mêle pas à l'incorruptibilité de la gloire éternelle. Ses vêtements qui sont partagés au sort plutôt que déchirés [i] indiquaient l'incorruptibilité de son corps destinée à rester intacte [11].

5. Et ainsi au bois de la vie sont suspendus le salut et la vie de tous. A sa droite et sa gauche sont crucifiés deux brigands [j] qui montrent que la totalité entière du genre humain est appelée au mystère de la passion du Seigneur [12]. Mais parce qu'à cause de la différence des croyants et incroyants une répartition générale entre la droite et la gauche s'instaure [13], un des deux brigands placé à droite est sauvé par la justification de la foi. S'ajoute encore l'opprobre de ces mots par lequels Israël s'accuserait lui-même d'infidélité : *Voilà celui qui détruisait le temple*

---

9. Séquence d'images empruntée au texte d'*Isaïe* 2, 2-3 sur la montagne (*super uertices*) de Sion cité dans Cypr., *testim.*, 2, 18. La croix est représentée *in medio terrae*, en relation sans doute avec un texte exégétique de Tert., *adu. Marc.*, 3, 18, 4, : elle a la forme d'une antenne de navire avec quatre extrémités comme les quatre parties du monde, le chiffre quatre évoquant ces dernières déjà *supra*, 15, 10.

10. Image suggérée par l'emploi d'*amaritudo* chez saint Paul en liaison avec *maledictio* (*Rom.* 3, 14) ou *omni(s) malitia* (*Éphés.* 4, 31).

11. Cyprien appliquait ce trait à l'unité de l'Église, corps du Christ (*cathol. unit.*, 7). Hilaire transpose l'explication au corps charnel du Christ.

12. La division du monde en deux moitiés, l'une située à droite, l'autre située à gauche est une tradition issue de l'haruspicine rapportée par Plin., *nat.*, 2, 54, 143.

13. Écho de *Matth.* 25, 32-33. Commentaire *supra*, 28, 1.

Hoc igitur maximum omnium et ueluti difficillimum ponitur. Quid ergo ueniae erit, cum post triduum reaedificatum Dei templum in corporis resurrectione cernatur ? Quod autem latrones ambo condicionem ei passionis
15 exprobrant[1], uniuersis etiam fidelibus scandalum crucis futurum esse significat[1'].

6. Nox autem ex die diuisio temporum est : ita enim tertius dierum trium totidemque noctium numerus expletur et occultum diuinae operationis mysterium totius creationis stupore sentitur[m]. Clamor uero ad
1075 A Deum corporis uox est recedentis a se Verbi Dei contestata discidium. Denique cur relinquatur exclamat dicens : *Deus Deus meus quare me dereliquisti*[n] ? Sed relinquitur, quia erat homo etiam morte peragendus. Quin etiam hoc quod, per calamum datum in spongia acetum[o] cum
10 potasset, proclamans spiritum reddidit[p], diligenter est contuendum. Vinum et honor est immortalitatis et uirtus, quod per uitium aut incuriae aut uasis inacescit. Hoc igitur cum in Adam coacuisset, ipse accepit et potauit ex gentibus. In calamo enim ex spongia ut potaret
15 offertur, id est ex corporibus gentium uitia corruptae aeternitatis accepit et in se atque immortalitatis communionem ea quae in nobis erant uitia transfudit. Denique

REP (= α) GSTM (= β)
13 cernetur P *edd.* ‖ **6,** 2 tertius : trinus E *om.* R ‖ 7 Deus Deus : Deus β *Bad.* ‖ 8 hoc : homo T M   ob R P ‖ 12 acescit T M ‖ 15 adfertur R P ‖ 16-17 communione R G S *Bad.* ‖ 17 uitiata β *Bad.*

l. Cf. Lc 23, 39
l'. Cf. Gal. 5, 11
m. Cf. Matth. 27, 45
n. Matth. 27, 46
o. Cf. Matth. 27, 48
p. Cf. Matth. 27, 50

14. Cf. Censorin., 23, 2 : « Naturaliter dies est tempus ab exoriente sole ad solis occasum, cuius contrarium tempus est nox ab occasu solis ad exortum. »

de Dieu et en trois jours le rebâtissait ᵏ, et la suite. Cela est présenté comme la plus grande et pour ainsi dire la plus difficile des entreprises. Et si on voit après trois jours le temple de Dieu rebâti par la résurrection corporelle, y aura-t-il un pardon ? D'autre part l'invective des deux brigands contre l'état de la Passion ¹ indique que, pour tous les croyants eux-mêmes, il y aura un scandale de la Croix ¹'.

6. La nuit succédant au jour marque une division du temps ¹⁴ : ainsi s'accomplit la triade des jours et des nuits ¹⁵, tandis que le mystère secret de l'action de Dieu est ressenti par toute la création saisie de torpeur ᵐ. Le cri poussé vers Dieu est la voix du corps attestant la séparation du Verbe de Dieu qui se retire de lui. En effet, il se demande pourquoi il est délaissé en criant : *Dieu, mon Dieu, pourquoi m'as-tu abandonné* ⁿ ? Mais il est abandonné, parce que son humanité devait être accomplie par la mort même. Et plus encore, il faut voir avec soin comment ce fut après avoir absorbé du vinaigre offert sur une éponge au bout d'un roseau ᵒ qu'il rendit l'esprit en poussant un cri ᵖ. Le vin est l'honneur et la puissance de l'immortalité ¹⁶, mais il aigrit par suite d'un défaut dû au manque de soin ou au récipient ¹⁷. Comme ce vin avait donc aigri en Adam ¹⁸, il le reçut des païens pour le boire lui-même. On le lui présenta en effet à boire sur une éponge au bout d'un roseau, ce qui signifie qu'il reçut des corps des païens les vices qui y avaient corrompu l'éternité et fit passer en lui les vices qui étaient en nous en les fondant dans l'union à son immortalité. En effet,

15. Elle est présentée comme le « signe de Jonas » qui passa trois jours et trois nuits dans le ventre du monstre marin (*Matth.* 12, 40).

16. Le vin du calice du Seigneur « donne l'oubli de la vie profane de naguère » (Cypr., *epist.*, 63, 11).

17. Détail évoqué dans Plin., *nat.*, 14, 20, 128 : « ceram accipientibus uasis compertum uina acescere ».

18. C'est la *uetustas* dont parle Cic., *Cato*, 65 : « uinum... uetustate coacescit ». Cette *uetustas* évoque le « vieil homme » (*Rom.* 6, 6 ; *Éphés.* 4, 22) ou Adam (*I Cor.*, 15, 22).

in Ioanne, postquam perpotauerat, dixit : *Consummatum est* [q], quia omne uitium humanae corruptionis hausisset.
20 Et quia nihil agendum esset, extrinsecus spiritum cum clamore magnae uocis emisit dolens non omnium se peccata portare.

B   **7.** Et deinceps uelum templi scinditur [r], quia exinde populus est diuisus in partes et ueli honor cum custodia angeli protegentis aufertur. Mouetur terra [s] : capax enim huius mortui esse non poterat. *Petrae scissae sunt* [t] :
5 omnia enim tum ualida et fortia penetrans Dei Verbum et potestas aeternae uirtutis irruperat. *Et monumenta aperta sunt* [u] : erant enim mortis claustra reserata. *Et multa corpora sanctorum dormientium surrexerunt* [v] : illuminans enim mortis tenebras et infernorum obscura
10 collustrans in sanctorum ad praesens conspicatorum resurrectione [w] mortis ipsius spolia detrahebat [x]. Vt autem infidelitatis facinus Israeli accumularetur, centurio et custodes hanc totius naturae perturbationem contuentes Dei filium confitentur [y].

    8. Quod autem a Ioseph, rogato Pilato ut corpus redderet, et sindone inuoluitur [z] et in monumento nouo in petra excisa reponitur et saxum monumenti ostio
C aduoluitur [a], quamquam sit ordo gestorum et sepeliri
5 eum esset necesse qui resurrecturus esset ex mortuis, tamen non sine rerum aliquarum momento expressa

---

REP (= α) A (ab XXXIII, 7,11 usque ad finem) GSTM (= β)
18 potauerat S T M ‖ 21 et uoce magna α *Gil.*[2] ‖ **7,** 7 reseranda α ‖ 11 resurrectionem β *Bad.* ‖ 12 autem : hoc T M hic S *fortasse* A ‖ **8,** 1 autem : hic A S *om.* T M ‖ rogato : -atur R -at S *fortasse* A ‖ 3 exciso T M *Bad.* ‖ 4 sepelire β *Bad.* ‖ 5 esset [1] : esse G S

---

q. Jn 19, 30
r. Cf. Matth. 27, 51
s. Cf. Matth. 27, 51
t. Matth. 27, 51
u. Matth. 27, 51
v. Matth. 27, 52

on lit dans Jean qu'après avoir tout bu, il dit : *Tout est consommé* q, parce qu'il avait absorbé tout ce qu'il y avait de vicieux dans l'humanité corrompue. Et comme rien ne devait plus avoir lieu, il exhala au dehors [19] l'esprit dans la clameur d'un grand cri, parce qu'il souffrait de ne pas porter les péchés de tous les hommes [20].

7. Et après cela, le voile du temple se déchire r, parce qu'à partir de ce moment-là, le peuple est divisé en factions et que l'honneur du voile est ôté en même temps que la garde de l'Ange protecteur. La terre tremble s : elle ne pouvait en effet recevoir un tel mort. *Les pierres se fendirent* t, car le Verbe de Dieu et le pouvoir de sa puissance éternelle en pénétrant tout ce qui était résistant et fort en avaient forcé l'accès. *Et les tombeaux s'ouvrirent* u, car les barrières de la mort étaient levées. *Et de nombreux corps de saints qui reposaient ressuscitèrent* v [21] : illuminant en effet les ténèbres de la mort et éclairant l'obscurité des enfers, il enlevait à la mort même ses dépouilles x à l'occasion de la résurrection des saints qui se firent voir dans l'immédiat w. Et pour rendre plus lourd le crime de l'incroyance chez Israël, le centurion et les gardes observant ce dérèglement de la nature entière, le reconnaissent pour le Fils de Dieu y.

8. Les actes de Joseph qui, ayant demandé à Pilate de lui rendre le corps, l'enveloppe dans un linceul z, le dépose dans un tombeau neuf taillé dans la pierre et roule un rocher à l'entrée du tombeau a, même s'ils sont dans l'ordre des faits et bien qu'il soit nécessaire d'ensevelir celui qui allait ressusciter d'entre les morts, sont notés un par

w. Cf. Matth. 27, 52-53
x. Cf. Col. 2, 14
y. Cf. Matth. 27, 54
z. Cf. Matth. 27, 57-59
a. Cf. Matth. 27, 60

19. L'anthropologie de TERTULLIEN (cf. *resurr.*, 18, 8) explique l'anéantissement du corps par l'exhalaison du « souffle » de l'âme.
20. Allusion à Judas : cf. *supra*, 32, 5 et *Jn* 13, 11.
21. Sur cette résurrection des saints, cf. *supra*, 25, n. 33.

Hilaire de Poitiers. II.   17

sunt singula. Ioseph apostolorum habet speciem et idcirco
quamquam in duodecim apostolorum numero non
fuerit, discipulus Domini nuncupatur. Hic munda
10 sindone corpus inuoluit. Et quidem in hoc eodem linteo
reperimus de caelo ad Petrum uniuersorum animan-
tium genera submissa [b]. Ex quo forte non superflue
intelligitur sub lintei huius nomine consepeliri Christo
Ecclesiam [c], quia tum in eo ut in confessione Ecclesiae
15 mundorum atque immundorum animalium fuerit con-
1076 A gesta diuersitas. Domini igitur corpus tamquam per
apostolorum doctrinam infertur in uacuam et nouam
requiem lapidis excisi, scilicet in pectus duritiae gentilis
quodam doctrinae opere excisum Christus infertur, rude
20 scilicet ac nouum et nullo antea ingressu timoris Dei
peruium. Et quia nihil praeter eum oporteat in pectora
nostra penetrare, lapis ostio aduoluitur, ut, quia nullus
antea in nos diuinae cognitionis auctor fuerat illatus,
nullus absque eo postea inferatur. Metus deinde furandi
25 corporis [d] et sepulcri custodia atque obsignatio [e] stulti-
tiae atque infidelitatis testimonium est, quod signare
sepulcrum eius uoluerint, cuius praecepto conspexissent
de sepulcro mortuum suscitatum [f].

9. Motus uero terrae tempore matutino diei [g] dominici
resurrectionis est uirtus, cum contuso mortis aculeo [h]
et illuminatis illius tenebris, resurgente uirtutum caelestium Domino, infernorum trepidatio commouetur. Ange-
B lus autem Domini de caelo descendens et lapidem reuol-

REP (= α) A (ab XXXIII, 7,11 usque ad finem) GSTM (= β)
9 mundo R P A S ‖ 14 confusione P G T M *edd.* ‖ 17 *post* et *add.*
in β *edd.* ‖ 9, 1 motuus R P ‖ terra et R P

---

b. Cf. Act. 10, 11-12
c. Cf. Rom. 6, 4 ; Col. 2, 12
d. Cf. Matth. 27, 64
e. Cf. Matth. 27, 65-66
f. Cf. Matth. 27, 63
g. Cf. Matth. 28, 2

un, parce qu'ils ne sont pas sans quelque importance.
Joseph figure les apôtres et c'est pourquoi, tout en n'ayant
pas été au nombre des douze apôtres, il est appelé disciple
du Seigneur. C'est lui qui enveloppe le corps dans un linceul
propre ; et c'est dans cette même toile que nous voyons
toutes les espèces d'animaux descendre du ciel devant
Pierre [b] [22]. Il n'est peut-être pas excessif de comprendre
par là que l'Église est ensevelie avec le Christ [c] sous le nom
de cette toile, parce que, dans cette dernière, comme dans
la confession de l'Église [23], sont assemblées les diverses
sortes d'êtres vivants purs et impurs. Ainsi, le corps du
Seigneur est comme déposé par l'enseignement des apôtres
dans le repos vide et neuf d'une pierre taillée, autrement
dit le Christ est déposé comme par l'action de l'enseignement dans le cœur de la dureté païenne, c'est-à-dire
brut, neuf et inaccessible auparavant à l'invasion de
la crainte de Dieu. Et parce qu'il n'y a que lui qui doit
pénétrer dans nos cœurs [24], une pierre est roulée à l'entrée,
pour que, comme nul auparavant n'avait été déposé en
nous pour promouvoir la connaissance de Dieu, nul ne le
fît après lui. Ensuite la peur d'un vol du corps [d], la
garde du tombeau et son scellement [e] sont des témoignages
de sottise et d'incrédulité, parce qu'on a voulu sceller le
tombeau de celui qui leur avait enseigné qu'ils le verraient
une fois mort sortir du tombeau [f].

9. Le tremblement de terre au matin du dimanche [g] est
la puissance du jour de la Résurrection, lorsque l'aiguillon
de la mort écrasé [h] et les ténèbres de celle-ci illuminées,
devant la résurrection du Seigneur des vertus célestes,
les enfers sont agités d'un tremblement. L'ange du Seigneur descendant du ciel, roulant la pierre, s'asseyant

h. Cf. I Cor. 15, 55

22. Exégèse inspirée de thèmes du *De catholicae ecclesiae unitate*
de CYPRIEN : le linceul est le symbole de l'unité de l'Église comme
l'était la tunique du Christ (*cathol. unit.*, 7). Corps unifié, l'Église
peut admettre en son sein des frères qui ont failli (*ibid.*, 23).
23. Thème de CYPR., *cath. unit.*, 23.
24. Souvenir de *Matth.* 11, 3, cité *supra*, 11, 1.

uens et sepulcro adsidens [i] misericordiae Dei patris
insigne est resurgenti filio ab inferis uirtutum caelestium ministeria mittentis. Atque ideo prior ipse resurrectionis est index [j], ut quodam famulatu paternae uolun-
10 tatis resurrectio nuntiaretur. Sed confestim Dominus
mulierculis per angelum adhortatis occurrit et consa-
lutat [k], ut nuntiaturae exspectantibus discipulis resurrectionem non angeli potius quam Christi ore loquerentur. Quod uero primum mulierculae Dominum uident,
15 salutantur, genibus aduoluuntur, nuntiare apostolis
iubentur [l], ordo in contrarium causae principalis est red-
ditus, ut, quia a sexu isto coepta mors esset, ipsi primum
resurrectionis gloria et uisus et fructus et nuntius redde-
retur. Emitur uero a custodibus, qui omnia haec uide-
20 rant, argento resurrectionis silentium et mendacium
furti [m], honore scilicet saeculi et cupiditate, quia in
C pecunia honor eius est, gloria denegatur. EXPLICIT.

REP (= α) A (ab XXXIII, 7,11 usque sd finem) GSTM (= β)
8 ministeria : misteria G S *edd. plures*   misera A || 12 nuntiatae
S T || 15 *post* genibus *add.* que E[2] atque R P || 20 *post* resur-
rectionis *add.* Christi R *edd.* || 20 silentium et mendacium : mi-
raculum R || 21 furti — cupiditate *om.* R A[ac] S || 21-22 quia —
denegatur *om.* R P A[ac] S || 21 *post* cupiditate (miraculum R) *add.*
textum Hieronymi principes — apostolis (= Hier. *in Matth.* 28,
14-20). Explicit liber beati (sancti P) Hilarii (+ Pictauensis epis-
copi P) super Matthaeum (*om.* P) R P *Gil.*[2] || 22 *post* explicit *add.*
commentarius beati Hilarii episcopi Pictauensis in euangelio secundum Matthaeum E   finis *Bad.*

i. Cf. Matth. 28, 2
j. Cf. Matth. 28, 6
k. Cf. Matth. 28, 9
l. Cf. Matth. 28, 10
m. Cf. Matth. 28, 11-13

sur le tombeau [1], manifeste la miséricorde de Dieu le Père
qui envoie à son Fils ressuscité des enfers l'assistance des
vertus célestes. Et il est le premier à révéler la Résurrection [j], pour que l'annonce de celle-ci fût une manière
de servir la volonté du Père. Cependant aussitôt le Seigneur se présente aux femmes encouragées par l'ange et
les salue [k], pour que, devant annoncer la Résurrection
aux disciples qui attendaient, elles tiennent ce qu'elles
diraient de la bouche du Christ plutôt que de celle d'un
ange. Le fait que ce sont d'abord de simples femmes qui
voient le Seigneur, le saluent, se jettent à ses genoux,
sont invitées à porter la nouvelle aux apôtres [l], marque
le retournement en sens contraire de la responsabilité
originelle, dans la mesure où, si la mort avait procédé
de leur sexe, celui-ci, par priorité, reçoit en contrepartie
l'honneur, la vue, le fruit et la nouvelle de la Résurrection [25]. Aux gardes qui avaient vu tout cela, on achète
à prix d'argent leur silence sur la Résurrection et leur
déclaration mensongère d'un vol [m], autrement dit l'honneur et la cupidité du monde, lequel met son honneur
dans l'argent, nient la glorification. FIN.

25. Exégèse inspirée par le parallèle entre Ève et Marie dans
TERT., *carn.*, 17, 5-6, dont la portée couvre toute l'histoire du salut,
comme Tertullien l'a indiqué dans cette phrase de conclusion :
« quod per eiusmodi sexum abierat in perditionem per eundem
sexum redigeretur in salutem ».

APPENDICE

LES *CAPITVLA* DE L'*IN MATTHAEVM*

Édition critique

Il n'est pas une édition de l'*In Matthaeum* antérieure à celle-ci qui ne donne le texte des *capitula*. Cependant aucun éditeur ne s'est avisé que seul un groupe de manuscrits possède ces *capitula*, le groupe issu de l'ancêtre θ, et encore deux témoins de ce groupe en sont-ils dépourvus. Seuls donc les manuscrits suivants livrent une capitulation de l'*In Matthaeum* :

B   Bordeaux, Bibl. mun. 112, xiie s., fol. 145[v]-146[v].
C   Paris, Bibl. nat. lat. 1715 A, xiie s., fol. 9-9[v].
F   Berlin, Staatsbibliothek, theol. fol. 577 (= Coll. Phillipps mss. 3733), xiiie s., fol. 39-39[v].
M   Avranches, Bibl. Mun. 58, xie s., fol. 1-2 (le seul de ces manuscrits à être utilisé également pour le texte, sous le sigle M).
T   Tours, Bibl. mun. 262, fin du ixe s., fol. 2-3[v].
U   Tours, Bibl. mun. 263, xie s., fol. 1-2.
V   Vendôme, Bibl. mun. 124, xiie s., fol. 1-2[v].

P. Coustant a bien tenu compte des leçons de cinq de ces manuscrits pour éditer les *capitula* en 1693, mais il restait encore tributaire des éditions antérieures, lesquelles avaient pris les plus grandes libertés avec le texte de ce sommaire. Nous donnons de ce dernier la première édition critique avec apparat positif, sauf pour les variantes des éditeurs (apparat négatif).

Incipiunt capitula

I   De natiuitate Christi et de Magis cum muneribus ac
de infantibus occisis.

II   De Iesu regresso ex Aegypto et de praedicatione
Ioannis et baptismo ipsius et de Domino baptizato.

III   De temptatore diabolo et de ieiunio Iesu XL diebus,
de Petro et Andrea piscatoribus.

IIII   De beatitudine et praeceptis, de reconciliatione
fratrum, de adulterio, de oculo et manu eruenda, de
iuramentis et eleemosyna.

V   De oratione et ieiunio, de thesauro in caelo, de lucerna
corporis, de duobus dominis, de cibo et uestitu, de uola-
tilibus et liliis agri et feno, de sollicitudine diei, de fes-
tuca et trabe in oculo.

VI   De margaritis ante porcos, de pseudopropheta, de
domo aedificata supra petram.

VII   De leproso quem curauit, de puero tribuni paralytico, de socru Petri, de plurimis et diuersis curis.

Incipiunt capitula : i. c. sancti Hilarii (super Matthaeum) *C M*
capitula *T   inscriptio deest in B U V*   incipiunt canones euangelii Matthaei quo ordine a sancto Hilario declarantur *Bad.*
elenchus canonum D. Hilarii in euangelium Matthaei ordine quo
ab eo sunt editi *Era. Lip. Gil.*   capitula sancti Hilarii in euangelium Matthaei *Cou.*

I   et de *codd.* : et *om. Bad. Era. Lip. Gil.* || ac *codd.* : et *Bad. Era.
Lip. Gil.*

II   et de [1] *codd.* : et *om. Bad. Era. Lip. Gil.* || ipsius *codd.* : *om. Bad.
Era. Lip. Gil.* || et de [2] *codd.* : et *om. Bad. Era. Lip. Gil.*

III   Et de ieiunio *codd.* : et *om. Bad. Era. Lip. Gil.* || diebus
B F M T U V : diebus IIII *C*

IIII   *B F M T U V* : V *C*

V   *B F M T U V* : VI *C* || de uolatilibus *B C F M T U* : et de u.
V

VI   *B F M T U V* : VII *C* || supra *Codd.* : super *Bad. Era. Lip.
Gil.* || petram *B C M T U V* : *om. F*

VII   *B F M T U V* : VIII *C* || *post* curauit *add.* Dominus *Bad.
Era. Lip. Gil.*

VIII De discipulis in naui excitantibus Iesum, de
duobus daemoniacis in terra Gerasenorum.

VIIII De paralytico curato et lectum auferente, de
Matthaeo publicano, de Pharisaeorum et discipulorum
Ioannis ieiunio, de adsumpto panno rudi, de profluuio
mulieris, de filia principis excitata a mortuis, de
duobus caecis, de surdo et muto.

X Vbi duodecim apostolos praemittit cum doctrina.

XI Ioannes de carcere ad Iesum mittit et Iesus de
Ioanne ad turbas loquitur. Item confessio Iesu ad
Patrem.

XII Discipuli spicas uellunt. Manum aridam hominemque sabbato curauit Iesus, caecum et daemo-
niacum curauit. De blasphemia spiritus, de fructu
arboris bonae et malae, de omni uerbo otioso, de Nini-
uitis et regina Austri, de septem spiritibus et octauo, de
matre eius et fratribus.

XIII Sedens in nauicula Iesus turbis parabolas loquitur,
de seminante bonum semen, de zizania et tritico, de
grano sinapis, de fermento absconso in farina, et expositio zizaniae, de thesauro in agro, de bona margarita,
de reti misso in mare.

VIII *B F M T U V* : VIIII *C* ‖ *post* Gerasenorum *add.* de paralytico curato et lectum ferente (auf- *Cou.*) *edd.*

VIIII *B F M T U V* : X *C* ‖ de paralytico curato et lectum auferente (adf- *T*) *codd.* : *om. edd.* ‖ adsumpto *codd.* : assutu *Bad. Era.*
Lip. Gil. assuto *Cou.* ‖ panno rudi : -ni -dis *Bad. Era. Lip. Gil.*

X *B F M T U V* : XI *C* ‖ ubi : misertus turbarum Dominus
Bad. Era. Lip. Gil. ‖ apostolos *B C F M T U V*[2] : discipulos
V edd. ‖ *post* cum *add.* potestate et *Bad. Era. Lip. Gil.*

XI *B F M T U V* : XII *C*

XII *B F M T U V* : XIII *C* ‖ manum aridam hominemque
codd. : manus aridae hominem *Bad. Era. Lip. Gil.* ‖ Iesus *codd.* : *om.*
Bad. Era. Lip. Gil. ‖ *post* otioso *add.* de signo Ionae *Bad. Era. Lip.*
Gil. ‖ eius *codd.* : Iesu *edd.* ‖ et fratribus *B C M T U V* : *om. F*

XIII *B F M T U V* : XIIII *C* ‖ et[2] *codd.* : *om. Bad. Era.*
Lip. Gil. ‖ reti *B F M T U V* : rete *B*[1] *C Bad. Era.*

XIIII De scriba in regno caelorum, de fratribus et
sororibus Domini, de Ioannis capite in disco, de quinque
panibus et duobus piscibus. Vbi supra mare ambulat
et Petrum mersum erexit.

XV De lauandis manibus et non ea quae in os intrant,
sed ea quae ex ore exeunt inquinare. De filia Chananaeae mulieris, de septem panibus et paucis piscibus,
de signo prophetae Ionae.

XVI De fermento Pharisaeorum, de confessione Petri
et benedictione Domini.

XVII Vbi in monte cum Moyse et Elia uidetur et uox
de caelo auditur. Vbi puerum lunaticum soluit. De credentium fide, de didrachma postulata et statere in
ore piscis.

XVIII De infantibus inhibitis et de humilitate eorum
adsumenda, de manu et pede et oculo eruendo et de
oue perdita, de corripiendis fratribus secreto primum,
cum duobus testibus, postremo ecclesia praesente.
Semper ignoscendum.

XVIIII Qui seruum suum remisso sibi a Domino debito
suffocat. Et uxorem non debere dimittere. De eunuchis.
Diuitem difficile introire in regnum caelorum.

XIIII *B F M T U V* : XV *C* ‖ ambulabat *Bad. Era. Lip. Gil.* ‖
supra *codd.* : super *Bad. Era. Lip. Gil.*

XV *B F M T U V* : XVI *C* ‖ de signo prophetae Ionae XVI
codd. : XVI de Ionae prophetae signo *edd.*

XVI *B F M T U V* : XVII *C* ‖ *post* Pharisaeorum *om.* de *Bad.
Era. Lip. Gil.* ‖ Domini *codd.* : D. et de se abnegando qui Christum
sequi uoluerit *edd.*

XVII *B F M T U V* : XVIII *C* ‖ soluit *codd.* : saluat *Bad. Era.
Lip. Gil.* ‖ statere *M F T U V* : -ra *C* -rae *B* ‖ in ore *codd.* : inuento
i. o. *Bad. Era. Lip. Gil.*

XVIII *B F M T U V* : XVIIII *C* ‖ inhibitis et *codd.* : et *om.
Bad. Era. Lip. Gil.* ‖ perdita *codd.* : de- *Gil.* ‖ *post* praesente *add.* et
quod *Bad. Era. Lip. Gil.* ‖ ignoscendum XVIIII (XX *B C*) *codd.* : i.
de eo qui conseruum suum... debito suffocauit (— cat *Cou.*) XVIIII
edd.

XVIIII *F M T U V* : XX *B C* ‖ *post* XVIIII *add.* transit in

XX De spe apostolorum, de nouissimis primis efficiendis. Vbi conducuntur operarii ad uineam. De filiis Zebedaei, de primo accubitu, de duobus caecis uiam sedentibus.

XXI De asina et pullo eius, de eiectis a templo nummulariis, de ficu maledicta, de duobus filiis ad uineam missis, de publicanis et meretricibus.

XXII De uinitoribus qui missos ad se ob repetendos fructus interficiunt, de inuitatis promiscuis et ueste nuptiali.

XXIII De tributo et imagine Caesaris, de eadem septem fratrum uxore, de mandatis maximis, de filio Dauid.

XXIIII De cathedra Moysi super quam sederunt Scribae et Pharisaei, de cluso ab iisdem regno caelorum et ab iisdem comedi domos uiduarum et circumeuntium mare et aridam et dicentium « quicumque iurauerit in templo nihil est » et decimantibus mentam et anethum et aedificantibus sepulcra prophetarum et de Ierusalem quae interficit prophetas et lapidat eos qui ad se missi sunt.

Galilaeam *Bad. Era. Lip. Gil.* || seruum *codd.* : con- *edd.* || a Domino *B C M T U V* : om. *F* || et uxorem *codd.* et om. *edd.* || *post* eunuchis *add.* de infantibus inhibitis *edd.*

XX *F M T U V* : XXI *B C* || spe apostolorum *B C F M T U* : apostolorum spe *V*

XXI *F M T U V* : XXII *B C*

XXII *F M T U V* : XXIII *B C* || ob *B C M T U V* : ad *F* || repetendos *codd.* : recipiendos *Bad. Era. Lip. Gil.* || ueste nuptiali *B C M T U V* : om. *F* de u. n. *Bad. Era. Lip. Gil.*

XXIII *F M T U V* : XXIIII *B C* || *post* tributo *add.* Caesari dando *Bad. Era. Lip. Gil.* || imagine *codd.* : de i. *Bad. Era. Lip. Gil.* || maximis *codd.* : -me *Gil.* || filio Dauid *B C F M T U V* : Dauid filio *U*ac *edd.*

XXIIII *F M T U V* : XXV *B C* || cluso *codd.* : clauso *edd.* || iisdem 1 et 2 *edd.* : isdem C hisdem *B F M T U V* || regno caelorum *C F M T U V* : caelorum regno *B* || et circumeuntium... dicentium *codd.* : circumeuntibus... dicentibus *Lip. Gil. Cou.* || aridam *B C M T U V* : om. *F* -da *Bad. Era.* || est *B C F M* : om. *T U V* || decimantibus *codd.* : de d. *Bad. Era. Lip. Gil.* || sepulcra *B C M T U V* : monumenta *F*

XXV De structura templi interrogantibus discipulis
et de his qui in tecto sunt non descendant tollere aliquid
de domo et qui in agro sunt non reuertantur tollere
tunicam suam et de praegnantibus et nutrientibus.

XXVI De sole obscurato, luna et stellis.

XXVII De seruo fideli quem Dominus constituit super
familiam suam.

XXVIII De decem uirginibus, de homine in peregre
profecto qui tradidit substantiam suam seruis suis.

XXVIIII De aduentu filii hominis uenientis in maiestate
sua.

XXX De muliere quae accessit ad Iesum in domum
Simonis leprosi habens alabastrum unguenti pretiosi.

XXXI De die prima azymorum in qua accesserunt
discipuli ad Iesum dicentes : « Vbi uis paremus tibi
comedere pascha ? »

XXXII Cum uenit Iesus in agro qui dicitur Gethsemani et dicit discipulis suis : « Sedete donec eam,
illuc orare » et de tristi anima sua usque ad mortem, de
calice si possibile est transire a se, de spiritu promptu
et carne infirma et rursum : « Pater non potest hic calix
transire nisi bibam illum, fiat uoluntas tua. »

XXV *F U V* : XXVI *B C*   om. *M T* ‖ non[1] *codd.* : ne *edd.* ‖ tollere aliquid *B C M T U V* : aliquid tollere *F* ‖ non[2] *codd.* : ne *edd.*

XXVI *F M U V* : XXVII *B C*   om. *T* ‖ luna *codd.* : et l. *Bad.*
Era. Lip. Gil.

XXVII *F M U V* : XXVIII *B C* om. *T* ‖ Dominus constituit *B F M T V* : constituit Dominus *C U edd.*

XXVIII *F M V* : om. *B C T U edd.* ‖ de[1] *codd.* : et de *Bad.*
Era. Lip. Gil. ‖ in *B C M T U V* : om. *F Bad. Era. Lip. Gil.* ‖
suam *C F M T U V* : om. *B*

XXVIIII *B C F M V* : XXVIII *U edd.*   om. *T* ‖ in *codd.* : in
iudicium cum *Bad. Era. Lip. Gil.*

XXX *B C F M V* : XXVIIII *U edd.*   om. *T* ‖ domum *codd.* :
-o *Bad. Era. Lip. Gil.*

XXXI *B C F M V* : XXX *U edd.* om. *T* ‖ comedere *codd.* :
manducare *Bad. Era. Lip. Gil.*

XXXII *B C F M V* : XXXI *U edd.*   om. *T* ‖ cum *codd.* : om.

XXXIII De Iuda qui erat unus de XII discipulis,
ueniente ad Iesum cum plurima turba ut eum traderet,
de gladio quem iussit Petro conuertere in locum suum.
XXXIIII De Pilato, cum sederet pro tribunali, misit
ad illum uxor sua dicens : « Nihil tibi sit et iusto isti »,
de transeuntibus iuxta crucem qui mouebant capita sua
et dicebant : « Hic est qui destruebat templum et
in triduum illud reaedificabat. »

Expliciunt capitula

Bad. Era. Lip. Gil. || uenit *B C M T U V* : uenisset *F* || agro *codd.* :
-um *edd.* || *post* sedete *add.* hic. *Bad. Era. Lip. Gil.* || de tristi anima
sua *B C M T U V* : tristis est anima mea *F*   tristata est anima eius
Bad. Era. Lip. Gil. || de calice *codd.* : et de calice mortis quod dicit
(-xit *Gil.*) Pater *Bad. Era. Lip. Gil.* || si *B C M T U V* : om. *F* ||
est *B C F M T V* : sit *U* || transire a se *codd.* : transeat a me calix
iste *Bad. Era. Lip. Gil.* || promptu *codd.* : -to *edd.* || *post* rursum
add. de eo quod dixit *Bad. Era. Lip. Gil.* || pater *B M T U V* :
p. si *C F* || bibam illum *codd.* : illum bibam *edd.*

   XXXIII *B C F M V* : XXXII *U edd.* om. T || Iuda *B F M
T U V* : I. traditione *C* || de[2] *B C M T U V* : om. *F* || Petro *B C M
T U V* : om. *F*

   XXXIIII *B C F M V* : XXXIII *U edd.* om. T || *post* tribunali
add. et cum *Bad. Era. Lip. Gil.* || illud reaedificabat *B C M T U V* :
reaedificabat illud *F* || expliciunt capitula *B C F* : om. *M T U V*
finis canonum *Bad.* finis elenchi *Era. Lip. Gil.*

INDEX SCRIPTURAIRE

Nous en avons exclu les références à *Matthieu*, dont on trouve le détail dans l'apparat scripturaire. Pour les autres livres de l'Écriture, les références des citations sont en italique, celles des allusions en romain. Les renvois sont faits au chapitre et à l'alinéa.

ANCIEN TESTAMENT

Genèse

3, 1	10, 13
3, 7	21, 9
4, 24	18, 10
7, 17	3, 1
9, 27	8, 4

Exode

3, 5	10, 5
16, 35	3, 1
19, 16-21	18, 7
20, 12	10, 22
24, 18	3, 1
32, 1-6	17, 8
32, 15	27, 3
34, 28	3, 2

Nombres

13, 25	3, 1

Deutéronome

32, 43	7, 3

III Rois

19, 8	3, 2
21, 21	1, 2

IV Rois

8, 26	1, 2
10, 30	1, 2

I Chroniques

3, 10-15	1, 2

Psaumes

44, 8	5, 3
90, 12-13	3, 4

Siracide

48, 16	7, 3

Isaïe

11, 1	15, 3
11, 2	15, 10
26, 20	26, 5
53, 4	31, 10
66, 2	4, 2

Jérémie

2, 21   22, 1
23, 5   15, 3

Ézéchiel

13, 4   7, 10

Daniel

2, 35   26, 1
9, 27   25, 3

Nahum

3, 12   21, 8

Nouveau Testament

Marc

16, 14   31, 11
16, 15-18   7, 7

Luc

1, 27   1, 3
2, 33   1, 3
3, 22   *2, 6*
12, 52   *10, 22*
14, 8-9   20, 12
14, 10   20, 12
15, 5   18, 6
23, 21   21, 3
25, 39   33, 5

Jean

1, 1-2   31, 3
1, 11   12, 24
1, 14   2, 5
2, 21   17, 10
2, 25   23, 1
9, 3   8, 5
9, 39   *20, 13*
10, 25   12, 17
13, 27   *32, 1*
14, 27   10, 22
14, 30   *3, 4*
15, 15   26, 4

18, 10   14, 17
19, 6   21, 3
19, 11   *32, 1*
19, 26-27   *1, 4*
19, 28-30   4, 15
19, 30   33, 6
20, 29   9, 9

Romains

1, 25   4, 24
2, 23   19, 10
3, 24   11, 8 ; 20, 7
3, 28   8, 6
3, 29-30   27, 8
3, 30   8, 6
5, 1   8, 6
6, 4   29, 2 ; 33, 8
7, 14   10, 18
8, 9   24, 11
8, 19-22   18, 6
9, 2-5   15, 9
9, 4   14, 7
10, 6   10, 28
10, 9   27, 8
10, 15   2, 4
10, 17   18, 1 ; 19, 3
11, 2   9, 6
11, 3   7, 10
11, 5   12, 10 ; 14, 13
11, 28   9, 6
12, 3   27, 6

I Corinthiens

1, 20	11, 11
1, 30	4, 9
3, 13	27, 3
4, 8	10, 4
9, 9	10, 18
11, 3	7, 10 ; 29, 2 ; 32, 3
15, 40	4, 3
15, 48	10, 4
15, 51-53	4, 7
15, 53	4, 3
15, 55	33, 9

II Corinthiens

3, 15	9, 2
5, 19	12, 17 ; 31, 3
12, 4	20, 10

Galates

1, 4	14, 16
2, 4	10, 9
3, 13	10, 18
3, 23	4, 14 ; 17, 11
4, 4	2, 5
5, 11	11, 3 ; 20, 3 ; 33, 5
5, 24	10, 25

Éphésiens

1, 5	4, 14
1, 9	15, 4 ; 31, 7
2, 14	18, 9
3, 7	22, 6
3, 9	31, 7
4, 13	5, 10
4, 15	10, 11
5, 5	6, 4
5, 31-32	19, 2 ; 22, 3

Philippiens

2, 6-7	16, 11
2, 7	13, 7 ; 24, 11

Colossiens

1, 16	31, 3
1, 18	4, 24
1, 24	4, 24
2, 12	29, 2 ; 33, 8
2, 14	33, 7
2, 15	12, 16
3, 9-10	10, 24

I Thessaloniciens

4, 16	27, 4

II Thessaloniciens

2, 3	33, 2
2, 4	25, 3

I Timothée

2, 5	10, 27
2, 15	4, 10

II Timothée

1, 14	24, 11

Hébreux

9, 15	10, 27

I Pierre

2, 22	*2, 5*
4, 8	4, 19

Apocalypse

2, 6	25, 2
2, 15	25, 2
4, 10	21, 2
11, 7	20, 10

INDEX DES AUTEURS ANCIENS CITÉS

CYPRIEN, De oratione dominica 5,1

TERTULLIEN, De oratione 5,1

INDEX ANALYTIQUE

Les chiffres renvoient, le premier, au chapitre ; le second, à l'alinéa du texte.

ABRAHAM : d'Abram à — 18, 6 ; compagnie d' — 7, 5 ; fils d'— 2, 3 ; 24, 5 ; héritage de la foi d'— 4, 3 ; modèle de foi 10, 14 ; noblesse du nom d'— 21, 13 ; testament au temps d'— 20, 6 ; tous en — 18, 6

ACTION : absence d'— 25, 7 ; bonne — 5, 2 ; 27, 4

ADAM : origine et péché d'— 10, 23 ; première œuvre de Dieu 8, 5 ; revêtu de feuilles de figuier 26, 2

ADULTÈRE : femme réduite à l'— 4, 22

AIGLES = les saints 25, 8

AIGUILLE = enseignement de la Parole 19, 11

AILE spirituelle 10, 18

AMBITION humaine 3, 5 ; 4, 2

ÂME : éclat de l'— 5, 4 ; issue du souffle de Dieu 10, 24 ; légèreté de l'—10, 19 ; nature de l'—10,24 ; —négligente et —prête 27, 5 ; progrès de l'— 10, 19 ; substance de l'— 5, 8 ; 10, 19-20

AMOUR fraternel 4, 8 ; mutuel 6, 2 ; 18, 5

ÂNE = païens 18, 2

ÂNESSE = Samarie 21, 1

ANGE(s) de la Résurrection 33, 9 ; ministère des — 3, 5 ; 18, 5 ; multitude des — 18, 6 ; offrent les prières des croyants 18, 5 ; semblables aux — 5, 11 ; 10, 13 ; 23, 4 ; substance céleste des — 5, 11 ; — transgresseurs 11, 5 ; vie des — 3, 1

ANTÉCHRIST : 14, 14 ; 25, 3-4 ; 26, 2

APOSTOLIQUES (hommes) 22, 4 ; 25, 2

APÔTRES appelés scribes 14, 1 ; autorité des — 4, 14 ; choix des — 3, 6 ; couvrent le monde 13, 4 ; dans la Loi 20, 3 ; distributeurs à leur tour des dons de la grâce 14, 11 ; 21, 1 et 4 ; endormis 31, 11 ; enseignement des — 9, 9 ; 10, 14 ; 12, 4 ; envoyés aux brebis perdues d'Israël 2, 1 ; faux — 10, 29 ; foi relâchée des — 17, 6 ; juges 12, 15 ; lient et délient les péchés 18, 8 ; lumière des — 4, 13 : ministère des — 12, 7 ; 30, 3 ; œuvres des — 4, 13 ; parfaits par le mystère de l'eau et du feu 4, 10 ; passion et persécu-

tion des — 25, 2 ; 31, 6 ; pieds des — 2, 4 ; placés entre la Loi
et l'Évangile 21, 9 ; plénitude des douze — 14, 11 ; primauté
des — 20, 12 ; prédication des — 10, 17 ; prophètes, scribes et
sages 24, 9 ; puissance de Dieu transférée aux — 10, 4 ; 12, 15 ;
réalisent et servent le pain céleste 14, 10 ; recevoir les — 10, 27 ;
remplis de l'Esprit-Saint 17, 3 ; semeurs d'éternité 4, 10 ; souffrances des — 10, 14 ; témoins de la Résurrection 16, 8 ; temps
des — 13, 3 ; 25, 2 ; titre d'— 10, 29 ; transportent le Christ
2, 1 ; tristes 20, 2 ; tristesse du Christ pour les — 31, 4-5 ;
vocation d'Israël par les — 21, 1 ; vocation des Pharisiens par
les — 20, 11 ; zèle des — pour le salut d'Israël 15, 9 ; 29, 2
ARBRE bon = Christ incarné 12, 18 ; — mauvais = hérésie 12, 18 ;
branches de l'— = apôtres 13, 4
AVARICE stérile 4, 26
AVEUGLES : esprit illuminé des — 20, 13 ; à cause du péché 9, 9

BAPTÊME : de feu 2, 4 ; engagement du — 15, 8 ; et la grâce du
salut 18, 10 ; interrogations du — 22, 7 ; profession de foi du —
15, 9 ; régénération par le — 10, 24 ; 29, 2
BARABBAS : 33, 2
BÉATITUDE parfaite 4, 2 ; 4, 9
BLASPHÈME contre l'Esprit 12, 17-18
BOIS : Passion du — 4, 13
BONTÉ de Dieu 4, 2 ; entre les hommes 6, 2
BREBIS : quatre-vingt-dix-neuf 18, 6
BRIGANDS : les deux — 33, 5

CAÏN : peine de — 18, 10
CALICE : boire le — 31, 10 ; du mystère de la Passion 20, 9 ; que le
— passe loin 31, 7
CANTIQUE(s) de la Loi 9, 8 ; — des prophètes 11, 8
CATHOLIQUE : Église — 10, 9 ; sainteté — 10, 10 ; vérité — 10, 9 ;
26, 5
CEINTURE = action 2, 2 ; 10, 5
CENTUPLE : 20, 4
CÉSAR : ce qui est à — 23, 2 : effigie de — 23, 1 ; tribut de — 23, 1
CHAIR : domination de la — 5, 4 ; faiblesse de la — 31, 2 ; refondue
en substance spirituelle 10, 20 ; succession de la — 2, 3
CHAMEAU : 2, 2 ; 19, 11
CHAMP = monde 12, 2 ; 32, 6
CHANANÉENNE = prosélytes 15, 3 ; fille de la — = Église 15, 4
CHANANÉENS : 15, 4
CHARITÉ avocate auprès de Dieu 4, 19 ; fraternelle 4, 8 ; 4, 18 ;
générale 4, 27 ; mutuelle 4, 18

CHARPENTIER : fils du — 14, 2

CHEVEUX comptés 10, 20 ; couleur des — 4, 24

CHIENS = païens 6, 1 ; 15, 4

CHRÉTIEN : nom 30, 1

CHRIST : absorbe les faiblesses du corps 31, 11 ; a Dieu pour tête 7, 10 ; 33, 3 ; affliction du — 31, 4 ; agit dans l'Esprit de Dieu 12, 17 ; apporte la connaissance de Dieu 23, 6 ; avènement charnel du — 14, 14 ; 20, 6 ; avènement glorieux du — 12, 10 ; 14, 13-14 ; 21, 2 ; 27,5 ; 31, 11 ; baptême du — 2, 5 ; bonté du — 7, 8 ; 18, 10 ; communauté de substance du — avec le Père 8, 8 ; 12, 18 ; connaissance mutuelle du Père et du — 11, 12 ; corps du — cité pour les hommes 4, 12 ; craint pour les apôtres 31, 5 ; cri du — 33, 6 ; dans la forme de Dieu 16, 11 ; dans la substance du Père 4, 14 ; dans le cœur des croyants 28, 1 ; Dieu de Dieu 16, 4 ; Dieu habite dans le — 10, 27 ; 12, 17 ; divise ses dons, mais n'est pas divisé 9, 7 ; époux de la chair 27, 4 ; éternel et né 16, 4 ; faiblesse de la chair du — 31, 2 ; faim du — 3, 2 ; faux — 25, 2 ; 25, 8 ; fils de l'homme et fils de Dieu 16, 4-5 ; génération du — 1, 1 ; gloire du — 17, 2 ; habite en Abel et Zacharie 24, 10 ; habite l'Église 10, 7 ; héritage de gloire du — 31, 9 ; hérésie sur le — 11, 9 ; 31, 3 ; homme seulement pour les païens 8, 2 ; homme cherché par le — 18, 6 ; humanité du — accomplie dans la mort 33, 6 ; humble et obéissant 16, 11 ; image et ressemblance du — 10, 4 ; Jésus nom du — 4, 14 ; jeûne de quarante jours du — 3, 2 ; joug du — 11, 13 ; juge 19, 4 ; 23, 8 ; justice 4, 9 ; maître de la doctrine céleste 24, 2 ; médiateur 10, 27 ; 12, 15 ; nativité du — au sens éternel 1, 3 ; né d'une vierge 11, 9 ; nier le — dans sa Passion 18, 3 ; pardon du — 18, 10 ; parole agissante du — 8, 6 ; paroles éternelles du — 26, 3 ; plus grand que Jean 11, 6 ; présence du — en esprit 9, 3 ; prie seul le soir 14, 13 ; priver le — de la communion avec Dieu 12, 18 ; procède de l'éternité 23, 6 ; rameau de la tige de Jessé 10, 5 ; réalise les prophéties 24, 9 ; réconcilie le monde avec Dieu 12, 17 ; rédempteur unique 14, 16 ; rémission des péchés en lui 16, 2 ; rendit l'Esprit 33, 6 ; revêtir le — 10, 5 ; roi et prêtre éternel 1, 1 ; Sagesse 11, 9 ; sang du — 31, 7 ; 32, 6 ; s'assujettit l'univers 23, 8 ; silence du — 15, 5 ; substance d'éternité du — 5, 15 ; 12, 17 ; temple de Dieu 17, 10 ; tentation du — par l'ambition 3, 5 ; tête de l'homme 10, 11 ; tristesse du — jusqu'à la mort 31, 5 ; unité de substance du — avec le Père 12, 17 ; 23, 8 ; 26, 5 ; Verbe de Dieu 31, 3 ; Vertu du — 3, 2 ; 7, 2 ; 8, 1 ; 9, 7 ; 9, 10 ; 10, 24 ; 13, 4

CIEL : chemin du — 6, 3 ; 8, 7 ; 18, 1 ; retour au — 8, 7 ; vol au — 10, 19

CINQ pains = cinq livres de la Loi 14, 10

CITÉ : corps du Christ comme une — 4, 12 ; = peuple des croyants en Dieu 8, 4

COLÈRE : briser la — 4, 27 ; 18, 10 ; coupable 4, 17

COLOMBE = Saint-Esprit 2, 6 ; 21, 4 ; simplicité de la — 10, 11

COMMANDEMENTS de la Loi 4, 15

CONFESSEURS : déclarations des — 10, 12 ; de la justice 4, 9

CONFESSION : de pénitence 2, 2 ; 12, 20 ; 18, 8 ; du Père et du Fils unique 26,5 ; 27, 8 ; glorieuse 4, 15 ; liberté de la — 10, 21

CONSCIENCE : à l'intérieur de la — 4, 28 ; 24, 7 ; droite 5, 2 ; 10, 29 ; 27, 4 ; prier dans la — 5, 1 ; puanteur de la — 24, 7

CONSOLATION dans les cieux 4, 4

CORPS : à la Résurrection 5, 8 ; crucifier le — 10, 25 ; dissolu 11, 5 ; fonctions du — 9, 10 ; 12, 7 ; 23, 4 ; glorifié 4, 3 ; habitation du Seigneur 4, 3 ; joies du — 5, 12 ; 23, 4 ; parfait 4, 2 ; réconcilié avec l'âme 4, 19 ; souillures du — 5, 4 ; 7, 2 ; spirituel 10, 19 ; 10, 24 ; ténébreux ou illuminé 5, 4 ; 5, 7 ; un seul — 4, 21 ; vices du — 10, 25

CRAINTE des apôtres 8, 1 ; 14, 14

CROIX : aspect dégradant de la — 18, 3 ; bois de la — 33, 4 ; lieu de la — 33, 4 ; mystère de la — 17, 9 ; 20, 9 ; prendre sa — 10, 25 ; 11, 3 ; 16, 11 ; 17, 2 ; scandale de la — 11, 7 ; 13, 8 ; 19, 10 ; 20, 8 ; 33, 5

CYPRIEN (saint) 5, 1

DAVID : prophétie de — 12, 3 ; testament au temps de — 20, 6

DÉSERT = vide de l'Esprit Saint 2, 2 ; 11, 4 ; 14, 9 ; 25, 8

DEUX deniers = corps et âme 17, 13 ; — hommes, — femmes 26, 5 ; — peuples (circoncision, païens) 14, 7 ; — poissons = prédication de Jean et des prophètes 14, 10 ; — talents 27, 8 ; — vocations d'Israël 20, 11 ; 21, 1 ; — vocations hors de Jérusalem 21, 1

DIABLE voir SATAN

DIDRACHME = nous 17, 10

DIEU n'a besoin de rien 20, 2 ; amour de — 23, 6-7 ; auteur de l'univers 14, 12 ; bonté de — 5, 13 ; capable d'accueillir — 12, 11 ; Christ en — 12, 17 ; connaissance de — 4, 11 ; 7, 10 ; 9, 10 ; 23, 7 ; crainte stérile de — 5, 8 ; dans le Christ 12, 17 ; emprunter à — 4, 26 ; éternité de — 23, 5 ; 31, 2 ; imiter — 4, 2 ; 4, 27 ; jugement sur — 5, 14 ; l'inconnu en — 11, 12 ; majesté de Dieu 4, 1 ; 12, 24 ; 17, 11 ; nommer — 6, 4 ; œuvres de — 4, 10 ; opère la multiplication des pains 14, 12 ; pardon de — 18, 10 ; partout 9, 7 ; patience de — 27, 2 ; père de tous 4, 8 ; possible à — 20, 2-3 ; promesses de — 4, 9 ; science de — 4, 5 ; tête du Christ 29, 2 ; volonté de — 10, 19

DÎME : 24, 7

DISCIPLES : choix des — 7, 9 ; s'étonnent 20, 1 ; 21, 7 ; silence commandé aux — 11, 8

DISSIMULATION : 22, 7

DIVORCE : limites au — 4, 22

DIX commandements 27, 7

DOUTE : 5, 6

DOUZE corbeilles = apôtres 14, 11 ; — sièges des apôtres 20, 1 ; — tribus d'Israël 20, 1

EAU baptismale 12, 23

ÉCARLATE : chlamyde = sang des martyrs 33, 3

ÉCLAIR : comme l' — 25, 8

ÉGLISE céleste 18, 6 ; communion de l'— 12, 24 ; confession de l'— 33, 8 ; corps du Christ 4, 24 ; — des païens 21, 7 ; éternelle 14, 18 ; féconde 1, 7 ; habiter dans l'— 4, 13 ; 14, 13 ; hors de l'— 13, 1 ; Israël dans l'— 10, 14 ; mère 19, 5 ; naufragée(s) 8, 1 ; navire de l'— 7, 9 ; 13, 1 ; 14, 9 ; nommée catholique 10, 9 ; paix rendue à l'— 14, 18 ; resserres de l'— 4, 10 ; types de l'— 1, 7 ; 13, 1 ; vices purifiés de l'— 21, 4

ÉGYPTE : passer en 1, 6

ÉLECTION des croyants 10, 19 ; par la Loi 9, 7-8

ÉLIE : compagnie d'— 20, 10 ; esprit d'— en Jean-Baptiste 11, 7 ; 17, 4 ; temps d'— 17, 4

ENCEINTES : malheur aux femmes — 23, 6

ENFANTS = païens 19, 3 ; = prophètes 11, 8 ; simplicité des — 18, 1

ENFER 16, 7 ; 32, 2 ; 33, 9

ENNEMI : aimer son — 4, 27

ÉPINES : couronne d'— 33, 3

ÉPOUX ET ÉPOUSE = esprit et chair 27, 4

ESPÉRANCE : dans le danger 8, 1 ; des biens à venir 5, 6 ; 21, 6

ESPRIT(s) impur(s) 5, 9 ; 10, 2 ; 11, 4 ; 16, 2 ; mauvais 12, 21

ESPRIT-SAINT : au baptême 2, 6 ; blasphème contre l'— 12, 18 ; consolateur 31, 11 ; déserté par l' — 11, 4 ; du Père 12, 17 ; don de l'— 2, 6 ; 9, 6 ; 9, 7 ; 10, 2 ; 19, 3 ; fécondité de l'— 22, 1 ; gloire de l'— 11, 1 ; 22, 7 ; habitation de l'— 2, 2 ; 24, 11 ; liberté de l'— 3, 1 ; motion de l'— 4, 1 ; nouveauté de l'— 10, 24 ; outrager l'— 4, 17 ; pauvres en — 4, 9 ; péché contre l'— 5, 15 ; protection de l'— 10, 2 ; puissance débordante de l'— 10, 2 ; 15, 10 ; rempli de l'— 4, 17 ; 17, 3 ; sacrement de l'— 4, 27 ; septiforme 12, 23 ; 15, 10 ; servir l'— 2, 5 ; substance de l'— 12, 17

ÉTÉ = feu du jugement 26, 2

ÉTERNITÉ : du châtiment 27, 1 ; de Dieu 31, 2 ; de l'Esprit 4, 14 ; mériter l'— 6, 5 ; physique 5, 12 ; principes de l'— 4, 1 ; semeurs d'— 4, 10

Étienne : protomartyr 17, 13

Eunuque : types d'— 19, 2

Évangile : foi de l' — 12, 4 ; 20, 9 ; liberté de l'— 11, 2 ; 19, 10 ; nourriture par l' — 14, 11

Évêque : bon et mauvais 27, 1

Exemples : et la foi 5,12 ; et l'enseignement 5, 15

Famille divisée 10, 22-23

Femmes : saintes — 33, 9 ; sexe des — à la résurrection 23, 3

Ferment = le Christ 13, 5

Feu du ciel 26, 5 ; du jugement 2, 4 ; 5, 12 ; 14, 2 ; 17, 8 ; éternel 4, 17 ; 22, 5 ; 26, 2 ; matière du — 5, 12 ; mystère de l'eau et du — 4, 10

Figues vertes 21, 8

Figuier = Synagogue 21, 6 ; feuilles du — 21, 9 ; signe du — 26, 2

Filet = prédication du Christ 13, 9

Fils aîné de la parabole 21, 14 ; cadet de la parabole 21, 14

Fiole = corps 27, 4

Foi : adoption de la — 7, 10 ; assurance de la — 5, 12 ; chemin vers le Royaume 5, 12 ; conclusion de la Loi 17, 11 ; confession de — 16, 5 ; consomme la justice 10, 28 ; conscience de la — 4, 28 ; d'Abraham 2, 3 ; 10, 14 ; de notre espérance 17, 1 ; espérance de la — 4, 25 ; 10, 29 ; et patience 4, 25 ; guéri par la — 14, 19 ; héritage de la — 2, 3 ; justification par la — 5, 6 ; 8, 6 ; 20, 7 ; 31, 10 ; liberté de la — 10, 17 ; manque de — 5, 12 ; 13, 2 ; mérite de la — 9, 9 ; 21, 7 ; orthodoxe 12, 18 ; parfaite dans le Christ 6, 2 ; 10, 13 ; 17, 6 ; péril de la — 11, 7 ; permanence de la — 5, 14 ; perversion de la — 12, 18 ; préceptes de la — 7, 1 ; prédication de la — 25, 2 ; prescrit l'amour des ennemis 4, 27 ; progrès de la — 4, 21 ; questionnée 7, 10 ; saisit les mystères 13, 2 ; salut par la — 9, 9 ; simplicité de la — 4, 23 ; volonté de — 30, 3 ; vraie 16, 4

Foin = païens 5, 12

Franges du Christ 9, 6-7 ; 14, 19

Frères : corriger ses — 18, 7 ; du Christ 1, 4 ; 12, 24

Futur(s) : biens — 5, 6 ; 5, 13 ; 21, 6 ; état — 5, 10 ; faits — 8, 8 ; jugement — 13, 9

Généalogie du Christ 1, 2

Générations : quatorze 1, 2

Glaive : périr par le — 32, 2 ; sur la terre = prédication de l'Évangile 10, 22-23

Gloire : céleste 5, 3 ; 5, 11 ; 27, 5 ; corps dans la — 4, 3 ; de l'Esprit 11, 1 ; 27, 4 ; de l'Évangile 29, 2 ; des hommes 4, 13 ; 5, 3 ; des patriarches 20, 4 ; 21, 2 ; d'Israël 11, 7 ; éternelle 31, 4 ; rechercher la — 4, 28 ; vaine 4, 2

GRÂCE : de l'Esprit 15, 10 ; de la prophétie 11, 2 ; dons de la — 12, 23 ; 20, 7 ; justifiés par la — 11, 8 ; pardon par la — 9, 2 ; passée d'Israël 12, 10 ; repoussée 12, 23
GRATUIT(E) : libéralité 4, 26

HAMEÇON = enseignement 17, 13
HERBE : couchés sur l'— (= la Loi) 14, 11 ; = païens 5, 12
HÉRÉSIE(s) corrompt l'intelligence 10, 5 ; divergences des — 12, 18 ; perversion des — 10, 9
HÉRÉTIQUES : brisent la connaissance de Dieu 6, 1 ; églises des — 10, 3 ; habitation des démons 8, 4 ; mensonge des — 26, 5
HÉRODE = peuple juif 2, 1 ; 14, 7
HOMME : devoir propre à l'— 24, 7 ; parfait 5, 10 ; soumis au changement 4, 10 ; spirituel 22, 4 ; trois facultés dans l'— 10, 23 ; vieil — 10, 24 ; volonté errante de l'— 2, 2
HUILE = bonnes œuvres 27, 4
HUMILITÉ : conscience de l'— 24, 2 ; de la chair 27, 4 ; d'esprit 4, 2 ; élevée à la gloire 24, 2 ; évangélique 19, 10 ; préceptes de l'— 24, 2 ; souffrance de l'— physique 25, 8

IMPÔT : non soumis à l'— 17, 11
INCROYANCE : antique 17, 6 ; du vieil homme 10, 24 ; état d'— 7, 6 ; faute de l'— 10, 29
INJUSTICE : oublier l'— 4, 25 ; souffrir l'— 4, 25 ; venger l'— 4, 25 ; volonté d'— 4, 25
INQUIÉTUDE de l'avenir 5, 13

JEAN-BAPTISTE : crainte de — 11, 3 ; croire en — 21, 14-15 ; disciples de — 11, 7 ; 20, 1 ; en prison 14, 7 ; gloire de — 11, 6 ; image de la Loi 11, 2 ; nourriture de — 2, 2 ; précurseur 11, 1 ; prophète 11, 2 ; terme de la Loi 9, 3
JÉRUSALEM : destruction de — 25, 2 ; divisée 12, 14 ; envoyé hors de — 21, 1 ; fière de sa suprématie 12, 14 ; figure de la cité du Grand-Roi 4, 24 ; rejeté hors de — 22, 2
JÉSUS : nom charnel 4, 14
JEÛNE devant les hommes 5, 2 ; prébaptismal 15, 8
JEUNE HOMME riche = peuple juif 19, 4
JONAS figure du Seigneur 16, 2 ; prédication de — 12, 20 ; signe de — 12, 20 ; 16, 2
JOSEPH de la même tribu que Marie 1, 1 ; figure des apôtres 2, 1 ; fils de — 1, 4
JOUR : définition du — 5, 13
JUDAS : baiser de — 32, 1 ; exclu de la Pâque 30, 2 ; mort de — 32, 5

JUGEMENT contre Dieu 5, 14 ; feu du — 2, 4 ; jour du — 26, 4 ;
temps du — 22, 2

JUIFS : appelés par la Loi à la gloire 22, 4 ; ce qui est impossible
pour les — 20, 3 ; curieux de connaître le Christ 10, 9 ; emportés
contre les chrétiens 1, 6 ; esprit immonde installé chez les —
12, 23 ; hautains dans la Loi 19, 4 ; incroyants 21, 7 ; inexcu-
sables 12, 20 ; jaloux de la foi des païens 20, 7 ; ont perdu la Loi
13, 2 ; ont sacrifié aux dieux étrangers 18, 7 ; perdus à l'occasion
de la Passion du Seigneur 2, 1 ; plantés par Dieu pour produire
des fruits 22, 1 ; prédication d'abord pour les Juifs 11, 10 ;
rebelles 20, 7 ; renient la Passion 18, 3 ; réprimandés par Dieu
18, 7 ; scandalisent les apôtres 18, 2 ; sous la domination du
péché 17, 8 ; une partie des — doit croire par Élie 26, 5

JUSTICE : consommée par la foi 10, 28 ; étalage de — 9, 2

LAIT : nourri de — 25, 6

LAMECH : châtiment de — 18, 10

LAMPES = lumière des âmes 27, 4

LECTURE : source de la doctrine 6, 5

LÉPREUX guéri 7, 2

LEVAIN = le Seigneur 13, 5

LIBERTÉ du don 21, 4 ; évangélique 17, 12 ; 19, 10

LINCEUL = Église 33, 8

LIS = anges 5, 11 ; floraison du — 5, 11

LOI : abandon de la — 20, 4 ; adjugée au plaisir 14, 8 ; a donné la
connaissance de Dieu 18, 2 ; annonce d'avance le Christ 4, 14 ;
7, 2 ; 11, 2 ; assurance dans la — 19, 6-8 ; 24, 6 ; chasse l'esprit
immonde 12, 22 ; conclusion de la — dans la foi 4, 14 ; 17, 11 ;
contient l'image de la vérité 23, 6 ; croyants issus de la — 9, 8 ;
dépasser la — 7, 1 ; difficultés de la — 11, 8 ; 11, 13 ; doctrine
vénale de la — 14, 10 ; élection prédestinée par la — 9, 6 ; et la
nécessité de pécher 11, 8 ; Évangile et — : même trésor 14, 1 ;
glorification dans la — 19, 4 ; 19, 10 ; 24, 1 ; 24, 4 ; inaction de la —
12, 2 ; joug de la — 24, 5 ; nul n'est juste par la — 9, 2 ; obéir
aux prescriptions de la — 19, 7 ; œuvres de la — figure de ce qui
suit 16, 3 ; ombre des biens à venir 19, 6 ; persévérer dans la — 27,
9 ; poids de la — 10, 2 ; prépare la venue du Christ 4, 14 ; 9, 5 ;
23, 6-7 ; 24, 3 ; prisonnière des péchés 11, 2 ; royaume divisé
de la — 12, 13 ; sanctifiée dans le Christ 24, 6 ; témoignage, non
réalisation 7, 2 ; 24, 6 ; vient de Dieu 12, 13 ; vocations issues
de la Loi 18, 7 ; 20, 11 ; 21, 1 ; 21, 9 ; 27, 10

LOUANGE des hommes 4, 28

LOUPS = hérétiques 10, 13

LUMIÈRE : de l'esprit 9, 4 ; du corps 5, 4 ; éternelle 4, 19 ; nature de la — 4, 11

LUXE amollissant 11, 5

MAGES : étoile des — 1, 5 ; présents des — 1, 5

MAIN : ablation de la — 18, 4 ; droite et gauche 4, 28 ; guérison de la — 12, 6

MAISON = Église 10, 9 ; divisée 10, 12 ; 10, 22 ; 12, 14 ; du corps 7, 6 ; du paradis 8, 7 ; habitants de la — 10, 23

MAÎTRE(s) : les deux — 5, 5

MAÎTRE DE MAISON = le Seigneur 20, 5 ; 22, 1

MALADES d'incroyance 7, 6 ; = les païens 7, 4 ; 9, 6 ; 9, 10

MARCHAND et la perle 13, 8

MARIAGE : mystère du — 19, 2 ; paix des — 4, 22 ; sorte de lien du — 7, 6 ; 14, 7

MARIE : calomnie sur — 1, 3 ; dans la Passion 12, 24 ; épouse de Joseph 1, 3 ; mère de Jésus 1, 3

MARTYR(s) : béatitude du — 20, 2 ; de Judée 1, 6 ; liberté et constance des — 20, 9 ; protomartyr Étienne 17, 13 ; sang des — 33, 3 ; témoin 4, 9

MATIÈRE croît 14, 12 ; créée 5, 8

MATTHIEU narrateur de l'Évangile 9, 1

MÈCHE fumante = corps des païens 13, 10

MER de l'incroyance 8, 4 ; = enfer 17, 7 ; = mort 16, 2 ; = siècle 13, 9 ; 14, 13

MÈRE : belle — de Pierre 7, 6 : = incroyance de notre âme 10, 23-24

MEULE à âne 18, 2 : = œuvre de la Loi 26, 5

MIDI : reine du — = Église 12, 20

MIEL sauvage = nous 2, 2

MISÉRICORDE : avant le sacrifice 12, 5 ; béatitude de la — 4, 7 ; don de la — 9, 2 ; fruits de la — 27, 4 ; manquer de — 18, 11 ; salut dans la — 9, 2

MOÏSE : compagnie de — 20, 10 ; et Élie 17, 3 ; Juifs rebelles à — 20, 7 ; sépulcre de — 20, 10 ; testament au temps de — 20, 6

MONDE voir SIÈCLE

MONTAGNE = diable 17, 7

MORT : aiguillon de la — 33, 9 ; ne pas goûter la — 17, 2 ténèbres de la — 33, 7

MORTS = ceux qui vivent en dehors de Dieu 7, 11

MYSTÈRE : céleste 2, 6 ; 14, 12 ; 25, 2 ; de l'action de Dieu 33, 6 ; de l'éternité restituée 18, 3 ; de la Croix 11, 13 ; 17, 9 ; 20, 8 ; 28, 2 ; de la faim des disciples 12, 2 ; de la foi 10, 25 ; 13, 6 ; 16, 6 ; de la gloire éternelle 22, 3 ; de la grâce nouvelle 9, 4 ; de la Passion

20, 9 ; 33, 5 ; sacré de la prière 5, 1 ; de la volonté du Père 15, 4 ;
33, 5 ; des Écritures 23, 4 ; des mots célestes 6, 1; du salut 2, 5 ;
7, 4 ; 9, 4 ; 21, 14 ; 31, 7 ; intérieur 15, 4

Naissance nouvelle 24, 2 ; première 24, 11
Navire de l'Église 7, 9
Néant : tiré du — 31, 3
Noces de la gloire éternelle 22, 3 ; 27, 4
Noé : testament au temps de — 20, 6
Nom chrétien 6, 4 ; 30, 1
Nourrissons : malheur des — 25, 6
Nourriture évangélique 9, 2 ; sacrée 9, 3

Œil : poutre dans l'— 5, 15
Oiseaux : deux = corps et âme 10, 18 ; = esprits impurs 7, 10 ;
= hommes spirituels 22, 4 ; un seul des deux — tombe 10, 19
Onzième heure 20, 6
Oreille coupée 32, 2
Oubli des injustices 4, 8 ; 4, 25 ; des promesses de Dieu 27, 5

Païens : brisés par le péché 7, 6 ; confessent le Père et le Fils 27, 8 ;
croient ce qu'ils ont entendu 19, 3 ; en quête du salut 9, 10 ;
fidèles jusqu'à la consommation des siècles 21, 9 ; foi des — 12,
20 ; ignorance des — 10, 3 ; inconsistance des — 2, 6 ; 33, 4 ;
incroyance des 5, 12 ; 14, 7 ; jugeront les Juifs à la résurrection
12, 20 ; morts avec le Christ dans le baptême 29, 2 ; ont cru aux
prophètes 12, 20 ; péché des — 19, 1 ; prennent le salut préparé
pour Israël 9, 6 ; réunion des — 15, 5 ; salut des — 7, 4 ; 12, 11 ;
sauvés par la justification de la foi 20, 7 ; vivent par la grâce de
l'Esprit 15, 10 ; volent vers les apôtres 13, 4
Paille = hommes stériles 2, 4
Pain : céleste 9, 3 ; 14, 10 ; multiplications des — comparées 15, 7 ;
véritable 25, 6
Paix : fraternelle 4, 8 ; 4, 18 ; salutation de — 10, 9
Paralysé : serviteur — = païens 7, 4
Pardon des offenses 4, 19; par l'aveu des péchés 18, 10 ; par grâce
9, 2 ; pour les païens 19, 1 ; sans mesure 18, 10
Parfait(e) : vie 4, 27
Parfum = action bonne 29, 1
Passion : bois de la — 4, 13 ; humilité de la — 8, 2 ; 16, 8 ; 18, 3 ;
mystère de la — 20, 9 ; 21, 15 ; maudire la — 16, 8 ; procès de la
— 27, 10 ; scandale de la — 19, 10 ; s'unir à la — 15, 8
Patience : volonté de — 10, 15
Patriarches : gloire des — 20, 4 ; 21, 2 ; trône des — 20, 4
Pauvres = indigents de la foi 29, 2 ; = qui ont perdu leur vie 11, 3

Péché(s) : contre l'Esprit 5, 15 ; domination des — 7, 6 ; enfermés dans la prison des — 11, 2 ; épines des — 10, 5 ; 33, 3 ; être vendu au péché 10, 18 ; maladie des — 7, 4 ; origine des — 15, 10 ; père du corps 10, 23 ; pleurer ses — 4, 4 ; purification des — 5, 13 ; rachat des — 5, 13 ; 10, 18 ; regret des — 11, 8 ; remettre les — 8, 6-8 ; 11, 2

Pêcheurs : choix des — 3, 6

Pénitence : confession de — 2, 2 ; 21, 13 ; purifie 2, 2 ; temps de la — 12, 10 ; 27, 4

Père : chez les Juifs 1, 1 ; Dieu — : voir Dieu ; du corps = péché 10, 23

Perle = Christ 13, 8

Petit(e) : la chose la plus petite = Passion 4, 15 ; en méchanceté, non en intelligence 11, 11 ; = pécheurs 10, 29

Pharisiens : blasphèment Dieu 12, 15 ; guides aveugles 15, 1 ; haine des — 12, 11 ; levain des — 16, 3 ; masquent l'Incarnation 24, 3 ; ne saisissent pas Dieu dans le Christ 12, 8 ; 24, 1 ; ont transgressé la Loi 15, 1 ; peuple issu des — 21, 13 ; pouvoir d'enseigner remis aux — 22, 1 ; repentir de quelques — après la Résurrection 21, 13 ; suivre les commandements des —, non leurs actes 24, 1 ; vocation des — 20, 11

Pierre = le Seigneur 6, 6

Pierre (saint) : belle-mère de — 7, 6 ; cri de — 14, 15 ; faiblesse de — 30, 3 ; fondement de l'Église 16, 7 ; maison de — 7, 6 ; marche sur les eaux 14, 15 ; martyre de — 14, 16 ; maudit la Passion 16, 10 ; pêcheur d'hommes 17, 13 ; portier du ciel 16, 7 ; premier dans la foi 14, 17 ; premier dans la fonction d'apôtre 7, 6 ; reniement de — 32, 4 ; repentir de — 14, 11 ; reproche du Christ à — 31, 9 ; tentation de — 16, 10

Pilate : juge du siècle 16, 2 ; 32, 1 ; 33, 1

Plaisir(s) : pris par les — 6, 6 ; 10, 18 ; s'empare de la Loi 14, 8

Pluie = plaisirs 6, 6

Poissons : les deux — = prédications de Jean et prédication des prophètes 14, 10

Porcs = hérétiques 6, 1

Potier : champ du — 32, 6 ; = Dieu 32, 6 ; œuvre du — 32, 6

Poule = le Seigneur 24, 11

Poutre dans l'œil 5, 15

Premiers et derniers 20, 4 ; 20, 7 ; 20, 8-9

Prêtre (Grand) 32, 3

Prière : dans le secret 5, 1 ; nécessité de la — 6, 2

Prochain = Christ 19, 5 ; 23, 7

Prophètes : aliment des — 2, 2 ; deux — tués par l'Antéchrist 20, 10 ; Esprit-Saint coule chez les — 22, 1 ; faux — 6, 4-5 ; 7, 10 ;

fonction des — 2, 4 ; honneur des — 24, 8 ; lapidés et tués 22, 1 ; 24, 8 ; prédication des — 13, 4 ; recevoir des — 10, 28 ;
PROSÉLYTES : 15, 3 ; 24, 5
PUBLICAINS : nom de — 9, 2
PURETÉ : de cœur 4, 7

QUARANTE jours de jeûne 3, 1
QUATRE mille hommes = quatre parties du monde 15, 10 ; veilles = histoire du salut 14, 14
QUESTIONS inutiles 5, 8

RACHA : 4, 17
RACHEL = Église 1, 7
RAMEAUX = païens 21, 2
RÉCOMPENSE de Dieu 4, 28
RÉCONCILIATION : 4, 18
REGARD de l'esprit 9, 3
RENARD = faux prophètes 7, 10
RENONCER aux affections coupables 4, 21 ; aux avantages de la vie 17, 1
REPENTIR : des péchés 21, 13 ; 21, 15 ; temps du — 27, 4-6
RÉSURRECTION : calomnies contre la — 5, 8 ; conditions de la — 23, 4 ; des saints 33, 7 ; du Christ révélée 33, 9 ; garantie par la Transfiguration 17, 3
RETOUR à la maison du ciel 8, 7-8 ; de l'erreur 2, 2 ; des âmes dans le corps 27, 4 ; du Christ dans la gloire 25, 3
RICHES = ceux qui ont confiance dans la Loi 19, 8
RICHESSES : fardeau des — 19, 9 ; vendre ses — 19, 6
ROIS = anges pécheurs 11, 5
ROSEAU = corps des païens 33, 3 ; = homme stérile 11, 4
ROYAUME DES CIEUX : assemblée du — 22, 7 ; fondé dans le Christ 5, 6 ; gloire du — 17, 3 ; 22, 4 ; Loi promet le — 11, 2 ; mystère du — 13, 2 ; possession du — 4, 2 ; premiers dans le — 21, 15 ; siéger dans le — 20, 10

SABBAT : guérir le jour du — 12, 6 ; = inaction 12, 2 ; Seigneur maître du — 12, 5 ; violé 12, 4 ; 12, 6
SACREMENT (ou MYSTÈRE) de l'eau et du feu 4, 10 ; de la nourriture sacrée 9, 3 ; du baptême et de l'Esprit 4, 27 ; du pain céleste 10, 9 ; grand = mariage 22, 3
SAGES : sont sots 11, 11
SAGESSE : dons de la — 12, 23 ; œuvres de la — 11, 9
SAINTS : ne doutent pas de la gloire éternelle 5, 12 ; prière des — 5, 1 ; rassemblés par les anges 26, 1 ; recueillis au jugement 26, 5

règnent avec le Seigneur 10, 4 ; retenue des — 10, 6 ; souvenir des — 7, 11

SALUT : par la foi 7, 4 ; 9, 9 ; 11, 10 ; progrès du — 27, 2

SAMARITAINS : 21, 1

SARA a reçu le nom de Sarra 18, 6

SATAN a suborné Adam 3, 5 ; anxieux 4, 14 ; désire la victoire sur les saints 3, 1 ; et le jeûne de quarante jours du Christ 3, 2 ; instigateur de Pierre 16, 10 ; ligoté 12, 16 ; œuvre de — 16, 9 ; téméraire 3, 1

SAUTERELLES = nous 2, 2

SEL : 4, 10

SEM : race de — 8, 4

SÉNEVÉ = Christ 13, 4 ; 17, 7

SEPT dons de la grâce 12, 23 ; 15, 10 ; esprits mauvais 12, 23 ; pains 15, 10

SERMENT : gages du — 4, 24 ; superstitions du — 4, 24

SERPENT : de la Genèse 10, 13 ; prudence du — 10, 11 ; 10, 13

SIÈCLE : agitations du — 8, 1 ; 14, 14 ; ambition du — 3, 5 ; 5, 5 ; assauts du — 3, 5 ; 7, 9 ; gloire du — 11, 4 ; joies du — 5, 8 ; luxe du — 10, 18 ; mépris du — 4, 9 ; 5, 6 ; obscurité du — 4, 11 ; péchés du — 7, 4 ; 11, 13 ; renoncer au — 19, 6 ; richesses du — 16, 11 ; 19, 6

SIGNES des temps 16, 1

SIX mille ans = durée du monde 17, 2 ; 20, 6

SOLEIL vrai 13, 9

STATÈRE : payer un — 17, 13

SUBSTANCE céleste 5, 11-12 ; corporelle 5, 8 ; d'éternité 5, 8 ; 5, 15 ; 5, 15 ; de l'Esprit 12, 17 ; du Père 12, 18 ; vitale 5, 10

SUPERSTITIONS de l'âme 9, 10 ; humaines 23, 1

SYNAGOGUE : arbre stérile 21, 6 ; quittée 14, 9 ; vide de bénéfices 4, 13

TALENT(s) : doubler les — 27, 7-8 ; enfouis 27, 9-10 ; significations des — 27, 8

TAUREAUX engraissés = martyrs 22, 4

TEMPLE = Christ 12, 4 ; éternel 25, 1 ; or du — 24, 6 ; voile du — 33, 7

TEMPS : écroulement du — 25, 6

TERRE : tremblement de — 33, 7

TERTULLIEN : 5, 1

TOIT = état achevé du corps, 25, 5 ; prêcher sur les — 10, 17

TOMBEAU du Christ 33, 8

TRÉSOR du champ = Christ 13, 7 ; sur terre 5, 3

TRIBUN (MILITAIRE) : foi du — 7, 4-5

TRINITÉ : 13, 6

Trois contre deux 10, 22 ; 10, 24 ; mesures de farine 13, 5 ; peuples 13, 6 ; races 8, 4

Tunique(s) des péchés 25, 5 ; deux — 10, 5

Van = verdict du Seigneur 2, 4

Veilles : quatre — 14, 14

Vengeance : oubli de la — 4, 25

Vent = diable 6, 6 ; 11, 4

Verbe voir Christ

Vêtement de gloire du Christ 17, 2 ; des rois 11, 5 ; du prophète 2, 2

Vices : domination des — 7, 6 ; liste des — 6, 3 ; séduction des — 10, 23

Vie : la — 16, 11 ; perdre sa — 17, 1

Vigne = exécution de la Loi 20, 5

Vin nouveau = grâce 9, 4

Vinaigre = amertume des péchés 33, 4-5

Violence faite au Royaume 11, 7

Virginité de Marie 1, 3

Voie large = perdition 6, 3

Voleur = diable 26, 6

Volonté du corps et de l'âme 10, 23 ; esclavage de la — 7, 6 ; liberté de la — 7, 6 ; 10, 23-24

INDEX DES MOTS LATINS

Les chiffres renvoient, le premier, au chapitre ; le deuxième, à l'alinéa ; le troisième, à la ligne de l'alinéa.

I. Mots et locutions du vocabulaire du droit

addico (gloriam legis uoluptati) 14, 8, 21 ; (se uenalem Herodiadi) 14, 7, 18
aequitas 4, 22, 2 ; 24, 8, 5
animaduersio (peccatorum) 10, 23, 5-6
arbitrium (extra —) 27, 6, 6

condicio (-o cibi) 16, 2, 8 ; (-o hominis) 16, 2, 17 ; (-o pacis) 10, 8, 9 ; (-o responsionis) 12, 13, 3-4 ; (-nem passionis) 33, 5, 14 ; (-nem statuti) 16, 7, 3-4 ; (-nem qua teneremur) 10, 21, 3 ; (-ne qua negauerit) 32, 4, 1 ; (-nibus passionum) 10, 15, 12-13 ; (de -ne interrogationis) 23, 1, 10 ; (de -ne nascendi) 12, 24, 9 ; (de -ne operis) 3, 3, 7 ; (de -ne propositionis) 16, 6, 4 ; (ex -ne gustatus) 17, 1, 21 ; (pro -e iudicii) 5, 14, 18 ; (pro -e naturae atque originis) 10, 20, 12 ; (sub-e uerbi) 32, 1, 7 ; (de-nibus resurrectionis) 23, 4, 2
coniunctio (corporis solique) 10, 10, 6
consortium (nominis) 23, 8, 12
constituo (facinus) 32, 5, 11
constitutio (caelestis) 18, 6, 22-23
culpa (extra -am esse) 24, 8, 15

decernor (lege) 1, 3, 10
deprehendo (reos) 21, 10, 12
dissimulatio (iniuriae) 4, 25, 13

exceptio (sine -e aliqua) 22, 6, 9 ; 22, 7, 21-22
excipio 31, 7, 7

familia (in -am refero) 1, 1, 29
forma (agendi) 12, 24, 6 ; (intelligendi) 16, 4, 4 ; (iudicii) 24, 8, 2
inexpiabilis 5, 13, 26
interrogatio 3, 3, 2 ; 3, 4, 1
interuentus 12, 22, 17-18

Hilaire de Poitiers. II.

ius (atque nomen) 12, 24, 8 ; (concedit) 10, 24, 14 ; (coniugii) 10, 23, 26 ; (in animam) 10, 17, 14 ; 10, 26, 9 ; (potestatis) 2, 4, 2 ; 10, 5, 22 ; 10, 23, 5 ; 14, 3, 10 ; 21, 4, 3 ; 23, 2, 8 ; (sui -ris) 32, 1, 8 ; (in -re esse) 27, 6, 7

mediator (-ris officium) 10, 27, 6

nomen (populi) 14, 7, 5 ; 15, 3, 16 ; (propinquitatum) 12, 24, 7-8 ; (-minum propinquitates) 4, 21, 11 ; (in -men coniugis) 1, 3, 14 ; (in -mine confiteri) 12, 18, 29

patrimonium 27, 6, 14
persona (populi) 7, 11, 6 ; (sub -a dictum est) 22, 3, 15
piaculum 25, 3, 9
possessio (iniquitatis) 12, 23, 16
praeiudico 16, 7, 12
praerogatiua 21, 13, 13
praescriptum 12, 5, 11
praesumptio 22, 2, 11
pretium (in — uendo) 13, 7, 4
priuilegium 10, 3, 10 ; 17, 11, 12 ; 19, 1, 6
publicani 9, 2, 10

querela (extra -am) 23, 2, 10

reatus (coactae uxoris) 4, 22, 8 ; (duplex) 9, 4, 10 ; (ignorantiae) 24, 4, 9 ; (extra -um iudicii) 32, 5, 9-10
recipio (in coniugem) 1, 3, 13
reditus 27, 8, 10
relaxo 12, 17, 7
religiosus 24, 6, 18
retroago 22, 6, 8

seueritas (iudicii) 10, 23, 5
solutio (iusta) 20, 7, 1
status (uitae anterioris) 15, 3, 6
statutus (extra tempus) 12, 10, 13
substantia 27, 6, 14

testamentum (recognosco) 11, 7, 22
testis (adsumo) 1, 3, 12
traditio 27, 8, 10
transcribo (in matrem) 1, 4, 5-6
transeo (in nuncupationem familiae) 4, 8, 3 ; (in sacrificium) 7, 2, 16
transfundo (in nos) 10, 27, 8

II. Mots et locutions du vocabulaire
de la rhétorique et de l'exégèse

(Les mots en italique appartiennent plus spécialement
au vocabulaire de l'exégèse)

absolute 16, 4, 3 ; 27, 3, 7
absolutio 23, 2, 2
absoluto (*in*) 10, 11, 5 ; 22, 1, 4 ; 24, 8, 3
absolutus 13, 1, 11 ; 14, 18, 5-6 ; 15, 1, 2 ; 16, 3, 7 ; 18, 11, 6 ; 20, 5, 3 ;
   22, 3, 5
accipior (*pro*) 20, 5, 12
adhortor 5, 9, 4
adicio (species futurorum) 8, 8, 4
adimpletio (legis) 12, 13, 9
admoneo 4, 21, 4 ; 19, 4, 9 ; 21, 4, 11 ; 21, 13, 5 ; 22, 3, 12 ; 23, 4, 10
admonitio 22, 5, 10
aemulor 7, 5, 5
altius (contueri) 21, 4, 11 ; (descendere) 5, 7, 3
ambiguitas 5, 6, 14 ; 12, 11, 6
ambiguus 5, 6, 16
arcanum (futurorum) 21, 10, 5
argumentum 12, 3, 3 ; 12, 12, 3

cognomino 7, 10, 14
cohaereo 7, 9, 13
comparatio 5, 9, 9 ; 6, 6, 5 ; 6, 7, 1 ; 9, 4, 2-3 ; 12, 20, 11 ; 12, 21, 5-6 ;
   21, 9, 15
comparo 4, 13, 4 ; 13, 4, 2 ; 15, 7, 14 ; 21, 8, 2
competens (ratio) 15, 7, 11
competenter 20, 13, 5
complector 4, 14, 4 ; 14, 7, 5-6 ; 15, 2, 4 ; 21, 10, 4-5 ; 23, 6, 23 ; 24,
   6, 11
concludo 4, 27, 2
congruenter 15, 7, 11
congruus (ratio) 19, 3, 7
coniunctio (uerbi) 12, 21, 5
consequor (causa) 14, 8, 8 ; (effectus) 14, 11, 26 ; (ratio) 15, 3, 2 ;
   (res) 19, 4, 10 ; (sensus) 10, 23, 3 ; (ueritas) 23, 6, 9
consolatio 1, 7, 14-15
consummo 6, 2, 14
consummor (cognitio sacramenti) 1, 5, 8 ; (dicta) 12, 4, 2 ; (uirtutes
   mysteriorum) 30, 2, 10

                                          *

continens (lectio) 12, 21, 3 ; (ordo) 7, 8, 21 ; (sensus) 5, 4, 2
contineo (nomina) 18, 4, 2 ; (ratio) 12, 3, 4 ; (res) 7, 1, 6 ; (significantia) 5, 13, 6
conuersio (nominum) 8, 2, 7
cursus (praecepti) 4, 20, 2

decursus 10, 25, 2
definitio 12, 17, 4
designo 2, 2, 21 ; 10, 29, 12 ; 14, 15, 4 ; 17, 13, 13 ; 18, 3, 9
distinguo 22, 3, 3-4
documentum 5, 10, 3

effectus (futuri) 19, 3, 6 ; (gestorum) 12, 1, 8 ; 14, 3, 6 ; 21, 10, 4 ; (praesentium) 17, 12, 1 ; 19, 4, 10 ; 30, 1, 10 ; (ueritatis euangelicae) 16, 3, 15
efficacia (facti) 21, 7, 2
efficientia (causarum) 14, 6, 6 ; (facti) 11, 2, 2 ; (negotii) 20, 11, 19 ; (praefigurata) 21, 13, 8 ; (praesentium) 7, 5, 10 ; (rerum) 12, 5, 1
exemplum 18, 11, 2 ; (-o) 17, 4, 9 ; 19, 11, 8 ; 21, 9, 2 ; (in -o) 10, 14, 5 ; (in -um) 12, 20, 8 ; 14, 6, 5 ; (confirmo) 17, 3, 8 ; (seruor) 17, 2, 5-6 ; (subsum) 2, 2, 8 ; 16, 2, 22 ; 17, 4, 8
exordium 7, 1, 2
expleor (numerus) 33, 6, 3 ; (ratio typica) 19, 1, 5 ; (sacramentum) 7, 4, 11 ; (species futuri) 8. 6, 2
explico 10, 23, 2 ; 14, 10, 9
expono 6, 6, 6 ; 20, 8, 4
exprimo 1, 5, 6 ; 2, 6, 1 ; 5, 4, 2 ; 11, 2, 3 ; 24, 1, 4

figura (per -am) 20, 13, 3
forma (complector) 23, 6, 23 : (constituo) 15, 6, 5 ; (effero) 11, 2, 4 ; (sum) 1, 6, 10 ; 19, 3, 10 ; (habeo) 19, 4, 14 ; (praefero) 14, 7, 1 ; 15, 3, 15 ; 19, 4, 10 ; (praemitto) 21, 3, 3 ; (seruo) 21, 2, 23 ; (futuri) 15, 10, 16 ; 17, 3, 10-11 ; 21, 3, 11
futurum (in) 12, 18, 6

imago (consecuturae ueritatis) 23, 6, 9 ; (futurae ueritatis) 12, 1, 9 ; 24, 1, 4 ; (futuri) 21, 7, 3 ; (futurorum) 7, 5, 11 ; (sacramenti) 2, **6, 14**
imitatio 7, 1, 7 ; 24, 7, 11
indico 1, 5, 2 ; 3, 1, 23 ; 3, 2, 13 ; 8, 4, 12 ; 15, 10, 13 ; 24, 5, 7-8 ; 33, **4, 11**
ingressus 4, 16, 3
intellectus (simplex) 20, 2, 1
intelligentia (absoluta) 22, 3, 5 ; (amplior) 11, 2, 2 ; (communis) 12, 12, 7 ; (eadem) 15, 6, 10 ; (exprimo -am) 1, 5, 5 ; (interior) 2, 2,

6 ; 14, 3, 4 ; 15, 9, 8 ; (ratio) 15, 3, 1 ; 17, 12, 13 ; (significantia) 7, 8, 22
nterius (inspicio) 12, 12, 5 ; (intendo) 17, 11, 6
introduco 15, 9, 12
introspicio 10, 1, 3

lectio 6, 5, 10 ; 12, 21, 3

meditatio 2, 2, 9 ; 32, 6, 6 ; (futuri) 8, 4, 10 ; (legis) 23, 6, 11
meditor (aduentum Christi) 24, 1, 5 ; (effectus) 24, 6, 6 ; (fidem rerum caelestium) 21, 3, 14
moderor 20, 11, 17
momentum (grandia momenta) 4, 14, 3 ; (quid -i) 21, 12, 1 ; (rerum) 20, 9, 2 ; 33, 8, 6 ; (significationum) 10, 1, 4

narratio 1, 2, 4
nuncupatio 11, 5, 6
nuncupo 6, 7-8 ; 7, 10, 12 ; 10, 23, 8

opinor 18, 6, 10
ordo (arcani) 2, 6, 1 ; (causarum) 14, 12, 24 ; (doctrinae) 4, 19, 22 ; (futuri) 21, 2, 1 ; (gestorum) 21, 9, 16 ; 32, 3, 1 ; (intelligentiae) 9, 5, 6 ; 12, 11, 6 ; 14, 10, 12 ; (mysterii) 8, 8, 3 ; (operum) 14, 3, 5 ; (passionis) 32, 1, 3 ; (rei gestae) 14, 8, 7 ; (rerum) 7, 8, 21 ; (sensus) 21, 11, 3 ; (sumo -inem) 15, 2, 5 ; (teneo -inem) 15, 6, 3 ; 17, 8, 1 ; (typicae significantiae) 7, 9, 13 ; (typicus) 14, 16, 5 ; (ueritatis) 8, 6, 1
ostendo 7, 2, 6 ; 11, 4, 16 ; 14, 13, 5 ; 17, 2, 10

parabolicus (significatio) 21, 2, 2
praefiguratio 9, 9, 5 ; 16, 2, 10 ; 20, 12, 2 ; 21, 4, 23 ; 29, 2, 1
praefiguro 2, 6, 15 ; 3, 6, 13 ; 12, 24, 16-17 ; 15, 5, 7 ; 17, 2, 8 ; 17, 13, 11 ; 21, 13, 8
praeformatio 21, 10, 6-7 ; (in -nem) 16, 3, 10-11 ; 24, 7, 9
praeformo 14, 3, 7
praenuntio 17, 4, 6-7
prodo 3, 6, 5
prophetia (ratio -ae) 12, 3, 3-4 ; (sacramentum -ae) 32, 6, 5 ; (sermo -ae) 30, 1, 2
propheto 20, 9, 6 ; 21, 1, 28
proposita 12, 22, 3
propositio 14, 6, 8
proprietas (comparationis) 21, 9, 15 ; (nominum) 10, 22, 20 ; (praefigurationis) 20, 12, 2 ; (uerborum) 25, 5, 7
purgatio 2, 5, 12

quaestio 10, 23, 1-2 ; 19, 2, 13 ; 22, 1, 3 ; 23, 4, 22

ratio (adfero) 1, 2, 3 ; (sum) 15, 1, 3 ; 31, 11, 14 ; 32, 1, 3 ; (explico)
    14, 10, 9 ; (reddo) 14, 19, 4-5 ; (seruo) 1, 3, 21 ; (interior) 15, 3,
    1 ; (ex -ne) 10, 8 ; (sine -ne) 12, 11
redarguo 24, 7, 3
refero (ad) 12, 22, 2 ; 13, 6, 4
retorqueo (condicionem) 12, 13, 4

sacramentum (esuritionis) 12, 2, 15 ; (prophetiae) 32, 6, 5 ; (scrip-
    turarum) 23, 4, 8
sensus (communis) 7, 8, 4 ; (continens) 5, 4, 1 ; (simplex) 19, 9, 15-
    16
sermo 5, 6, 5 ; 5, 7, 3 ; 7, 1, 8 ; 10, 12, 2 ; 10, 22, 14 ; 11, 8, 3 ; 12, 12,
    2 ; 12, 18, 2 ; 14, 6, 7 ; 15, 2, 4 ; 15, 8, 1 ; 17, 11, 6 ; 19, 2, 3 ; 19, 4,
    3 ; 21, 13, 2 ; 28, 1, 2 ; 31, 4, 1
significantia 5, 13, 7 ; 7, 8, 22 ; 7, 9, 13 ; 12, 18, 19 ; 24, 6, 10
significatio 10, 1, 4 ; 21, 2, 2 ; 21, 4, 12
significo 2, 4, 3 ; 3, 1, 6 ; 6, 6, 10 ; 10, 1, 12 ; 11, 5, 3-4 ; 15, 10, 10 ;
    17, 4, 5 ; 18, 4, 4 ; 19, 11, 5 ; 20, 5, 9 ; 21, 3, 6
similitudo 7, 5, 4 ; 7, 6, 12 ; 13, 7, 2 ; 19, 4, 13-14 ; 21, 8, 20
simplex (intellectus) 20, 2, 1 ; (intelligentia) 9, 7, 1 ; (sensus) 19, 9, 5-6
simpliciter (accipio) 25, 6, 1 ; (intelligo) 12, 12, 4-5
specialiter (interrogo) 21, 10, 2-3
species (apostolorum) 33, 8, 7 ; (causae consequentis) 14, 8, 8 ;
    (causae subiacentis) 14, 3, 6-7 ; (futuri), 6, 2 ; 12, 2, 14 ; 19, 3, 8 ;
    21, 2, 1 ; 21, 6, 18 ; (futuri operis) 12, 5, 2 ; (futurorum) 8, 8, 3-4 ;
    21, 13, 7 ; 23, 6, 8 ; 24, 6, 8 ; (gentium) 33, 1, 2-3 ; (habeo -em)
    2, 1, 11 ; 8, 4, 28 ; (humilitatis dominicae) 18, 1, 13-14 ; (marty-
    rum) 22, 4, 8 ; (mulieris) 9, 6, 3 ; (par) 16, 2, 5
spiritalis (intelligentia) 14, 10, 11-12 ; 20, 11, 1 ; (sermo) 20, 2, 18 ;
    27, 10, 10 ; (uerba) 4, 14, 8
spiritaliter (audio) 20, 3, 1 ; (respondeo) 9, 3, 4-5
subiaceo (causa) 14, 3, 6-7 ; (intelligentia) 12, 1, 6
subicio (omnia) 15, 7, 11 ; (ratio) 2, 2, 6 ; 5, 7, 4 ; 7, 5, 5
subsecundo (intelligentia) 7, 8, 7
subsum (exemplum) 2, 2, 8 ; (ratio) 14, 3, 4

tempero 19, 3, 7 ; 19, 4, 12
tracto 4, 19, 19 ; (dicta et uerba) 15, 6, 8 ; (mysterium) 6, 1, 11 ;
    (ratio) 12, 21, 6 ; (similitudo) 13, 7, 2
typicus (consummatio) 19, 3, 13 ; (efficientia) 19, 7, 3 ; (ordo) 14, 16,
    5 ; 20, 11, 13 ; (ratio) 2, 1, 11 ; 8, 4, 23 ; 12, 24, 12 ; 14, 10, 9 ; 17,
    8, 9 ; 19, 1, 5 ; 33, 3, 16

typus (contineo) 15, 4, 8 ; (expleor) 20, 13, 20 ; (praefero) 1, 7, 6 ;
13, 1, 7 ; (in -um apto) 9, 5, 11

ueritas 2, 6, 14 ; 7, 1, 7 ; 16, 3, 12 ; 17, 13, 11 ; (catholicorum) 26, 5,
23 ; (consecutura) 23, 6, 9 ; (euangelica) 16, 3, 15 ; 20, 10, 20 ;
(factorum) 12, 1, 7 ; (futura) 12, 1, 9 ; 24, 1, 4 ; (ipsa) 7, 5, 5 ;
(ordo -tatis) 8, 6, 1 ; (praesentium) 8, 8, 3 ; (retinendae uoluntatis) 24, 7, 12

uirtus (uerborum) 4, 14, 2 ; 10, 1, 2 ; 12, 2, 14 ; 15, 3, 5 ; 21, 4, 11-12

III. Expressions du vocabulaire de la poésie

arboris sublime prolatae 13, 4, 10-11 ; artubus fluidis 7, 4, 9 ; aura-
rum turbine 13, 4, 14 ; in ⸢auras euadit 16, 2, 10-11 ; de caelestibus portis 2, 6, 11 ; collecto in orbem corpore 10, 11, 10-11 ;
exuuias pecudum 2, 2, 21-22 ; foueae immergat 10, 11, 11 ; ful-
gur lumen spargit 25, 8, 10-11 ; gladius desaeuiens 10, 22, 10-14 ;
glutiendus a morte 16, 2, 15-16 ; lilii sui honore uestitur 5, 11,
22 ; ad occidentis plagas 25, 8, 11 ; omnigenum deum monstra
1, 6, 3 ; penetrans agitur de profundo 13, 9, 4-5 ; queruli uerbis
2, 2, 31-32 ; rimis patentibus 6, 6, 15 ; ruinae ⸢suae strage soluendus 6, 6, 25 ; uentorum circumflantium 6, 6, 17 ; uento inualescente 14, 5, 4 ; uentis desaeuientibus 16, 2, 6

IV. Mots et expressions du vocabulaire théologique

aduentus (corporeus) 20, 6, 7 ; 24, 3, 6
aeternitas (corporalis) 5, 12, 12-13, 16 ; (demutata in metum) 31, 2,
16 ; (Deus -tatis) 16, 4, 6 ; 23, 5, 10 ; (eadem) 31, 3, 16 ; (exten-
dor) 31, 2, 20 ; (gloria -tatis) 5, 12, 17 ; (manens) 31, 3, 20 ; (opus
-tatis) 5, 12, 18 ; (parentis) 16, 4, 11 ; (societas -tatis) 22, 3, 10 ;
(spiritus) 16, 9, 11 ; (substantia -tatis) 4, 14, 24-25 ; (uirtus -tatis)
16, 5, 4

caritas (Dei) 23, 7, 13
caro (consortium -nis) 4, 12, 8 ; (in -ne Christus) 13, 7, 13
claritas (angelorum) 5, 11, 11-12 ; (aduentus -tatis) 21, 4, 25 ;
(habitus -tatis) 17, 2, 4 ; (reditus -tatis) 21, 6, 6 ; **31, 11, 19**
cognitio (Dei) 23, 6, 15 ; 33, 4, 6 ; (mutua Patris et Filii) 11, 12, 6
communio (paternae substantiae) 8, 8, 12 ; 12, 18, 8
comprehensibilis (Deus) 9, 7, 5
concorporatio 6, 1, 10-11

corporalitas (Christi) 4, 14, 9
corporeus (Christus) 24, 11, 1 ; (substantia) 5, 8, 19
corporo (Christus) 4, 14, 22
corpus (accipio) 16, 5, 3 ; (adsumo) 4, 14, 25 ; 16, 6, 1 ; 16, 9, 13 ;
     (adsumptio -poris) 9, 7, 8 ; (in -pore Christus) 16, 9, 12 ; (in -pore
     saluator) 9, 9, 9 ; (in -pore Deus) 27, 4, 1-2 ; (incorruptio -poris)
     33, 4, 11 ; (nouum) 22, 3, 11 ; (perfectio -poris) 25, 5, 12
creatio 5, 8, 15
creo (ex uirgine) 11, 9, 13 ; (omne/omnia) 5, 8, 20 ; 31, 3, 5

Deus (ago) 14, 2, 6 ; (ex -o) 4, 14, 20 ; 16, 4, 6 ; (ex spiritu -i)
     12, 15, 16 ; (in Christo) 12, 17, 8 ; (in -um fio) 5, 15, 8 ; (in figura
     -i) 16, 11, 5 ; (in spiritu -um) 16, 9, 7 ; (semper Filius) 16, 4, 6 ;
     (semper Pater) 16, 4, 8
diuisibilis (Deus) 9, 7, 5

generositas (Dei) 12, 18, 28-29

homo (in -mine Christum nescio) 16, 9, 8 ; (in -mine Deus ago)
     14, 2, 6 ; (in -mine maneo) 8, 6, 10 (in -minem uenio) 5, 15, 7

ignorabilis (quod in Patre -e est) 11, 12, 12
intelligentia (nominis Dei) 23, 6, 16
inuisibilis 14, 12, 5

maiestas (paterna) 4, 1, 2 ; 22, 2, 14
materies (in -e exsto) 10, 24, 10 ; (spiritus) 4, 14, 25 ; (terrena) 10,
     19, 6 ; 10, 19, 10
munus (spiritus sancti) 19, 3, 16
mysterium (-a diuina) 30, 2, 20 ; (-a diuinae operationis) 33, 6, 3

nascor (Filius) 16, 4, 9
natiuitas (corporea) 1, 2, 25 ; (diuinae prudentiae) 11, 9, 15 ; (noua)
     24, 2, 4
natura (animae) 10, 24, 8 ; (corporis nostri) 16, 5, 4 ; (sapientiae)
     11, 9, 16

opus (diuinae prudentiae et potestatis) 11, 9, 15 ; (sapientiae) 11,
     9, 19

Pater(ius -tris et nomen) 16, 4, 7 ; (in -e quod fuit semper) 16, 4, 15
procreatio (corporea) 1, 2, 25
prolatus (Filius) 31, 3, 3

regeneratio 20, 4, 8 ; 25, 5, 13 ; 29, 2, 17

sacramentum (-a aeterna) 30, 2, 3 ; (aeternitatis) 18, 3, 12 ; (aquae
   ignisque) 4, 10, 14 ; (baptismi) 27, 4, 8-9 ; (baptismi et spiritus)
   4, 27, 11 ; (caeleste) 25, 2, 29 ; (crucis) 11, 13, 5 ; 20, 8, 3-4 ; 28,
   2, 3 ; (dispositi in nos) 2, 6, 14 ; (fidei) 10, 25, 9 ; 13, 6, 1 ; (aeternae gloriae) 22, 3, 9 ; (-a gratiae) 9, 4, 8 ; (hoc) 31, 7, 11 ;
   (humanae salutis) 2, 5, 18 ; 21, 14, 9 ; (magnum) 22, 3, 16 ; (nostrae salutis) 2, 5, 4 ; 31, 7, 11 ; (omne) 1, 5, 8 ; 27, 8, 6-7 ; (orationis) 5, 1, 8 ; (panis caelestis) 9, 3, 17 ; 10, 9, 21 ; (passionis)
   20, 9, 19 ; 33, 5, 4 ; (salutis) 7, 4, 11 ; 9, 4, 2 ; (sancti cibi) 9, 3, 12 ;
   species (animarum) 5, 8, 17
spiritalis (anima) 10, 24, 13 ; (corpus) 10, 19, 8 ; (gloria) 27, 4, 5 ;
   (uerba -a) 4, 14, 8
substantia (aeternitas -ae) 4, 14, 24 ; 5, 8, 3 ; 5, 15, 6 ; (angelorum
   -ae) 5, 11, 18 ; (animae) 10, 19, 7 ; (caelestis) 5, 12, 25 ; (communio -ae) 8, 8, 13 ; 12, 18, 8 ; (corporea) 5, 8, 19 ; (eadem) 11, 12, 6 ;
   (incorrupta) 31, 2, 10 ; (infinitas -ae) 31, 3, 4 ; (naturae) 5, 8,
   19 ; (nostra) 5, 10, 2 ; (paterna) 8, 8, 13 ; 31, 3, 3-4 ; (spiritalis)
   26, 1, 4 ; (sua) 5, 8, 15 ; (uirtutis aeternae) 23, 8, 16 ; (uiuendi)
   5, 9, 7

theoteta 16, 4, 12 ; 26, 5, 22

Verbum (Dei) 7, 6, 10 ; 10, 24, 17 ; 26, 4, 9

uirtus (aeterna) 33, 7, 6 ; (aeternitatis) 16, 5, 4 ; (caelestis substantiae)
   5, 11, 25 ; (Christi) 8, 1, 15 ; 9, 7, 7 ; 9, 10, 13 ; 13, 4, 12 ; 21, 6,
   14 ; (Dei) 6, 5, 9 ; 16, 4, 10 ; (illa) 31, 2, 9 ; (natura -tis) 9, 7,
   9 ; (naturae suae) 5, 11, 20 ; (nouae gratiae) 9, 4, 8 ; (operantis)
   14, 12, 22 ; (opus -tis) 6, 5, 6 ; 11, 9, 10 ; (potes-tas -tis) 5, 15, 5 ;
   (ratio -tis) 14, 12, 23 ; (resurrectionis) 33, 9, 2 ; (sancti spiritus)
   14, 19, 13 ; (Verbi) 7, 2, 8 et 12 ; 9, 10, 11

ERRATA DU TOME I

Page 277 : paragraphe 11, ligne 4 : remplacer *par sa parole*
par *comme il est dit*

Page 286, note 13, l. 2 : lire « Ainsi Marcion... »

TABLE DES MATIÈRES

Conspectus siglorum. 7

TEXTE ET TRADUCTION. 10

APPENDICE : Les capitula de l'*In Matthaeum*. 263

INDEX

    Index scripturaire. 271

    Index analytique. 275

    Index des mots latins. 289

        1. Mots et locutions du vocabulaire du droit (289) —
        2. Mots et locutions du vocabulaire de la rhétorique
        et de l'exégèse (291) — 3. Expressions du vocabu-
        laire de la poésie (295) — 4. Mots et expressions du
        vocabulaire théologique (295)

ACHEVÉ D'IMPRIMER
LE 10 AVRIL 1979
SUR LES PRESSES
DE PROTAT FRÈRES
A MACON

N° IMPRIMEUR : 6385. N° ÉDITEUR : 7023. DÉPÔT LÉGAL : 2° TRIMESTRE 1979.

SOURCES CHRÉTIENNES

LISTE COMPLÈTE DE TOUS LES VOLUMES PARUS

N. B. — L'ordre suivant est celui de la date de parution (nᵒ 1 en 1942) et il n'est pas tenu compte ici du classement en séries : grecque, latine, byzantine, orientale, textes monastiques d'Occident ; et série annexe : textes para-chrétiens.

Sauf indication contraire, chaque volume comporte le texte original, grec ou latin, souvent avec un apparat critique inédit.

La mention *bis* indique une seconde édition. Quand cette seconde édition ne diffère de la première que par de menues corrections et des *Addenda et Corrigenda* ajoutés en appendice, la date est accompagnée de la mention « réimpression avec supplément ».

1. GRÉGOIRE DE NYSSE : **Vie de Moïse.** J. Daniélou (3ᵉ édition) (1968).
2 bis. CLÉMENT D'ALEXANDRIE : **Protreptique.** C. Mondésert, A. Plassart (réimpression de la 2ᵉ éd., 1976).
3 bis. ATHÉNAGORE : **Supplique au sujet des chrétiens.** *En préparation.*
4 bis. NICOLAS CABASILAS : **Explication de la divine Liturgie.** S. Salaville, R. Bornert, J. Gouillard, P. Périchon (1967).
5. DIADOQUE DE PHOTICÉ : **Œuvres spirituelles.** É. des Places (réimpr. de la 2ᵉ éd., avec suppl., 1966).
6 bis. GRÉGOIRE DE NYSSE : **La création de l'homme.** *En préparation.*
7 bis. ORIGÈNE : **Homélies sur la Genèse.** H. de Lubac, L. Doutreleau (1976).
8. NICÉTAS STÉTHATOS : **Le paradis spirituel.** M. Chalendard. *Remplacé par le nᵒ 81.*
9 bis. MAXIME LE CONFESSEUR : **Centuries sur la charité.** *En préparation.*
10. IGNACE D'ANTIOCHE : **Lettres.** — **Lettres et Martyre** de POLYCARPE DE SMYRNE. P.-Th. Camelot (4ᵉ édition) (1969).
11 bis. HIPPOLYTE DE ROME : **La Tradition apostolique.** B. Botte (1968).
12 bis. JEAN MOSCHUS : **Le Pré spirituel.** *En préparation.*
13. JEAN CHRYSOSTOME : **Lettres à Olympias.** A.-M. Malingrey. Trad. seule (1947).
13 bis. 2ᵉ édition avec le texte grec et la **Vie anonyme d'Olympias** (1968).
14. HIPPOLYTE DE ROME : **Commentaire sur Daniel.** G. Bardy, M. Lefèvre. Trad. seule (1947).
   2ᵉ édition avec le texte grec. *En préparation.*
15 bis. ATHANASE D'ALEXANDRIE : **Lettres à Sérapion.** J. Lebon. *En préparation.*
16 bis. ORIGÈNE : **Homélies sur l'Exode.** H. de Lubac, J. Fortier. *En préparation.*
17. BASILE DE CÉSARÉE : **Sur le Saint-Esprit.** B. Pruche. Trad. seule (1947).
17 bis. 2ᵉ édition avec le texte grec (1968).
18 bis. ATHANASE D'ALEXANDRIE : **Discours contre les païens.** P. Th. Camelot (1977).
19 bis. HILAIRE DE POITIERS : **Traité des Mystères.** P. Brisson (réimpression, avec supplément, 1967).

20. Théophile d'Antioche : **Trois livres à Autolycus.** G. Bardy, J. Sender. Trad. seule (1948).

    2ᵉ édition avec le texte grec. *En préparation.*

21. Éthérie : **Journal de voyage.** H. Pétré (réimpression, 1975).

22 bis. Léon le Grand : **Sermons**, t. I. J. Leclercq, R. Dolle (1964).

23. Clément d'Alexandrie : **Extraits de Théodote** (réimpression, 1970).

24 bis. Ptolémée : **Lettre à Flora.** G. Quispel (1966).

25 bis. Ambroise de Milan : **Des sacrements. Des Mystères. Explication du Symbole.** B. Botte (1961).

26 bis. Basile de Césarée : **Homélies sur l'Hexaéméron.** S. Giet (réimpr. avec suppl., 1968).

27 bis. **Homélies Pascales**, t. I. P. Nautin. *En préparation.*

28 bis. Jean Chrysostome : **Sur l'incompréhensibilité de Dieu.** J. Daniélou, A.-M. Malingrey, R. Flacelière (1970).

29 bis. Origène : **Homélies sur les Nombres.** A. Méhat. *En préparation.*

30 bis. Clément d'Alexandrie : **Stromate I.** *En préparation.*

31. Eusèbe de Césarée : **Histoire ecclésiastique**, t. I. G. Bardy (réimpression, 1978).

32 bis. Grégoire le Grand : **Morales sur Job**, t. I. Livres I-II. R. Gillet, A. de Gaudemaris (1975).

33 bis. **A Diognète.** H. I. Marrou (réimpr. avec suppl., 1965).

34. Irénée de Lyon : **Contre les hérésies**, livre III. F. Sagnard. *Remplacé par les nᵒˢ 210 et 211.*

35 bis. Tertullien : **Traité du baptême.** F. Refoulé. *En préparation.*

36 bis. **Homélies Pascales**, t. II. P. Nautin. *En préparation.*

37 bis. Origène : **Homélies sur le Cantique.** O. Rousseau (1966).

38 bis. Clément d'Alexandrie : **Stromate II.** *En préparation.*

39 bis. Lactance : **De la mort des persécuteurs.** 2 vol. *En préparation.*

40. Théodoret de Cyr : **Correspondance**, t. I. Y. Azéma (1955).

41. Eusèbe de Césarée : **Histoire ecclésiastique**, t. II. G. Bardy (réimpression, 1965).

42. Jean Cassien : **Conférences**, t. I. E. Pichery (réimpression, 1966).

43. Jérôme : **Sur Jonas.** P. Antin (1956).

44. Philoxène de Mabboug : **Homélies.** E. Lemoine. Trad. seule (1956).

45. Ambroise de Milan : **Sur S. Luc**, t. I. G. Tissot (réimpr. avec suppl., 1971).

46 bis. Tertullien : **De la prescription contre les hérétiques.** *En préparation.*

47. Philon d'Alexandrie : **La migration d'Abraham.** R. Cadiou (1957).

48. **Homélies Pascales**, t. III. F. Floëri et P. Nautin (1957).

49 bis. Léon le Grand : **Sermons**, t. II. R. Dolle (1969).

50 bis. Jean Chrysostome : **Huit Catéchèses baptismales inédites.** A. Wenger (réimpr. avec suppl., 1970).

51 bis. Syméon le Nouveau Théologien : **Chapitres théologiques, gnostiques et pratiques.** J. Darrouzès. *En préparation.*

52. Ambroise de Milan : **Sur S. Luc**, t. II. G. Tissot (1958).

53 bis. Hermas : **Le Pasteur.** R. Joly (réimpr. avec suppl., 1968).

54. Jean Cassien : **Conférences**, t. II. E. Pichery (réimpression, 1966).

55. Eusèbe de Césarée : **Histoire ecclésiastique**, t. III. G. Bardy (réimpression, 1967).

56. ATHANASE D'ALEXANDRIE : **Deux apologies.** J. Szymusiak (1958).

57. THÉODORET DE CYR : **Thérapeutique des maladies helléniques.** 2 volumes, P. Canivet (1958).

58 bis. DENYS L'ARÉOPAGITE : **La hiérarchie céleste.** G. Heil, R. Roques, M. de Gandillac (réimpr. avec suppl., 1970).

59. **Trois antiques rituels du baptême.** A. Salles. Trad. seule. *Épuisé.*

60. AELRED DE RIEVAULX : **Quand Jésus eut douze ans.** A. Hoste, J. Dubois. (1958).

61 bis. GUILLAUME DE SAINT-THIERRY : **Traité de la contemplation de Dieu.** J. Hourlier (réimpression, 1977).

62. IRÉNÉE DE LYON : **Démonstration de la prédication apostolique.** L. Froidevaux. Nouvelle trad. sur l'arménien. Trad. seule (réimpr., 1971).

63. RICHARD DE SAINT-VICTOR : **La Trinité.** G. Salet (1959).

64. JEAN CASSIEN : **Conférences,** t. III. E. Pichery (réimpr., 1971).

65. GÉLASE Ier : **Lettre contre les Lupercales et dix-huit messes du sacramentaire léonien.** G. Pomarès (1960).

66. ADAM DE PERSEIGNE : **Lettres,** t. I. J. Bouvet (1960).

67. ORIGÈNE : **Entretien avec Héraclide.** J. Scherer (1960).

68. MARIUS VICTORINUS : **Traités théologiques sur la Trinité.** P. Henry, P. Hadot. Tome I. Introd., texte critique, traduction (1960).

69. **Id.** — Tome II. Commentaire et tables (1960).

70. CLÉMENT D'ALEXANDRIE : **Le Pédagogue,** t. I. H. I. Marrou, M. Harl (1960).

71. ORIGÈNE : **Homélies sur Josué.** A. Jaubert (1960).

72. AMÉDÉE DE LAUSANNE : **Huit homélies mariales.** G. Bavaud, J. Deshusses, A. Dumas (1960).

73 bis. EUSÈBE DE CÉSARÉE : **Histoire ecclésiastique,** t. IV. Introd. générale de G. Bardy et tables de P. Périchon (réimpr. avec suppl., 1971).

74 bis. LÉON LE GRAND : **Sermons,** t. III. R. Dolle (1976).

75. S. AUGUSTIN : **Commentaire de la 1re Épître de S. Jean.** P. Agaësse (réimpression, 1966).

76. AELRED DE RIEVAULX : **La vie de recluse.** Ch. Dumont (1961).

77. DEFENSOR DE LIGUGÉ : **Le livre d'étincelles,** t. I. H. Rochais (1961).

78. GRÉGOIRE DE NAREK : **Le livre de Prières.** I. Kéchichian. Trad. seule (1961).

79. JEAN CHRYSOSTOME : **Sur la Providence de Dieu.** A.-M. Malingrey (1961).

80. JEAN DAMASCÈNE : **Homélies sur la Nativité et la Dormition.** P. Voulet (1961).

81. NICÉTAS STÉTHATOS : **Opuscules et lettres.** J. Darrouzès (1961).

82. GUILLAUME DE SAINT-THIERRY : **Exposé sur le Cantique des Cantiques.** J.-M. Déchanet (1962).

83. DIDYME L'AVEUGLE : **Sur Zacharie.** Texte inédit. L. Doutreleau. Tome I. Introduction et livre I (1962).

84. **Id.** — Tome II. Livres II et III (1962).

85. **Id.** — Tome III. Livres IV et V, Index (1962).

86. DEFENSOR DE LIGUGÉ : **Le livre d'étincelles,** t. II. H. Rochais (1962).

87. ORIGÈNE : **Homélies sur S. Luc.** H. Crouzel, F. Fournier, P. Périchon (1962).

88. **Lettres des premiers Chartreux,** tome I : S. BRUNO, GUIGUES, S. ANTHELME. Par un Chartreux (1962).

89. **Lettre d'Aristée à Philocrate**. A. Pelletier (1962).

90. **Vie de sainte Mélanie**. D. Gorce (1962).

91. ANSELME DE CANTORBÉRY : **Pourquoi Dieu s'est fait homme**. R. Roques (1963).

92. DOROTHÉE DE GAZA : **Œuvres spirituelles**. L. Regnault, J. de Préville (1963).

93. BAUDOUIN DE FORD : **Le sacrement de l'autel**. J. Morson, É. de Solms, J. Leclercq. Tome I (1963).

94. **Id.** — Tome II (1963).

95. MÉTHODE D'OLYMPE : **Le banquet**. H. Musurillo, V.-H. Debidour (1963).

96. SYMÉON LE NOUVEAU THÉOLOGIEN : **Catéchèses**. B. Krivochéine, J. Paramelle. Tome I. Introduction et Catéchèses 1-5 (1963).

97. CYRILLE D'ALEXANDRIE : **Deux dialogues christologiques**. G. M. de Durand (1964).

98. THÉODORET DE CYR : **Correspondance**, t. II. Y. Azéma (1964).

99. ROMANOS LE MÉLODE : **Hymnes**. J. Grosdidier de Matons. Tome I. Introduction et Hymnes I-VIII (1964).

100. IRÉNÉE DE LYON : **Contre les hérésies**, livre IV. A. Rousseau, B. Hemmerdinger, Ch. Mercier, L. Doutreleau. 2 vol. (1965).

101. QUODVULTDEUS : **Livre des promesses et des prédictions de Dieu**. R. Braun. Tome I (1964).

102. **Id.** — Tome II (1964).

103. JEAN CHRYSOSTOME : **Lettre d'exil**. A.-M. Malingrey (1964).

104. SYMÉON LE NOUVEAU THÉOLOGIEN : **Catéchèses**. B. Krivochéine, J. Paramelle. Tome II. Catéchèses 6-22 (1964).

105. **La règle du Maître**. A. de Vogüé. Tome I. Introduction et chap. 1-10 (1964).

106. **Id.** — Tome II. Chap. 11-95 (1964).

107. **Id.** — Tome III. Concordance et Index orthographique. J.-M. Clément, J. Neufville, D. Demeslay (1965).

108. CLÉMENT D'ALEXANDRIE : **Le Pédagogue**, tome II. Cl. Mondésert, H. I. Marrou (1965).

109. JEAN CASSIEN : **Institutions cénobitiques**. J.-C. Guy (1965).

110. ROMANOS LE MÉLODE : **Hymnes**. J. Grosdidier de Matons. Tome II. Hymnes IX-XX (1965).

111. THÉODORET DE CYR : **Correspondance**, t. III. Y. Azéma (1965).

112. CONSTANCE DE LYON : **Vie de S. Germain d'Auxerre**. R. Borius (1965).

113. SYMÉON LE NOUVEAU THÉOLOGIEN : **Catéchèses**. B. Krivochéine, J. Paramelle. Tome III. Catéchèses 23-34, Actions de grâces 1-2 (1965).

114. ROMANOS LE MÉLODE : **Hymnes**. J. Grosdidier de Matons. Tome III. Hymnes XXI-XXXI (1965).

115. MANUEL II PALÉOLOGUE : **Entretien avec un musulman**. A. Th. Khoury (1966).

116. AUGUSTIN D'HIPPONE : **Sermons pour la Pâque**. S. Poque (1966).

117. JEAN CHRYSOSTOME : **A Théodore**. J. Dumortier (1966).

118. ANSELME DE HAVELBERG : **Dialogues**, livre I. G. Salet (1966).

119. GRÉGOIRE DE NYSSE : **Traité de la Virginité**. M. Aubineau (1966).

120. ORIGÈNE : **Commentaire sur S. Jean**. C. Blanc. Tome I. Livres I-V (1966).

121. ÉPHREM DE NISIBE : **Commentaire de l'Évangile concordant ou Diatessaron**. L. Leloir. Trad. seule (1966).

122. SYMÉON LE NOUVEAU THÉOLOGIEN : **Traités théologiques et éthiques.** J. Darrouzès. Tome I. Téol. 1-3, Éth. 1-3 (1966).

123. MÉLITON DE SARDES : **Sur la Pâque (et fragments).** O. Perler (1966).

124. **Expositio totius mundi et gentium.** J. Rougé (1966).

125. JEAN CHRYSOSTOME : **La Virginité.** H. Musurillo, B. Grillet (1966).

126. CYRILLE DE JÉRUSALEM : **Catéchèses mystagogiques.** A. Piédagnel, P. Paris (1966).

127. GERTRUDE D'HELFTA : **Œuvres spirituelles.** Tome I. **Les Exercices.** J. Hourlier, A. Schmitt (1967).

128. ROMANOS LE MÉLODE : **Hymnes.** J. Grosdidier de Matons. Tome IV Hymnes XXXII-XLV (1967).

129. SYMÉON LE NOUVEAU THÉOLOGIEN : **Traités théologiques et éthiques.** J. Darrouzès. Tome II. Éth. 4-15 (1967).

130. ISAAC DE L'ÉTOILE : **Sermons.** A. Hoste. G. Salet. Tome I. Introduction et Sermons 1-17 (1967).

131. RUPERT DE DEUTZ : **Les œuvres du Saint-Esprit.** J. Gribomont, É. de Solms. Tome I. Livres I et II (1967).

132. ORIGÈNE : **Contre Celse.** M. Borret. Tome I. Livres I et II (1967).

133. SULPICE SÉVÈRE : **Vie de S. Martin.** J. Fontaine. Tome I. Introduction, texte et traduction (1967).

134. **Id.** — Tome II. Commentaire (1968).

135. **Id.** — Tome III. Commentaire (suite), Index (1969).

136. ORIGÈNE : **Contre Celse.** M. Borret. Tome II. Livres III et IV (1968).

137. ÉPHREM DE NISIBE : **Hymnes sur le Paradis.** F. Graffin, R. Lavenant. Trad. seule (1968).

138. JEAN CHRYSOSTOME : **A une jeune veuve. Sur le mariage unique.** B. Grillet, G. H. Ettlinger (1968).

139. GERTRUDE D'HELFTA : **Œuvres spirituelles.** Tome II. **Le Héraut.** Livres I et II. P. Doyère (1968).

140. RUFIN D'AQUILÉE : **Les bénédictions des Patriarches.** M. Simonetti, H. Rochais, P. Antin (1968).

141. COSMAS INDICOPLEUSTÈS : **Topographie chrétienne.** Tome I. Introduction et livres I-IV. W. Wolska-Conus (1968).

142. **Vie des Pères du Jura.** F. Martine (1968).

143. GERTRUDE D'HELFTA : **Œuvres spirituelles.** Tome III. **Le Héraut.** Livre III. P. Doyère (1968).

144. **Apocalypse syriaque de Baruch.** Tome I. Introduction et traduction. P. Bogaert (1969).

145. **Id.** — Tome II. Commentaire et tables (1969).

146. **Deux homélies anoméennes pour l'octave de Pâques.** J. Liebaert (1969).

147. ORIGÈNE : **Contre Celse.** M. Borret. Tome III. Livres V et VI (1969).

148. GRÉGOIRE LE THAUMATURGE : **Remerciement à Origène. — La lettre d'Origène à Grégoire.** H. Crouzel (1969).

149. GRÉGOIRE DE NAZIANZE : **La passion du Christ.** A. Tuilier (1969).

150. ORIGÈNE : **Contre Celse.** M. Borret. Tome IV. Livres VII et VIII (1969)

151. JEAN SCOT : **Homélie sur le Prologue de Jean.** É. Jeauneau (1969).

152. IRÉNÉE DE LYON : **Contre les hérésies,** livre V. A. Rousseau, L. Doutreleau, C. Mercier. Tome I. Introduction, notes justificatives et tables (1969).

153. **Id.** — Tome II. Texte et traduction (1969).

154. CHROMACE D'AQUILÉE : **Sermons.** Tome I. Sermons 1-17 A. J. Lemarié (1969).

155. HUGUES DE SAINT-VICTOR : **Six opuscules spirituels.** R. Baron (1969).

156. SYMÉON LE NOUVEAU THÉOLOGIEN : **Hymnes.** J. Koder, J. Paramelle. Tome I. Hymnes I-XV (1969).

157. ORIGÈNE : **Commentaire sur S. Jean.** C. Blanc. Tome II. Livres VI et X (1970).

158. CLÉMENT D'ALEXANDRIE : **Le Pédagogue.** Livre III. Cl. Mondésert, H. I. Marrou et Ch. Matray (1970).

159. COSMAS INDICOPLEUSTÈS : **Topographie chrétienne.** Tome II. Livre V. W. Wolska-Conus (1970).

160. BASILE DE CÉSARÉE : **Sur l'origine de l'homme.** A. Smets et M. Van Esbroeck (1970).

161. **Quatorze homélies du IXe siècle d'un auteur inconnu de l'Italie du Nord.** P. Mercier (1970).

162. ORIGÈNE : **Commentaire sur l'Évangile selon Matthieu.** Tome I. Livres X et XI. R. Girod (1970).

163. GUIGUES II LE CHARTREUX : **Lettre sur la vie contemplative** (ou **Échelle des Moines). Douze méditations.** E. Colledge, J. Walsh (1970).

164. CHROMACE D'AQUILÉE : **Sermons.** Tome II. Sermons 18-41. J. Lemarié (1971).

165. RUPERT DE DEUTZ : **Les œuvres du Saint-Esprit.** Tome II. Livres III et IV. J. Gribomont, É. de Solms (1970).

166. GUERRIC D'IGNY : **Sermons,** Tome I. J. Morson, H. Costello, P. Deseille (1970).

167. CLÉMENT DE ROME : **Épître aux Corinthiens.** A. Jaubert (1971).

168. RICHARD ROLLE : **Le chant d'amour (Melos amoris).** F. Vandenbroucke et les Moniales de Wisques. Tome I (1971).

169. **Id.** — Tome II (1971).

170. ÉVAGRE LE PONTIQUE : **Traité pratique.** A. et C. Guillaumont. Tome I. Introduction (1971).

171. **Id.** — Tome II. Texte, traduction, commentaire et tables (1971).

172. **Épître de Barnabé.** R. A. Kraft, P. Prigent (1971).

173. TERTULLIEN : **La toilette des femmes.** M. Turcan (1971).

174. SYMÉON LE NOUVEAU THÉOLOGIEN : **Hymnes.** J. Koder, L. Neyrand. Tome II. Hymnes XVI-XL (1971).

175. CÉSAIRE D'ARLES : **Sermons au peuple.** Tome I. Sermons 1-20. M.-J. Delage (1971).

176. SALVIEN DE MARSEILLE : **Œuvres.** Tome I. G. Lagarrigue (1971).

177. CALLINICOS : **Vie d'Hypatios.** G. J. M. Bartelink (1971).

178. GRÉGOIRE DE NYSSE : **Vie de sainte Macrine.** P. Maraval (1971).

179. AMBROISE DE MILAN : **La Pénitence.** R. Gryson (1971).

180. JEAN SCOT : **Commentaire sur l'évangile de Jean.** É. Jeauneau (1972).

181. **La Règle de S. Benoît.** Tome I. Introduction et chapitres I-VII. A. de Vogüé et J. Neufville (1972).

182. **Id.** — Tome II. Chapitres VIII-LXXIII, Tables et concordance. A. de Vogüé et J. Neufville (1972).

183. **Id.** — Tome III. Étude de la tradition manuscrite. J. Neufville (1972).

184. **Id.** — Tome IV. Commentaire (Parties I-III). A. de Vogüé (1971).

185. **Id.** — Tome V. Commentaire (Parties IV-VI). A. de Vogüé (1971).

186. **Id.** — Tome VI. Commentaire (Parties VII-IX), Index. A. de Vogüé (1971).

187. Hésychius de Jérusalem, Basile de Séleucie, Jean de Béryte, Pseudo-Chrysostome, Léonce de Constantinople : **Homélies pascales**. M. Aubineau (1972).

188. Jean Chrysostome : **Sur la vaine gloire et l'éducation des enfants.** A.-M. Malingrey (1972).

189. **La chaîne palestinienne sur le psaume 118.** Tome I. Introduction, texte critique et traduction. M. Harl (1972).

190. **Id.** — Tome II. Catalogue des fragments, notes et index. M. Harl (1972).

191. Pierre Damien : **Lettre sur la toute-puissance divine.** A. Cantin (1972).

192. Julien de Vézelay : **Sermons.** Tome I. Introduction et Sermons 1-16. D. Vorreux (1972).

194. **Actes de la Conférence de Carthage en 411.** Tome I. Introduction. S. Lancel (1972).

195. **Id.** — Tome II. Texte et traduction de la Capitulation et des Actes de la première séance. S. Lancel (1972).

196. Syméon le Nouveau Théologien : **Hymnes.** J. Koder, J. Paramelle, L. Neyrand. Tome III. Hymnes XLI-LVIII, Index (1973).

197. Cosmas Indicopleustès : **Topographie chrétienne**, t. III. Livres VI-XII, Index. W. Wolska-Conus (1973).

198. **Livre** (cathare) **des deux principes.** Ch. Thouzellier (1973).

199. Athanase d'Alexandrie : **Sur l'incarnation du Verbe.** C. Kannengiesser (1973).

200. Léon le Grand : **Sermons**, tome IV. Sermons 65-98, Éloge de S. Léon, Index. R. Dolle (1973).

201. **Évangile de Pierre.** M.-G. Mara (1973).

202. Guerric d'Igny : **Sermons.** Tome II. J. Morson, H. Costello, P. Deseille (1973).

203. Nersès Snorhali : **Jésus, Fils unique du Père.** I. Kéchichian. Trad. seule (1973).

204. Lactance : **Institutions divines**, livre V. Tome I. Introd., texte et trad. P. Monat (1973).

205. **Id.** — Tome II. Commentaire et index. P. Monat (1973).

206. Eusèbe de Césarée : **Préparation évangélique**, livre I. J. Sirinelli, É. des Places (1974).

207. Isaac de l'Étoile : **Sermons.** A. Hoste, G. Salet, G. Raciti. Tome II. Sermons 18-39 (1974).

208. Grégoire de Nazianze : **Lettres théologiques.** P. Gallay (1974).

209. Paulin de Pella : **Poème d'action de grâces** et **Prière.** C. Moussy (1974)

210. Irénée de Lyon : **Contre les hérésies**, livre III. A. Rousseau, L. Doutreleau. Tome I. Introduction, notes justificatives et tables (1974).

211. **Id.** — Tome II. Texte et traduction (1974).

212. Grégoire le Grand : **Morales sur Job.** Livres XI-XIV. A. Bocognano (1974).

213. Lactance : **L'ouvrage du Dieu créateur.** Tome I. Introduction, texte critique et traduction. M. Perrin (1974).

214. **Id.** — Tome II. Commentaire et index. M. Perrin (1974).

215. Eusèbe de Césarée : **Préparation évangélique**, livre VII. G. Schroeder, É. des Places (1975).

216. TERTULLIEN : **La chair du Christ.** Tome I. Introduction, texte critique et traduction. J. P. Mahé (1975).

217. **Id.** — Tome II. Commentaire et Index. J. P. Mahé (1975).

218. HYDACE : **Chronique.** Tome I. Introduction, texte critique et traduction. A. Tranoy (1975).

219. **Id.** — Tome II. Commentaire et index. A. Tranoy (1975).

220. SALVIEN DE MARSEILLE : **Œuvres,** t. II. G. Lagarrigue (1975).

221. GRÉGOIRE LE GRAND : **Morales sur Job.** Livres XV-XVI. A. Bocognano (1975).

222. ORIGÈNE : **Commentaire sur S. Jean.** Tome III. Livre XIII. C. Blanc (1975).

223. GUILLAUME DE SAINT-THIERRY : **Lettre aux Frères du Mont-Dieu (Lettre d'or).** J. Déchanet (1975).

224. **Actes de la Conférence de Carthage en 411.** Tome III. Texte et traduction des Actes de la 2ᵉ et de la 3ᵉ séance. S. Lancel (1975).

225. DHUODA : **Manuel pour mon fils.** P. Riché, B. de Vregille et C. Mondésert (1975).

226. ORIGÈNE : **Philocalie 21-27 (Sur le libre arbitre).** É. Junod (1976).

227. ORIGÈNE : **Contre Celse.** M. Borret. Tome V. Introduction et index (1976).

228. EUSÈBE DE CÉSARÉE : **Préparation évangélique.** Livres II-III. É. des Places (1976).

229. PSEUDO-PHILON : **Les Antiquités Bibliques.** D. J. Harrington, C. Perrot, P. Bogaert, J. Cazeaux. Tome I. Introduction critique, texte et traduction (1976).

230. **Id.** — Tome II. Introduction littéraire, commentaire et index (1976).

231. CYRILLE D'ALEXANDRIE : **Dialogues sur la Trinité.** Tome I. Dial. I et II. G. M. de Durand (1976).

232. ORIGÈNE : **Homélies sur Jérémie.** P. Nautin et P. Husson. Tome I. Introduction et homélies I-XI.

233. DIDYME L'AVEUGLE : **Sur la Genèse,** t. I (sur Genèse I-IV). P. Nautin et L. Doutreleau.

234. THÉODORET DE CYR : **Histoire des moines de Syrie.** Tome I. Introduction et **Histoire philothée** I-XIII. P. Canivet et A. Leroy-Molinghen (1977).

235. HILAIRE D'ARLES : **Vie de S. Honorat.** M.-D. Valentin (1977).

236. **Rituel cathare.** Ch. Thouzellier (1977).

237. CYRILLE D'ALEXANDRIE : **Dialogues sur la Trinité.** Tome II. Dial. III-V. G. M. de Durand. (1977).

238. ORIGÈNE : **Homélies sur Jérémie.** Tome II. Homélies XII-XX et homélies latines, index. P. Nautin et P. Husson (1977).

239. AMBROISE DE MILAN : **Apologie de David.** P. Hadot et M. Cordier (1977).

240. PIERRE DE CELLE : **L'école du cloître.** G. de Martel (1977).

241. **Conciles gaulois du IVᵉ siècle.** J. Gaudemet (1977).

242. S. JÉRÔME : **Commentaire sur S. Matthieu.** Tome I. Livres I et II. É. Bonnard (1978).

243. CÉSAIRE D'ARLES : **Sermons au peuple.** Tome II. Sermons 21-55. M.-J. Delage (1978).

244. DIDYME L'AVEUGLE : **Sur la Genèse.** Tome II (sur Genèse V-XVII). Index. P. Nautin et L. Doutreleau (1978).

245. **Targum du Pentateuque**. Tome I : **Genèse**. R. Le Déaut et J. Robert Trad. seule (1978).

246. CYRILLE D'ALEXANDRIE : **Dialogues sur la Trinité**. Tome III. Dial. VI-VII, index. G. M. de Durand (1978).

247. GRÉGOIRE DE NAZIANZE : **Discours** 1-3. J. Bernardi (1978).

248. **La doctrine des douze apôtres**. W. Rordorf et A. Tuilier (1978).

249. S. PATRICK : **Confession et Lettre à Coroticus**. R. P. C. Hanson et C. Blanc (1978).

250. GRÉGOIRE DE NAZIANZE : **Discours** 27-31 (Discours théologiques). P. Gallay (1978).

251. GRÉGOIRE LE GRAND : **Dialogues**. Tome I. A. de Vogüé (1978).

252. ORIGÈNE : **Traité des principes**. Livres I et II. Tome I. Introduction, texte critique et traduction. H. Crouzel et M. Simonetti (1978).

253. **Id.** — Tome II. Commentaire et fragments. H. Crouzel et M. Simonetti (1978).

254. HILAIRE DE POITIERS : **Sur Matthieu**. Tome I. Introduction et chap. 1-13. J. Doignon (1978).

255. GERTRUDE D'HELFTA : **Œuvres spirituelles**. Tome IV. **Le Héraut**. Livre IV. J.-M. Clément, B. de Vregille et les Moniales de Wisques (1978).

256. **Targum du Pentateuque**. Tome II. **Exode et Lévitique**. R. Le Déaut et J. Robert. Trad. seule (1979).

257. THÉODORET DE CYR : **Histoire des moines de Syrie**. Tome II. **Histoire Philothée** (XIV-XXX), **Traité sur la Charité** (XXXI) et Index. P. Canivet et A. Leroy-Molinghen (1979).

258. HILAIRE DE POITIERS : **Sur Matthieu**, t. II. Chap. 14-33, appendice et index. J. Doignon (1979).

Hors série :

Directives pour la préparation des manuscrits (de « Sources Chrétiennes »). A demander au Secrétariat de « Sources Chrétiennes ». 29, rue du Plat, 69002 Lyon.

La Règle de S. Benoît. VII. Commentaire doctrinal et spirituel. A. de Vogüé (1977).

SOUS PRESSE

S. JÉRÔME : **Commentaire sur S. Matthieu**, t. II. É. Bonnard.

EUSÈBE DE CÉSARÉE : **Préparation évangélique**, livres IV, 1 - V, 17. O. Zink et É. des Places.

EUSÈBE DE CÉSARÉE : **Préparation évangélique**, livres V, 18 - VI. É. des Places.

GRÉGOIRE LE GRAND : **Dialogues**. P. Antin et A. de Vogüé. Tomes II et III.

JEAN CHRYSOSTOME : **Le sacerdoce**. A.-M. Malingrey.

PROCHAINES PUBLICATIONS

PSEUDO-MACAIRE : **Œuvres spirituelles**. t. I. V. Desprez.

IRÉNÉE DE LYON : **Contre les hérésies**, livres I et II. A. Rousseau et L. Doutreleau.

THÉODORET DE CYR : **Commentaire sur Isaïe**. J.-N. Guinot.

ROMANOS LE MÉLODE : **Hymnes**, t. V. J. Grosdidier de Matons.

SOURCES CHRÉTIENNES
(1-258)

ACTES DE LA CONFÉRENCE DE CARTHAGE : *194, 195, 224.*

ADAM DE PERSEIGNE.
 Lettres, I : *66.*

AELRED DE RIEVAULX.
 Quand Jésus eut douze ans : *60.*
 La vie de recluse : *76.*

AMBROISE DE MILAN.
 Apologie de David : *239.*
 Des sacrements : *25.*
 Des mystères : *25.*
 Explication du Symbole : *25.*
 La Pénitence : *179.*
 Sur saint Luc : *45* et *52.*

AMÉDÉE DE LAUSANNE.
 Huit homélies mariales : *72.*

ANSELME DE CANTORBÉRY.
 Pourquoi Dieu s'est fait homme : *91.*

ANSELME DE HAVELBERG.
 Dialogues, I : *118.*

APOCALYPSE DE BARUCH : *144* et *145.*

ARISTÉE (LETTRE D') : *89.*

ATHANASE D'ALEXANDRIE.
 Deux apologies : *56.*
 Discours contre les païens : *18.*
 Lettres à Sérapion : *15.*
 Sur l'Incarnation du Verbe : *199.*

ATHÉNAGORE.
 Supplique au sujet des chrétiens : *3.*

AUGUSTIN.
 Commentaire de la première Épître de saint Jean : *75.*
 Sermons pour la Pâque : *116.*

BARNABÉ (ÉPÎTRE DE) : *172.*

BASILE DE CÉSARÉE.
 Homélies sur l'Hexaéméron : *26.*
 Sur l'origine de l'homme : *160.*
 Traité du Saint-Esprit : *17.*

BASILE DE SÉLEUCIE.
 Homélie pascale : *187.*

BAUDOUIN DE FORD.
 Le sacrement de l'autel : *93* et *94.*

BENOÎT (RÈGLE DE S.) : *181-186.*

CALLINICOS.
 Vie d'Hypatios *177.*

CASSIEN, *voir* Jean Cassien.

CÉSAIRE D'ARLES.
 Sermons au peuple : *175, 243.*

LA CHAÎNE PALESTINIENNE SUR LE PSAUME 118 : *189* et *190.*

CHARTREUX.
 Lettres des premiers Chartreux, t. I : *88.*

CHROMACE D'AQUILÉE.
 Sermons : *154* et *164.*

CLÉMENT D'ALEXANDRIE.
 Le Pédagogue : *70, 108* et *158.*
 Protreptique : *2.*
 Stromate I : *30.*
 Stromate II : *38.*
 Extraits de Théodote : *23.*

CLÉMENT DE ROME.
 Épître aux Corinthiens : *167.*

CONCILES GAULOIS DU IVᵉ SIÈCLE : *241.*

CONSTANCE DE LYON.
 Vie de S. Germain d'Auxerre : *112.*

COSMAS INDICOPLEUSTÈS.
 Topographie chrétienne : *141, 159* et *197.*

CYRILLE D'ALEXANDRIE.
 Deux dialogues christologiques : *97.*
 Dialogues sur la Trinité, *231, 237* et *246.*

CYRILLE DE JÉRUSALEM.
 Catéchèses mystagogiques : *126.*

DEFENSOR DE LIGUGÉ.
 Livre d'étincelles : *77* et *86.*

DENYS L'ARÉOPAGITE.
 La hiérarchie céleste : *58.*

DHUODA.
 Manuel pour mon fils : *225.*

DIADOQUE DE PHOTICÉ.
 Œuvres spirituelles : *5.*

DIDYME L'AVEUGLE.
 Sur la Genèse : *233* et *244.*
 Sur Zacharie : *83-85.*

A DIOGNÈTE : *33.*

LA DOCTRINE DES DOUZE APÔTRES : *248.*

DOROTHÉE DE GAZA.
 Œuvres spirituelles : *92.*

ÉPHREM DE NISIBE.
   Commentaire de l'Évangile concordant ou Diatessaron : *121*.
   Hymnes sur le Paradis : *137*.
ÉTHÉRIE.
   Journal de voyage : *21*.
EUSÈBE DE CÉSARÉE.
   Histoire ecclésiastique, I-IV : *31*.
   —   V-VII : *41*.
   —   VIII-X : *55*.
   —   Introduction et Index : *73*.
   Préparation évangélique, I : *206*.
   —   II-III : *223*.
   —   VII : *215*.
ÉVAGRE LE PONTIQUE.
   Traité pratique : *170* et *171*.
ÉVANGILE DE PIERRE : *201*.
EXPOSITIO TOTIUS MUNDI : *124*.
GÉLASE Ier.
   Lettre contre les lupercales et dix-huit messes : *65*.
GERTRUDE D'HELFTA.
   Les Exercices : *127*.
   Le Héraut, I-II : *139*.
   —   III : *143*.
   —   IV : *255*.
GRÉGOIRE DE NAREK.
   Le livre de Prières : *78*.
GRÉGOIRE DE NAZIANZE.
   Discours, 1-3 : *247*.
   —   27-31 : *250*.
   Lettres théologiques : *208*.
   La Passion du Christ : *149*.
GRÉGOIRE DE NYSSE.
   La création de l'homme : *6*.
   Traité de la Virginité : *119*.
   Vie de Moïse : *1*.
   Vie de sainte Macrine : *178*.
GRÉGOIRE LE GRAND.
   Dialogues, I : *251*.
   Morales sur Job,   I-II : *32*.
   —   XI-XIV : *212*.
   —   XV-XVI : *221*.
GRÉGOIRE LE THAUMATURGE.
   Remerciement à Origène : *148*.
GUERRIC D'IGNY.
   Sermons : *166* et *202*.
GUIGUES II LE CHARTREUX.
   Lettre sur la vie contemplative: *163*.

Douze méditations : *163*.
GUILLAUME DE SAINT-THIERRY.
   Exposé sur le Cantique : *82*.
   Lettre d'or : *223*.
   Traité de la contemplation de Dieu : *61*.
HERMAS.
   Le Pasteur : *53*.
HÉSYCHIUS DE JÉRUSALEM.
   Homélies pascales : *187*.
HILAIRE D'ARLES.
   Vie de S. Honorat : *235*.
HILAIRE DE POITIERS.
   Sur Matthieu : *254* et *258*.
   Traité des Mystères : *19*.
HIPPOLYTE DE ROME.
   Commentaire sur Daniel : *14*.
   La Tradition apostolique : *11*.
DEUX HOMÉLIES ANOMÉENNES POUR L'OCTAVE DE PAQUES : *146*.
HOMÉLIES PASCALES : *27*, *36*, *48*.
QUATORZE HOMÉLIES DU IXe SIÈCLE : *161*.
HUGUES DE SAINT-VICTOR.
   Six opuscules spirituels : *155*.
HYDACE.
   Chronique : *218* et *219*.
IGNACE D'ANTIOCHE.
   Lettres : *10*.
IRÉNÉE DE LYON.
   Contre les hérésies, III : *210* et *211*.
   —   IV : *100*.
   —   V : *152* et *153*.
   Démonstration de la prédication apostolique : *62*.
ISAAC DE L'ÉTOILE.
   Sermons 1-17 : *130*.
   —   18-39 : *207*.
JEAN DE BÉRYTE.
   Homélie pascale : *187*.
JEAN CASSIEN.
   Conférences, I-VII : *42*.
   —   VIII-XVII : *54*.
   —   XVIII-XXIV : *64*.
   Institutions : *109*.
JEAN CHRYSOSTOME.
   A une jeune veuve : *138*.
   A Théodore : *117*.
   Huit catéchèses baptismales : *50*.
   Lettre d'exil : *103*.

Lettres à Olympias : *13.*

Sur l'incompréhensibilité de Dieu : *28.*

Sur la Providence de Dieu : *79.*

Sur la vaine gloire et l'éducation des enfants : *188.*

Sur le mariage unique : *138.*

La Virginité : *125.*

PSEUDO-CHRYSOSTOME.

Homélie pascale : *187.*

JEAN DAMASCÈNE.

Homélies sur la Nativité et la Dormition : *80.*

JEAN MOSCHUS.

Le Pré spirituel : *12.*

JEAN SCOT.

Commentaire sur l'évangile de Jean : *180.*

Homélie sur le prologue de Jean : *151.*

JÉRÔME.

Commentaire sur S. Matthieu, I : *242.*

Sur Jonas : *43.*

JULIEN DE VÉZELAY.

Sermons : *192* et *193.*

LACTANCE.

De la mort des persécuteurs : *39.* (2 vol.).

Institutions divines, V : *204* et *205.*

L'ouvrage du Dieu créateur : *213* et *214.*

LÉON LE GRAND.

Sermons, 1-19 : *22.*

—   20-37 : *49.*

—   38-64 : *74.*

—   65-98 : *200.*

LÉONCE DE CONSTANTINOPLE.

Homélies pascales : *187.*

LIVRE CATHARE DES DEUX PRINCIPES : *198.*

MANUEL II PALÉOLOGUE.

Entretien avec un musulman : *115.*

MARIUS VICTORINUS.

Traités théologiques sur la Trinité : *68* et *69.*

MAXIME LE CONFESSEUR.

Centuries sur la Charité : *9.*

MÉLANIE : *voir* VIE.

MÉLITON DE SARDES.

Sur la Pâque : *123.*

MÉTHODE D'OLYMPE.

Le banquet : *95.*

NERSÈS ŠNORHALI.

Jésus, Fils unique du Père : *203.*

NICÉTAS STÉTHATOS.

Opuscules et lettres : *81.*

NICOLAS CABASILAS.

Explication de la divine liturgie : *4.*

ORIGÈNE.

Commentaire sur S. Jean, I-V : *120.*

—   VI-X : *157.*

—   XIII : *222.*

Commentaire sur S. Matthieu, X XI : *162.*

Contre Celse : *132, 136, 147, 150* et *227.*

Entretien avec Héraclide : *67.*

Homélies sur la Genèse : *7.*

Homélies sur l'Exode : *16.*

Homélies sur les Nombres : *29.*

Homélies sur Josué : *71.*

Homélies sur le Cantique : *37.*

Homélies sur Jérémie : *232* et *238.*

Homélies sur saint Luc : *87.*

Lettre à Grégoire : *148.*

Philocalie 21-27 : *226.*

Traité des Principes, l. I-II : *252* et *253.*

PATRICK.

Confession : *249.*

Lettre à Coroticus : *249.*

PAULIN DE PELLA.

Poème d'action de grâces : *209.*

Prière : *209.*

PHILON D'ALEXANDRIE.

La migration d'Abraham : *47.*

PSEUDO-PHILON.

Les Antiquités Bibliques : *229* et *230.*

PHILOXÈNE DE MABBOUG.

Homélies : *44.*

PIERRE DAMIEN.

Lettre sur la toute-puissance divine : *191.*

PIERRE DE CELLE.

L'école du cloître : *240.*

POLYCARPE DE SMYRNE.

Lettres et Martyre : *10.*

PTOLÉMÉE.

Lettre à Flora : *24.*

QUODVULTDEUS.
  Livre des promesses : *101* et *102*.
LA RÈGLE DU MAÎTRE : *105-107*.
RICHARD DE SAINT-VICTOR.
  La Trinité : *63*.
RICHARD ROLLE.
  Le chant d'amour : *168* et *169*.
RITUELS.
  Rituel cathare : *236*.
  Trois antiques rituels du Baptême :
    59.
ROMANOS LE MÉLODE.
  Hymnes : *99, 110, 114, 128*.
RUFIN D'AQUILÉE.
  Les bénédictions des Patriarches:
    140.
RUPERT DE DEUTZ.
  Les œuvres du Saint-Esprit.
  Livres   I-II : *131*.
  —   III-IV : *165*.
SALVIEN DE MARSEILLE.
  Œuvres : *176* et *220*.
SULPICE SÉVÈRE.
  Vie de S. Martin : *133-135*.
SYMÉON LE NOUVEAU THÉOLOGIEN.
  Catéchèses : *96, 104* et *113*.
  Chapitres théologiques gnostiques
    et pratiques : *51*.

Hymnes : *156, 174* et *196*.
Traités théologiques et éthiques
  122 et *129*.
TARGUM DU PENTATEUQUE.
  — I. Genèse : *245*.
  — II. Exode et Lévitique : *256*.
TERTULLIEN.
  La chair du Christ : *216* et *217*.
  De la prescription contre les héré-
    tiques : *46*.
  La toilette des femmes : *173*.
  Traité du baptême : *35*.
THÉODORET DE CYR.
  Correspondance, lettres I-LII : *40*
  —   lettres   1-95 : *98*
  —   lettres 96-147 : *111*
  Histoire des moines de Syrie, : *234*
  et *257*.
  Thérapeutique des maladies hel-
    léniques : *57* (2 vol.).
THÉODOTE.
  Extraits (*Clément d'Alex.*) : *23*.
THÉOPHILE D'ANTIOCHE.
  Trois livres à Autolycus : *20*.
VIE D'OLYMPIAS : *13*.
VIE DE SAINTE MÉLANIE : *90*.
VIE DES PÈRES DU JURA : *142*.

LES ŒUVRES DE PHILON D'ALEXANDRIE

publiées sous la direction de
R. ARNALDEZ, C. MONDÉSERT, J. POUILLOUX
Texte grec et traduction française

1. **Introduction générale. De opificio mundi.** R. Arnaldez (1961).
2. **Legum allegoriae.** C. Mondésert (1962).
3. **De cherubim.** J. Gorez (1963).
4. **De sacrificiis Abelis et Caini.** A. Méasson (1966).
5. **Quod deterius potiori insidiari soleat.** I. Feuer (1965).
6. **De posteritate Caini.** R. Arnaldez (1972).
7-8. **De gigantibus. Quod Deus sit immutabilis.** A. Mosès (1963).
9. **De agricultura.** J. Pouilloux (1961).
10. **De plantatione.** J. Pouilloux (1963).
11-12. **De ebrietate. De sobrietate.** J. Gorez (1962).
13. **De confusione linguarum.** J.-G. Kahn (1963).
14. **De migratione Abrahami.** J. Cazeaux (1965).
15. **Quis rerum divinarum heres sit.** M. Harl (1966).
16. **De congressu eruditionis gratia.** M. Alexandre (1967).
17. **De fuga et inventione.** E. Starobinski-Safran (1970).
18. **De mutatione nominum.** R. Arnaldez (1964).
19. **De somniis.** P. Savinel (1962).
21. **De Iosepho.** J. Laporte (1964).
20. **De Abrahamo.** J. Gorez (1966).
22. **De vita Mosis.** R. Arnaldez, C. Mondésert, J. Pouilloux, P. Savinel (1967).
23. **De Decalogo.** V. Nikiprowetzky (1965).
24. **De specialibus legibus.** Livres I-II. S. Daniel (1975).
25. **De specialibus legibus.** Livres III-IV. A. Mosès (1970).
26. **De virtutibus.** R. Arnaldez, A.-M. Vérilhac, M.-R. Servel et P. Delobre (1962).
27. **De praemiis et poenis. De exsecrationibus.** A. Beckaert (1961).
28. **Quod omnis probus liber sit,** M. Petit (1974).
29. **De vita contemplativa.** F. Daumas et P. Miquel (1964).
30. **De aeternitate mundi.** R. Arnaldez et J. Pouilloux (1969).
31. **In Flaccum.** A. Pelletier (1967).
32. **Legatio ad Caium.** A. Pelletier (1972).
33. **Quaestiones in Genesim et in Exodum. Fragments grecs.** F. Petit (1978).
34 A. **Quaestiones in Genesim,** I-II (e vers. armen.) (sous presse).
34 B. **Quaestiones in Genesim,** III-IV (e vers. armen.) (en préparation).
34 C. **Quaestiones in Exodum,** I-II (e vers. armen.) (en préparation).
35. **De Providentia,** I-II. M. Hadas-Lebel (1973).